P9-BJA-467

Méthodes et analyses

CENTRE DE RECHERCHE EN LITTÉRATURE QUÉBÉCOISE

Méthodes et analyses

Sous la direction de
Louise Milot et Jaap Lintvelt

Les Presses de l'Université Laval
Sainte-Foy, 1992

Données de catalogage avant publication (Canada)

Vedette principale au titre :
Le roman québécois depuis 1960 : méthodes et analyses

En tête du titre : Centre de recherche en littérature québécoise

« Résultat d'un colloque tenu à Groningue (Pays-Bas) et organisé conjointement par le Centre d'études canadiennes de l'Université de Groningue et le Centre de recherche en littérature québécoise de l'Université Laval » – Présentation.

Comprend des réf. bibliogr.
ISBN 2-7637-7305-2

1. Roman canadien-français – Québec (Province) – Histoire et critique – Congrès. 2. Roman canadien-français – 20e siècle – Histoire et critique – Congrès. 3. Analyse du discours littéraire – Méthodologie – Congrès. 4. Critique – Méthodologie – Congrès. 5. Littérature et société – Québec (Province) – Congrès. 6. Roman canadien-français – Québec (Province) – Aspect psychologique – Congrès. I. Milot, Louise. II. Lintvelt, Jaap. III. Université Laval. Centre de recherche en littérature québécoise.

PS8199.5.Q8R65 1992 C843'.5409 C92-097193-8
PS9199.5.Q8R65 1992
PQ3903.R65 1992

Couverture : Joanne Ouellet

Dépôt légal (Québec et Ottawa), 4e trimestre 1992
ISBN 2-7637-7305-2

Les Presses de l'Université Laval
Cité universitaire
Sainte-Foy (Québec)
Canada G1K 7P4

Présentation

La lecture est d'abord un acte individuel ; et dans son contact direct et immédiat avec une œuvre nouvelle, le lecteur recherche une expérience singulière. Dans le champ des études littéraires toutefois, et de façon particulièrement explicite depuis les années soixante, on convient généralement de l'intérêt et de la pertinence de juxtaposer à cette lecture spontanée une lecture analytique basée sur une approche méthodologique. C'est ce second type de lecture qui sera privilégié dans le présent ouvrage, résultat d'un colloque tenu à Groningue (Pays-Bas) et organisé conjointement par le Centre d'études canadiennes de l'Université de Groningue et le Centre de recherche en littérature québécoise (CRELIQ) de l'Université Laval.

Dans le travail de maîtrise d'une méthode et dans son adaptation à l'analyse de textes littéraires, deux tendances se dessinent. Certains auteurs de lectures critiques choisissent de privilégier l'exposé de considérations théoriques nuancées et complexes, au risque de laisser au second plan l'analyse littéraire même. D'autres au contraire, pressés de saisir le sens des textes, proposent directement des interprétations difficiles à vérifier, du fait qu'ils n'ont pas senti le besoin d'expliciter leur démarche méthodologique.

Afin de combiner l'exposé des méthodes avec l'analyse des textes, l'objectif de chacun des collaborateurs de cet ouvrage sera double : présenter, dans un premier temps, une approche méthodologique donnée, puis l'appliquer dans une analyse concrète d'un roman québécois publié après 1960. Les contributions tendent à montrer, le plus clairement possible, la valeur opératoire de la méthode d'analyse retenue et la complexité des romans.

Représentées ici sans prétendre à l'exhaustivité, les diverses approches peuvent être rangées selon le processus de communication du texte littéraire tel qu'on le décrit généralement. Du côté de *l'auteur,* on trouve la psychanalyse ; puis sont abordées les approches centrées sur *le texte* : la thématique, la rhétorique, la stylistique, l'axiologie, le dialogisme, la sémiotique et la narratologie. D'autres approches encore privilégient *le lecteur* : la déconstruction, la lecture au féminin ; et, enfin, la mise en relief du *contexte historique* et *social,* dans l'histoire littéraire, la sociocritique et la sociologie de la littérature. Qu'il soit bien entendu cependant que ce classement, basé sur la caractéristique dominante des optiques d'analyse, n'exclut nullement les recoupements.

La présentation suivante de l'éventail de méthodes et d'analyses vise à donner une vue globale du contenu du présent ouvrage.

L'auteur

L'étude de Henk Hillenaar s'appuie sur la théorie freudienne du « roman familial », expression employée pour désigner les fantasmes de l'enfant qui, mécontent de son sort, s'invente d'autres parents pour créer les conditions d'une vie plus satisfaisante et trouver une solution – illusoire, fatalement – à ses conflits psychiques. Freud considère ce « roman » personnel comme l'une des sources de la création littéraire, qui comporterait en effet chez chaque auteur une nouvelle distribution de la « composante maternelle » et de la « composante paternelle ». Ce qui frappe dans l'œuvre romanesque d'Anne Hébert, c'est l'omniprésence de la mère, mais aussi l'hostilité que celle-ci nourrit, de concert avec un personnage paternel faible et effacé, à l'égard de ses enfants. Ceux-ci – et notamment les jeunes filles – n'arrivent pas à échapper à l'emprise de la mère et de ses complices, et forment à leur tour des coalitions de « doubles » : frères et sœurs qui se débattent en vain dans un monde douloureusement vide. Car l'« autre », celui qui permet de franchir le pas vers le monde extérieur, n'existe guère dans le matriarcat que dépeint Anne Hébert.

Le texte

Thématique

Alors que l'analyse freudienne est basée sur l'inconscient individuel d'un auteur, l'analyse thématique bachelardienne vise l'étude de l'inconscient collectif. Maurice Émond commence par signaler qu'il n'est guère commode de définir ce qu'est un thème ou de décrire en quoi consiste précisément la démarche thématique. Faut-il parler de thème, de motif, de leitmotiv, de *topos,* d'image ? D'une discipline à l'autre, comme d'un chercheur à l'autre, les définitions et les applications se multiplient. Émond s'emploie d'abord à bien circonscrire les difficultés soulevées, à mentionner les principaux tenants de l'approche thématique, à indiquer leurs divergences ou convergences, à montrer la multiplicité des lectures thématiques possibles. Il s'engage ensuite dans une analyse bachelardienne du roman *Les demoiselles de Numidie* de Marie José Thériault, à travers l'étude d'un thème particulier, celui du labyrinthe, dont il montre le dynamisme, l'expansion et les résonances dans le roman. Le labyrinthe convient tout particulièrement à l'univers fantastique et Bachelard a bien mis en relief certains aspects essentiels du rêve labyrinthique dont la caractéristique principale est l'*être perdu.* Dans *Les demoiselles de Numidie,* l'espace labyrinthique rejoint l'espace fantastique pour dire la métamorphose. L'abîme, la perdition de l'être se trouvent ici dans les figures mêmes de l'errance.

Rhétorique

Jean-Marie Klinkenberg rappelle que la renaissance de la rhétorique s'est accompagnée d'une polémique entre les tenants d'une rhétorique poétique, appliquée à la littérature et centrée autour de l'héritage de l'ancienne *elocutio,* et les partisans d'une rhétorique réhabilitant la notion d'argumentation. L'applicabilité des concepts empruntés à la rhétorique poétique ou à la rhétorique argumentative est toutefois différente selon le type de texte considéré. La *dispositio* se révèle plus féconde dans l'analyse des genres discursifs usant des médiations argumentatives ou narratives (comme le roman), tandis que l'*elocutio* est plus apte à rendre compte des genres mobilisant les médiations référentielles ou figurales (comme la poésie). Klinkenberg expérimente l'application au roman des figures argumentatives subdivisées en figures de liaison et en figures de dissociation. Il montre que ces deux types de figures structurent l'univers romanesque de Jacques Godbout : les personnages, mais aussi les discours qui les situent, les actions et les attitudes. Les dominantes figurales permettent de mettre en évidence certaines pratiques d'écriture : chez Godbout par exemple, la dissociation, qui permet de peindre la nostalgie des oppositions structurantes.

Stylistique

L'analyse stylistique n'a pas manqué de soulever bien des polémiques, quelquefois violentes, autour de son champ d'application, de ses objectifs et de ses méthodes. Après avoir soigneusement justifié sa propre définition de cette discipline, Madeleine Frédéric affirme la pertinence d'une telle approche, dont elle fait voir l'intérêt à partir de *La Québécoite* de Régine Robin et de *Une belle journée d'avance* de Robert Lalonde, deux romans représentatifs de la diversité romanesque des années quatre-vingt. Dans la mesure où l'intrigue ne peut constituer l'essentiel de l'œuvre romanesque, dans la mesure également où l'analyse des personnages comporte aussi ses propres limites, l'approche narratologique, même si elle est essentielle, gagne à être doublée, selon Frédéric, d'une analyse stylistique. L'efficacité et le caractère indispensable d'une telle analyse s'avèrent particulièrement évidents, quand il s'agit de caractériser la nouveauté d'une écriture : ce serait le cas de l'emploi très abondant de l'énumération, chez Robin, ou de la position stratégique de séquences dites « embryonnaires », chez Lalonde. Cette néo-stylistique préconisée par l'auteure soulève ainsi la question des rapports entre narratologie et stylistique ; les englobant l'une et l'autre, elle remplace la concurrence par un épaulement mutuel, en vue d'explorer le texte à fond.

Axiologie

L'axiologie, comme théorie des valeurs, remonte au XVIIIe siècle. Dans la filiation de Kant, une philosophie du sujet a discrédité l'en-soi au profit du pour-soi. La valeur a tenu lieu d'objet et le « devoir-être » est devenu la raison de l'« être ». Par la suite, les axiologues ont oscillé entre la subjectivité et l'objectivité des valeurs. Joseph Melançon commence par décrire l'axiologie comme régime de valeurs discursives en définissant celles-ci par leurs formes et leurs fonctions, pour montrer ensuite comment cette axiologie façonne la signification du premier roman de Jacques Brault, intitulé *Agonie*. Il montre que l'axiologie, avec ses préconstruits littéraires, détermine l'organisation du roman à quatre niveaux. Au niveau des genres, elle subvertit le roman par la poésie – le roman est construit autour d'un poème d'Ungaretti –, de sorte que le roman acquiert à la fin le sens du poème. Au niveau thématique, elle transcrit la philosophie des universaux en symboles et réduit la spéculation à la glose. Au niveau diégétique, elle métaphorise la biographie du professeur de philosophie. Au niveau discursif, enfin, elle transforme le propos romanesque en exégèse, celle des neuf vers du poème. En définitive, ce sont les valeurs formelles de la littérature, sa littérarité en somme, qui sont mises en scène par l'expression et le contenu de l'œuvre.

Dialogisme

En s'intéressant à *La Québécoite* de Régine Robin – elle-même théoricienne de la littérature qui connaît bien l'œuvre de Bakhtine –,

Anthony Purdy touche aussi la question de l'axiologie, dans la mesure où *La Québécoite* est un texte qui théorise et thématise de façon assez explicite sa propre pratique romanesque. Purdy relève les traces de l'influence bakhtinienne dans le roman comme dans certains écrits théoriques de l'auteure et, ce faisant, pose le problème du rapport entre la théorie et la pratique du dialogisme. Roman postbakhtinien, *La Québécoite* cultive de façon consciente l'hétéroglossie (ou le plurilinguisme), comme stratégie de résistance à l'homogène. Mais cette parole nomade, cette écriture migrante, où s'inscrivent dans une structure apparemment non totalisable et anti-dialectique le morcellement du « je » et le foisonnement des discours, n'est-elle pas trop consciente, trop systématique, pour être vraiment dialogique ? Dans une prolifération de codes et de langues aussi excessive, la polyphonie risque de se transformer en effet de polyphonie, le dialogisme en effet de dialogisme, aboutissant ainsi au paradoxe d'un roman à thèse polyphonique.

Sémiotique

Le questionnement de Patrick Imbert sur le sens se place au niveau des postulats préalables à la définition d'une problématique sémiotique. Au point de départ, il propose une réflexion sur trois types de signes : 1) le signe comme signe d'autre chose, posant le référent comme possible à dire (Saussure, Hjelmslev, Jakobson) ; 2) le signe comme relation dans le cadre d'une communication behavioriste pragmatique (Austin) ; 3) le signe comme double originaire sans origine (Derrida). L'auteur est amené à remettre en question les approches critiques herméneutiques liées au premier sens du signe, notamment celle de Greimas, approches qui, par la concentration sur la vérité et l'isotopie narrative, évacueraient, selon lui, la production de significations et le feuilleté du texte. Ni systématique ni linéaire, son analyse des *Silences du corbeau* vise, au contraire, à dégager des déplacements épistémologiques par rapport à la vérité, au récit, au dualisme, dans un texte qui, refusant de fixer le sens, se prête particulièrement bien à ce type d'approche.

Se réclamant des travaux sémiotiques mêmes que la perspective déconstructionniste de Patrick Imbert remet en cause, le travail de Louise Milot et de Fernand Roy les utilise pour tenter de déplacer le lieu des questionnements habituels sur la littérarité. Milot et Roy élaborent une problématique de recherche portant sur la fonction des figures de l'écrit inscrites dans les romans. Ils proposent que la littérarité d'un texte romanesque tienne moins à des fonctionnements particuliers, qu'il s'agisse de figures de rhétorique, d'autoreprésentation, de mise en abyme ou d'intertextualité, qu'à un projet énonciatif global. Le rôle de destinateur y serait tenu par des figures intratextuelles d'écriture surmodalisant l'anecdote racontée, jusqu'à en faire le contexte d'un simulacre d'interaction verbale. En travaillant ici sur la figure intertextuelle des *Mille et une nuits,* qui ouvre *Le vieux Chagrin* de Jacques Poulin, les auteurs en arrivent à la conclusion que la littérarité du roman tient moins au caractère littéraire de la figure intertextuelle même qu'au fait que, en découvrant un exemplaire du célèbre album au point de départ, le narrateur est manipulé par la signature, sur la première page du livre, de « Marie K. », figure dont le texte doit par la suite disposer.

Narratologie

Le roman a traditionnellement emprunté à d'autres discours leurs techniques et leurs stratégies d'écriture ; sa grande souplesse lui a même permis, particulièrement à la faveur du décloisonnement générique, d'accueillir d'autres genres : poème, scénario, etc. Pierre Hébert se sert ici de la narratologie pour analyser, dans le roman québécois contemporain, l'insertion d'extraits de journaux intimes. Après un bref parcours historique et critique de la question du fragment de journal dans le roman, il examine une dizaine de romans parus depuis 1980 où s'intègre le journal intime, afin d'établir un classement des manifestations diverses de cette forme. Par une étude plus serrée de sept romans, il fait voir l'importance de prendre en considération cette structure de médiation qu'est le fragment de journal, par laquelle le narrateur réussit à en savoir plus que ne l'auraient permis autrement ses limites narratives.

Jaap Lintvelt propose de combiner la narratologie avec d'autres approches telles que les analyses thématique, idéologique et pragmatique. Il commence par esquisser sa typologie narrative, appliquée par la suite au *Premier jardin* d'Anne Hébert. Selon la forme narrative utilisée, ce roman peut être divisé en cinq parties, correspondant à autant d'étapes dans l'évolution identitaire de Flora Fontanges. Un narrateur anonyme raconte les parties 1-3-5 (début-milieu-fin), en alternance avec Raphaël/Flora qui évoquent la vie des femmes du passé (2) et avec Flora qui assume personnellement la narration de son enfance dramatique (4). Après le refus psychologique de son passé (1), Flora recherche son identité personnelle par l'intermédiaire des femmes de jadis (2), revit son enfance en imagination (3) et l'évoque personnellement (4), pour visiter enfin « la ville interdite » et jouer le rôle de Winnie dans *Oh ! les beaux jours* de Beckett (5). Ainsi, elle semble aboutir finalement à l'acceptation de son enfance et de sa vieillesse. Par l'évocation des femmes du passé et par ses rôles de théâtre, Flora Fontanges recherche toujours une identité multiple.

Partant d'une double approche, narratologique et féministe, Agnès Whitfield vise à éclairer les tensions narratives dans *Ces enfants de ma vie* de Gabrielle Roy et, plus précisément, leur rapport avec la problématique particulière de l'autobiographie féminine. Un premier volet, d'ordre méthodologique, souligne l'intérêt d'une narratologie critique articulée autour du concept de sujet, selon l'hypothèse avancée par Mieke Bal, ainsi que quelques-unes des questions soulevées par des recherches récentes, aux États-Unis notamment, sur l'autobiographie féminine. Un second volet, consacré à l'analyse de *Ces enfants de ma vie,* suit les deux quêtes d'identité, l'une, masculine et explicite, et l'autre, féminine et implicite, qui sous-tendent la structure narrative de ce texte et en assurent la complexité. Dans son analyse, elle met surtout l'accent sur le fonctionnement narratif des rapports entre ces deux quêtes, pour faire ressortir l'importance de la dynamique altérité/identité dans l'autobiographie féminine ainsi que l'utilité d'une approche narratologique assouplie, plus soucieuse de respecter les tensions d'un texte, comme le positionnement des divers « sujets » qui l'habitent.

Le lecteur

Déconstruction

S'opposant au New Criticism américain qui prônait l'unité textuelle, la cohérence, la clôture et la résolution de sens contradictoires, l'analyse déconstructrice, que pratique ici Janet M. Paterson, se caractérise par une tendance à démonter un fonctionnement textuel ou une pratique de lecture. L'influence de la déconstruction en critique québécoise est restée discrète et partielle, selon Paterson, alors que, pour la critique aux États-Unis et au Canada anglais, il s'est agi au contraire, sinon d'une méthode critique proprement dite, du moins d'un véritable programme de lecture. Interrogatif et sceptique, un tel programme déconstruit les structures d'un texte afin de dégager les lieux de non-coïncidence entre le sens énoncé et le sens interprété. Pour déceler ce qui résiste au sens, il s'attarde aux figures de style, aux jeux de mots et aux éléments marginaux du texte. En privilégiant le titre même du roman de Jacques Poulin, *Le vieux Chagrin,* l'exposé de Paterson démontre que le passage du littéral au figuré, dans les mots « chat » et « chagrin », permet de mettre au jour des significations cachées. Ce faisant, non seulement l'étude s'attaque à une certaine simplicité apparente de l'intrigue et à la thématique de la tendresse, mais elle pose que *Le vieux Chagrin,* à un niveau allégorique, dit l'impossibilité d'une représentation ou d'un langage innocents.

Lectures au féminin

Les données sociales et idéologiques du féminisme et de la déconstruction postmoderne, si elles se contestent souvent dans le discours critique d'aujourd'hui, ont aussi beaucoup en commun, comme le démontre l'étude de Karen Gould. À propos du *Désert mauve* de Nicole Brossard, roman qu'elle situe au carrefour des discours féministe et postmoderne, Gould met en relief la manière dont Brossard exacerbe ces liens en se servant d'une série d'éléments et de perspectives postmodernes (la géographie, l'historicité, l'autoreprésentation, le mélange des genres et des discours, l'incrédulité envers les métarécits) dans son exploration personnelle et féministe d'une thématique de la violence. Aussi en vient-elle à proposer que féminisme et postmodernité informent une esthétique de lecture brossardienne basée sur un processus d'identification, de différenciation et de répétition transformatrice, traduisant le réel vécu en horizon utopique.

Contemporaine et souvent solidaire d'une problématique de la déconstruction, la critique féministe ne s'est pas moins nourrie de toutes les approches (thématique, psychanalytique, sémiotique, structurale, etc.). Cependant, par son insistance sur l'accession de la femme à un statut de sujet, elle est susceptible de transformer en profondeur chacune de ces démarches. Dans toutes ses manifestations, elle cherche à dépister, à dénoncer les modalités de domination de l'« autre » qui sous-tendent la narrativité et, par extension, les pratiques critiques. Patricia Smart explore ici cette nouvelle possibilité d'un rapport avec l'œuvre qui soit *autre* que celui de la domination. Plutôt que d'appliquer une « grille » féministe à l'œuvre d'Aquin – ce que Smart a souvent fait sur des textes littéraires québécois –, elle s'interroge sur cette œuvre traversée de violence sexuelle à la lumière de sa propre évolution vers une conscience critique féministe. Elle le fait en particulier à partir de *L'antiphonaire,* seul roman d'Aquin présenté par une narratrice féminine, et roman sur lequel Smart, intentionnellement, n'avait encore jamais écrit jusqu'ici.

Le contexte : histoire et société

Histoire littéraire

L'objectif de Lucie Robert est double : d'une part, tracer un bilan rapide du renouvellement de l'histoire littéraire depuis les vingt dernières années et, d'autre part, proposer une réflexion quant au statut du texte dans cette approche particulière. Le postulat est le suivant : le texte tient son propre discours sur la littérature et il affiche, sous diverses formes, sa filiation et sa résistance à la tradition. L'étude du texte singulier a ainsi pour objet le repérage de ces positions comme figures et comme tensions régissant l'écriture même. En prenant pour exemple *La mort de Marlon Brando* de Pierre Gobeil, l'auteure montre comment les romancières et les romanciers des années quatre-vingt lisent l'histoire littéraire du Québec et comment ils contribuent à l'écrire.

Sociocritique

Hilligje Van't Land élabore un modèle d'analyse sociosémiotique de l'espace romanesque, qui permet de relire *Une histoire américaine* de Jacques Godbout. Elle fait ainsi une étude systématique du schéma spatial mis en représentation, ainsi que des structures sociocritiques sous-jacentes. Bien que l'intrigue, aux allures de roman policier, se déroule aux États-Unis, l'espace romanesque met en place une configuration spatiale complexe, où se confrontent les espaces de la Californie, du Québec et de l'Éthiopie. L'image mythique d'une Amérique paradisiaque se transforme dès les premières pages en celle d'un espace cauchemardesque et infernal : la prison où est enfermé le héros en est une représentation particulièrement claire. Il y rédige pour sa défense un texte qui prend la forme d'une longue réflexion autobiographique, où s'entremêlent les souvenirs d'espaces présents et passés. À travers les configurations spatiales éthiopienne, québécoise et californienne, le roman tente de donner une réponse rétroactive à la problématique identitaire québécoise des personnages godboutiens depuis *L'aquarium*.

Le concept de « non-dit » (P. Macherey, C. Duchet, J. Dubois), mis en application par la lecture sociocritique du texte romanesque, permet d'observer les différents modes de mises en discours de l'idéologie ainsi que les médiations textuelles de la position de l'écrivain dans le champ institutionnel : c'est ce qui intéresse ici Józef Kwaterko. Dans ce contexte, certains signaux métatextuels investis à même le paratexte (le titre, la préface, l'exergue, l'incipit) peuvent devenir des lieux spécifiques de l'affleurement de l'idéologie. À partir de certains implicites dans l'avertissement au lecteur de *La commensale* de Gérard Bessette, l'étude de Kwaterko repère des effets idéologiques transparaissant dans les formes langagières employées par les personnages du roman, au-delà desquelles se manifeste la position de l'écrivain à l'égard de l'institution littéraire. Ainsi, le décalage persistant entre la structure énonciative du texte (la présence des éléments du code lexical et stylistique propre au français métropolitain) et son univers à forte référentialité (le Montréal des années cinquante et le milieu des cols blancs francophones) crée une négativité idéologiquement signifiante, qui participe d'un non-dit de l'auteur.

Sociologie de la littérature

Alors que les deux études sociocritiques précédentes mettaient en relief des textes littéraires, analysés dans leur contexte sociohistorique, les deux suivantes prennent comme corpus d'analyse des phénomènes institutionnels plutôt que les textes eux-mêmes, ce qui amène à les rattacher à la sociologie de la littérature. Denis Saint-Jacques présente ainsi un instrument de travail empirique pour l'analyse du phénomène du livre : la bibliométrie. Le corpus de démonstration est une liste de best-sellers du début de l'année 1991 à Québec. L'auteur examine différents types de classes pouvant donner lieu à des opérations bibliométriques simples, les principaux facteurs en jeu étant ceux de la nationalité, du genre et de la littérarité. Quoique de nature clairement matérielle et quantitative – mesurer et compter les livres –, la bibliométrie peut rendre de précieux services à la recherche. L'étude le démontre en laissant au second plan les manipulations, les calculs et les statistiques, pour éclairer plutôt les principes qui guident de telles opérations et les problématiques en cause : une interrogation sur le degré d'insertion sociale du phénomène littéraire et sur son rapport au champ social général.

C'est en étudiant l'édition littéraire que Jacques Michon s'inscrit dans le domaine de la sociologie de la littérature. Même si les études sur le livre et l'édition se multiplient depuis quelques années, venant éclairer d'un jour nouveau le processus de la production littéraire, certains obstacles entravent encore le développement d'une telle recherche, par exemple la dispersion ou l'inaccessibilité des archives et des sources documentaires. Pour les surmonter, Michon propose ici une étude du paratexte et des analyses institutionnelles permettant de mesurer les lignes de force, les clivages et les réseaux qui délimitent les contours du système de l'édition. Ces approches sont mises à l'épreuve dans l'étude de l'édition du roman au Québec, de 1961 à 1974, et notamment à propos des deux principaux éditeurs de cette période, les Éditions du Jour et le Cercle du livre de France. À partir d'observations relatives aux réseaux d'auteurs, aux choix et aux stratégies, appuyées de quelques analyses bibliométriques, Michon parvient à tracer le profil littéraire de ces deux maisons d'édition et à établir leur trajectoire opposée, au regard d'un contexte social et historique commun.

Comme nous l'avons signalé au début, les différentes approches, rangées selon leur trait le plus typique, peuvent recouvrir plusieurs composantes du processus de communication. Ainsi, la lecture au féminin met en relief la *lecture,* sans négliger pour autant l'analyse critique du *texte,* l'investissement personnel du sujet-*auteur* et le *contexte socio-historique.* Pareillement, pour reprendre le même exemple, les méthodes elles-mêmes se recoupent parfois : tout autant que la lecture au féminin, la déconstruction, la narratologie ou la sémiotique peuvent intégrer une préoccupation féministe.

Dans ce recueil où l'exposé méthodologique est en principe suivi d'une analyse littéraire, on aura remarqué toutefois que, selon l'approche adoptée, l'analyse varie, allant de l'application à un corpus de romans, à l'analyse monographique, voire à l'absence d'une analyse de textes dans le cas de la sociologie de la littérature. Pourtant, tous les articles allient une démarche méthodologique et sa mise à l'épreuve dans une analyse concrète.

Nous souhaitons que le présent ouvrage, issu d'un échange d'idées international, puisse contribuer à valoriser tant l'ouverture méthodologique que l'ouverture du texte littéraire, et stimuler ainsi la production de lectures analytiques personnelles.

Louise MILOT
Université Laval

Jaap LINTVELT
Université de Groningue

Anne Hébert et le « roman familial » de Freud

Henk HILLENAAR
Centre d'études canadiennes, Université de Groningue

Parmi les nombreux liens que Freud établit entre la recherche psychanalytique et l'activité littéraire, il y en a un que l'on a parfois tendance à oublier et qui, pourtant, pourrait bien se révéler l'un des plus importants : c'est son idée du « roman familial ». D'après Freud, cette idée se lit en filigrane dans chaque œuvre littéraire et donne à celle-ci sa trame inconsciente. Marthe Robert a publié à ce sujet, il y a vingt ans, un très beau livre, *Roman des origines et origines du roman* (1972), qui montre de façon convaincante la portée de ce concept. Son étude n'a guère vieilli. En effet, prendre comme point de départ de l'interrogation psychanalytique d'un ouvrage la façon dont les rôles du père et de la mère y sont traités et distribués donne à l'analyse, même d'un point de vue didactique, cohérence et force de conviction.

Nous partons donc de cette idée simple mais fondamentale de la théorie freudienne, celle du *Familienroman* (Freud, 1960) : le roman familial de l'enfant, expression qui désigne les fantasmes de ce dernier qui, mécontent du sort que lui réservent ses parents, s'invente un autre père ou une autre mère, ou les deux à la fois, se procurant ainsi imaginairement les conditions d'une vie meilleure et la solution – illusoire, bien entendu – à tout conflit, œdipien ou préœdipien. Car les parents réels restent là, eux aussi et eux surtout. S'il en est ainsi – et nous en arrivons déjà à notre idée de base –, les produits de notre esprit, dont le texte littéraire est l'un des plus beaux, doivent tous porter la marque de cette présence permanente et ineffaçable en notre imaginaire du père et de la mère de notre enfance. Les traces des expériences vécues avec ces derniers, et des rêves qu'ils ont inspirés, restent visibles, que nous le voulions ou non, une vie durant, non seulement dans notre apparence ou notre comportement, mais aussi dans la manière dont se forment en nous sentiments, fantasmes et pensées.

La loi de la communauté humaine nous propose un scénario où nous quittons père et mère et allons mener notre propre vie, loin de la maison de notre enfance. Dans les scénarios de l'inconscient, qui sont à la fois ceux du commencement et ceux de toute une vie, les choses se passent autrement : ici, le couple des parents n'est jamais totalement absent. Et leur omniprésence n'est nulle part plus claire qu'en littérature : tôt ou tard, ouvertement ou en filigrane, le père et la mère de l'imaginaire d'un auteur, ceux du monde de son enfance, font leur apparition et vont en moins de rien reprendre possession du devant de la scène.

C'est pourquoi les fantasmes qui occupent aujourd'hui notre esprit vagabond, par exemple lorsque nous créons ou lisons des œuvres littéraires ou, chose importante également, lorsque nous les enseignons, ne sauraient être conçus ni compris sans les fantasmes d'hier, lorsque papa et maman occupaient toute la place, ou presque. D'une façon ou d'une autre, leur souvenir s'est incrusté dans la matière et la mémoire de notre cerveau.

Ce que nous appelons « santé mentale » serait ainsi conditionné et défini par la qualité d'un tel concours, par l'harmonie – ou la disharmonie – qui s'établit dans notre esprit entre une composante maternelle et une composante paternelle. Par composante maternelle, nous entendons ici, globalement, les sentiments, images et paroles qui contiennent une référence au corps humain et à ses désirs, au domaine donc où Freud voyait surtout à l'œuvre le « ça », et qui ne saurait être que notre terre originelle, maternelle. La composante paternelle renvoie plutôt, elle, aux différents codes – celui du langage notamment – susceptibles d'introduire ordre et régularité dans l'univers maternel. Dans ce dernier cas, nous avons surtout affaire à ce que Freud appelle le « surmoi ». Or, aussi bien le ça que le surmoi comportent un côté d'ombre, qui reste pour une large part inconscient. C'est le jeu plus ou moins heureux de ces deux composantes ou instances qui décide de la teneur ou de la qualité de notre vie intérieure. Celle-ci comportera donc nécessairement des forces « régressives » – idée dont la connotation négative est à exclure ici – et des forces « conquérantes » qui nous font aller de l'avant.

Dans ce scénario que, à travers une série d'images et de fragments pas toujours faciles à comprendre, tout être humain vit, inconsciemment surtout, avec le couple qui l'a formé, l'auteur de la *Traumdeutung* distingue quelques scènes cruciales qui ne manquent dans l'imaginaire de personne d'entre nous et, ajoutons-le tout de suite, dont les traces se retrouvent dans toute œuvre d'art. Cela vaut en premier lieu pour la scène que Freud appelle « originaire » ou « primitive » : c'est-à-dire pour le fantasme – qui ne renvoie pas nécessairement à des choses vues – que l'enfant nourrit au sujet des rapports sexuels de ses parents et de la violence que ces rapports entraîneraient. Le fantasme de l'origine, qui fait partie de l'héritage de chaque être humain et de celui de l'humanité entière, nous montre l'enfant à la recherche du secret de son existence. Metteur en scène, il joue à la fois avec l'image de sa mère et celle de son père. Ce qui en résulte laisse voir, plus que tout autre fantasme, l'imbrication nécessaire mais problématique, violente même, de ces deux instances, dont l'intériorisation combinée est à l'origine de la personnalité – de la vie intérieure – de l'enfant.

La première image qu'un enfant conçoit dans son univers intérieur d'un idéal à poursuivre est marquée, elle aussi, du sceau des deux parents : Freud appelle cet idéal « le père de la préhistoire », sans doute parce qu'il distrait et éloigne du corps maternel, mais dans une note il ajoute aussitôt qu'un tel père ne saurait exister dans l'imaginaire de l'enfant sans être accompagné d'une mère (Freud, 1960). Il est permis de reconnaître dans ce « père de la préhistoire », comme le fait Julia Kristeva dans une étude intitulée *Histoires d'amour* (1983), le cadre de référence quasi définitif du travail de notre imagination, l'écran sur lequel vont être projetées ultérieurement les images permettant toutes sortes de processus d'identification dans la vie de l'enfant et celle de l'adulte.

C'est dans ce cadre aussi que Freud situe le « roman familial » de l'enfant, où il reconnaît l'une des sources de la création littéraire, peut-être même sa source par excellence. Marthe Robert a pu développer à partir de cette théorie freudienne une typologie fort originale du genre narratif. Dans *Roman des origines et origines du roman,* elle distingue deux grands groupes de romanciers – qui n'existent d'ailleurs pas à l'état pur. Le groupe d'auteurs « œdipiens » ou « bâtards » comprend ceux qui, tels Stendhal ou Balzac, écrivent des ouvrages où l'image de la mère de leur enfance, idéalisée ou non, est restée intacte, mais d'où le père d'antan a été banni. Dans ces récits, de jeunes héros partent à la conquête du monde. Leur audace est soutenue par l'amour des femmes, qui sont souvent très maternelles, et par l'exemple des grands hommes qui, eux, viennent glorieusement prendre la place du père réel. L'autre groupe – « préœdipien » –, celui des « enfants trouvés », compte dans ses rangs les auteurs qui, tels Kafka, Beckett ou les frères Grimm, créent un univers dont notre réalité quotidienne semble être totalement absente, et où le père et la mère en tant que principaux responsables de cette réalité ont, eux aussi, été remplacés par des substituts de rêve.

Même la théorie freudienne de la bisexualité humaine reçoit, dans ce cadre, un éclairage supplémentaire, puisque nous pouvons y reconnaître le résultat d'un processus d'identification ou d'intériorisation, qui est relatif aux deux parents.

On comprend que le « conflit œdipien », le moment dans le développement de l'être humain où le triangle mère-enfant-père s'ouvre définitivement sur le monde extérieur (l'enfant aimerait expulser l'un des parents et prendre sa place auprès de l'autre, mais se voit obligé d'aller chercher l'objet de ses désirs ailleurs), constitue l'épisode décisif de ce scénario. Le nombre réduit des protagonistes de ce drame triangulaire ne diminue en rien la masse de ses variantes. Chaque œuvre littéraire fournit à sa façon une nouvelle preuve de cette constatation.

Il va de soi que le style d'un auteur, c'est-à-dire la manière dont celui-ci exploite les possibilités et les limites de sa langue, est déterminé d'abord, et cela dans une très large mesure, par la culture, les idées, les façons de penser et de parler d'une période donnée. Le visage d'un écrivain se dessine toujours sur l'écran de sa propre époque. Une approche historique, sociologique, sémiotique ou féministe de l'œuvre littéraire s'inspirera avant tout des aspects du texte qui renvoient à cette histoire collective. Cependant, un auteur n'appartient pas seulement à une époque ou à une collectivité. Dans ce qu'il écrit, il fait aussi entendre sa propre musique : « Le style, c'est l'homme même. » Dans le style d'un auteur, comme dans sa vie, les signes de l'histoire collective et ceux de l'histoire personnelle sont toujours intimement mêlés. Cette dernière, nous l'envisageons ici comme le jeu et l'imbrication de ces deux composantes, maternelle et paternelle, dont le chercheur peut essayer de retrouver les traces. C'est à un tel travail que nous nous livrons ici.

Ainsi, dans la thématique de n'importe quel ouvrage, les personnages du père ou de la mère, ou du moins leurs images ou celles des instances qui les remplacent, ne sont jamais absents. La structure d'un ouvrage et son style peuvent également être éloquents à cet égard. Tel auteur excellera dans le maniement des nombreux codes que le langage met à sa disposition pour conquérir et organiser le monde, tel autre se servira surtout de ce même langage pour retrouver à travers lui le corps de l'autre, ou la terre qui nous nourrit et nous porte : tout ce dont, autrefois, la mère se portait garante. Ainsi, l'articulation, toujours autre – différente de toutes les autres –, de ces deux instances contribue grandement à l'originalité de l'écriture d'un auteur.

Voilà donc l'enjeu et la méthode de notre recherche. Nous essayons de voir comment un auteur réécrit l'histoire originelle, celle du père et de la mère. Nous demandons au texte comment l'articulation de ces deux instances restées omniprésentes en détermine le sens, la portée, la beauté.

Passons maintenant à l'œuvre d'Anne Hébert. Voyons comment cette auteure revit dans son écriture le vieux scénario de l'enfant avec sa mère et son père, quelles sont les traces que ce roman familial y a laissées. Pour ce faire, nous ne nous référerons pas tant aux personnages de ses récits et à leurs énoncés – un personnage de roman ne saurait avoir d'inconscient – mais à la voix de l'auteure, celle de l'énonciation, de la création : pourquoi l'auteure ressent-elle le besoin de créer dans chaque nouvel ouvrage un certain type de personnage, de problème, d'horizon ?

Pour faciliter quelque peu notre tâche, nous ne prenons ici en considération que les six romans de l'auteure : *Les chambres de bois* (C), de 1958, *Kamouraska* (K), de 1970, *Les enfants du sabbat* (E), de 1975, *Héloïse* (H), de 1980, *Les fous de Bassan* (F), de 1982, et *Le premier jardin* (P), de 1988.

Or, pour tout – ou presque tout – dire d'entrée de jeu, les romans d'Anne Hébert semblent avoir été écrits presque uniquement sous le signe de la mère. Cette très belle, très riche écriture trouve son bien non pas dans les grandes idées, les constructions ingénieuses, les projets – « œdipiens » – pour d'autres lendemains, mais dans une attention soutenue pour tout ce qui se passait hier, et continue à se passer aujourd'hui, dans le cœur et le corps des êtres. Le style d'Anne Hébert, fragmenté, à fleur de peau, de préférence à la première personne (quatre romans sur six), doit sa beauté en premier lieu à son intensité. Descriptions ou évocations du paysage québécois et de son climat, des personnages qui évoluent là-bas, leurs gestes, leurs vêtements, les objets de leur vie quotidienne, les détails matériels de tous ordres : tout cela, grâce à la force suggestive et connotative du langage d'Anne Hébert, ne nous renvoie qu'à une seule chose, à une seule dimension de l'existence, à la dimension d'intensité qu'est notre vie affective. Les nombreuses métaphores qui sous-tendent et nourrissent son œuvre ne visent, elles aussi, qu'à une seule chose : nous communiquer le sens du mystère dont notre vie affective est entourée, et où elle prend ses racines.

La vie culturelle et la vie politique ont beau parfois faire leur apparition chez cette auteure – dans des allusions au duplessisme des années soixante, à tel ou tel mythe de l'Antiquité (le mythe d'Orphée, par exemple, dans *Héloïse*), à la liturgie catholique, à un tableau de Vélasquez ou un poème de Rimbaud –, tout cela ne saurait être qu'en fonction de la vie émotive de ses héros qui seule, dirait-on, l'intéresse. Plus peut-être que d'autres œuvres, celle d'Anne Hébert invite à une approche psychanalytique, c'est-à-dire à une lecture qui s'engage en premier lieu à scruter les émotions de la narratrice. Elle nous impose presque une telle lecture.

Ajoutons tout de suite qu'elle possède également à un très haut degré le sens de la curiosité et du secret. Dans ce qu'elle écrit, la vie émotive trouve son domaine non seulement dans la description des sentiments d'amour, de haine, d'angoisse ou d'exaltation, mais aussi dans les scénarios qu'elle invente et qui ont toujours quelque chose d'un roman d'Agatha Christie. Dans plusieurs romans – je pense aux *Fous de Bassan,* à *Héloïse* et à *Kamouraska* –, il s'agit même d'identifier un meurtrier. La différence entre les scénarios d'Agatha Christie et ceux d'Anne Hébert n'en est pas moins considérable. Car la première connaît le secret de son livre, secret qui l'amuse et qui amuse ses lecteurs. Chez Anne Hébert par contre, qui soit dit en passant doit plus d'une fois s'amuser, elle aussi, de ses propres inventions, les choses sont moins simples. À la limite, on dirait que le secret en question lui échappe aussi. La force de l'écriture d'Anne Hébert se trouve rarement dans le chapitre final, souvent décevant, pour la simple raison que là où le scénario – et donc le lecteur – demande une solution, une réponse, celle-ci n'existe guère dans l'esprit de l'auteure. Qu'en est-il, par exemple, de Catherine et de Bruno à la fin des *Chambres de bois* ? Ou d'Élisabeth Rolland, à la fin de *Kamouraska* ? Et qui nous expliquera l'identité du jeune homme qui attend Julie à la fin des *Enfants du sabbat* ? Les solutions et les réponses, aussi bien que les scénarios linéaires, clairs et distincts, auraient besoin de la parole du père. Or, chez Anne Hébert le père ne parle guère, ni au niveau de l'énoncé (des personnages notamment) ni au niveau de l'énonciation (de la voix de l'auteure). Cette voix ne prend guère de distance par rapport aux personnages de ses romans, qui continuent à séjourner dans l'univers maternel, corporel, préœdipien, là où l'on se plaît avant tout aux choses vues et senties et à leur secret, et d'où l'on bannit le plus possible linéarité, code et tout ce qui provient du père.

Les héroïnes d'Anne Hébert n'écoutent pas, elles regardent et elles voient. Elles sont toutes, sans exception, des visionnaires ou même des magiciennes. Julie (E) et Héloïse (H) sont sans doute les cas les plus prononcés, mais que font d'autre Élisabeth (K), Catherine (C) ou Flora Fontanges (P), qui revivent toutes les trois, souvent dans une espèce de transe, les grands événements de leur passé ? Ce procédé-là devient un jeu à plusieurs voix dans *Les fous de Bassan,* mais reste fondamentalement le même. Il confirme à sa façon notre hypothèse de départ, faisant de l'écriture d'Anne Hébert une écriture essentiellement préœdipienne, tournée vers le passé du corps, vers l'univers de la mère. Si, comme le dit de manière très suggestive Jean Bertrand Pontalis (1988), toute éducation doit aider l'enfant à « perdre de vue » – ce qui est autre chose que de perdre tout court – son passé avec la mère pour le faire accéder au monde de la réalité et du futur, et aux codes paternels qui y donnent accès, Anne Hébert, elle, n'a pas perdu de vue : elle se replonge sans cesse dans ce passé du corps, elle en revit les délices et, surtout, les tourments. Son écriture de visionnaire ne semble poursuivre qu'un seul but, celui de réintégrer le royaume du commencement pour en connaître enfin le secret.

Ce secret des origines, tout le monde, et tout enfant d'abord, le sait, se cache dans la rencontre mystérieuse, désirée autant que crainte, des deux corps du père et de la mère. Freud, nous venons de le voir, parle à ce propos de « scène originaire », et Anne Hébert n'aurait aucun problème, semble-t-il, à le suivre sur ce point. Rarement une auteure aura-t-elle parlé si ouvertement et si intensément de cette scène du commencement et de sa violence. Dans *Les enfants du sabbat,* bien entendu, mais aussi dans les autres romans : pensez au dangereux couple Héloïse-Bottereau dans *Héloïse,* aux parents de Stevens Brown qui, dans *Les fous de Bassan,* menacent de tuer leur fils. Le couple parental est au centre de l'œuvre d'Anne Hébert, et ce couple y apparaît singulièrement uni, non pas tant dans le bonheur – bien que cela arrive parfois – que dans l'unanimité avec laquelle les parents excluent l'enfant de leur intimité.

Pères et mères opèrent toujours ensemble contre l'enfant. Ensemble ils forment cette « grande ombre double » (F, 85) qui pèse sur la vie de leur progéniture. Que ce soit Stevens jouant sur la plage de son enfance (F, 239), Marie Éventurel faisant des cauchemars (P, 143), Julie retournant dans la cabane de ses parents, ou Bernard hanté par le couple infernal, partout nous retrouvons le même schéma des parents persécuteurs et de l'enfant victime. Depuis le couple peu engageant du chasseur et de sa femme cruelle (C, 31), qui sont les parents de Michel dans *Les chambres de bois,* le premier roman d'Anne Hébert, jusqu'aux instances paternelles et maternelles haïes qui peuplent le désert de l'enfance orpheline de Flora Fontanges, l'héroïne de son dernier roman, l'auteure explore et exploite ce même fantasme du couple et de l'enfant exclu. Les seuls parents qui trouvent grâce auprès de l'enfant blessée, abandonnée qui habite la narratrice sont les ancêtres d'une histoire très lointaine, tels Louis Hébert et Marie Rollet (P, 76) qui ont été, au XVIIe siècle, parmi les fondateurs de la Nouvelle-France.

Nous savons que dans l'imaginaire d'un enfant l'idée de la sexualité de ses parents s'inscrit presque toujours dans un scénario de violence. C'est sans doute aussi, rappelons-le, que l'enfant, en train d'opérer douloureusement sa séparation d'avec le corps de la mère, vit ce désir d'union, qu'il ne connaît que trop bien lui-même, comme une entreprise impossible, entraînant violence et destruction des corps.

Or, dans le monde que nous dépeint Anne Hébert, ces choses-là, déjà passablement compliquées, se compliquent encore, car les parents voient dans l'enfant non pas le fruit de leur union mais un obstacle à sa réalisation, qu'il faut donc exclure, voire éliminer. Ainsi, aux yeux de l'enfant qui revit ici dans l'auteure, la sexualité du couple gagne encore en violence, devient véritablement le lieu de la mort.

Chez Anne Hébert, les parents veulent parfois du bien à leurs enfants, beaucoup plus souvent ils veulent les tuer ou les violer, ce qui est une autre façon de leur enlever toute individualité, de les faire disparaître. Mais, et c'est là probablement l'essentiel, ils agissent ensemble. Héloïse et Bottereau conspirent pour tuer Bernard et Catherine. Adélard tue le cochon de lait sur le ventre de Philomène l'avorteuse, dont le sang n'est autre que celui de leur fille (E, 45). Plus tard, il la viole sous le regard consentant et les rires de la mère. De même, la mère supérieure et le père aumônier tuent ensemble le fils de Julie. Des scénarios analogues se retrouvent dans les autres romans d'Anne Hébert, que l'on pense à Pierrette Paul dans *Le premier jardin*, puis à ce qui arrive dans le même roman à Maud, la fugueuse. Bien d'autres personnages, tel George Nelson et jusqu'au ridicule abbé Migneault (K, 53), sont ainsi présentés par la narratrice comme les victimes de leurs parents. Même le meurtre que commet Stevens dans *Les fous de Bassan* ne s'explique pas sans la conduite de tous ces parents qui sont intervenus ou interviennent dans la vie du jeune assassin aussi bien que dans celle des deux victimes.

Dans l'écriture d'Anne Hébert, la sexualité est violente, mortifère, ne connaît pas d'autre code, d'autre façon. Elle n'est presque jamais heureuse, jamais non plus tournée vers l'avenir, presque toujours sans issue. Le regard de la narratrice est uniquement attiré par le passé. Aussi l'univers du commencement risque-t-il de se fermer sur elle, comme la forêt canadienne sur le jardin du Québec (P).

Cette sexualité a deux lieux métonymiques : le lit et la maison. Tous les deux occupent une place centrale dans l'imaginaire de l'auteure. Le lit, le grand lit conjugal, ce gouffre (F, 33), est plus d'une fois décrit comme un lit de mort (K, 26, 151) où les mariés jouent aux gisants de pierre, simulant la mort (H, 95). La maison, elle, est de préférence en bois, comme il sied à une habitation canadienne. Mais que ce soit une simple cabane (E), un manoir enneigé (K), une chambre d'hôtel (P) ou un appartement dans les beaux quartiers de Paris (H), l'auteure y retrouve toujours le lieu d'origine (E, 85), la hantise des parents, leur lit qu'Anne Hébert n'hésite pas à comparer à un cercueil (E, 64).

Que fait une petite fille lorsque, dans son imaginaire – qui est parfois à mille lieues du réel –, elle voit le couple parental comme un bastion ennemi, lorsque aucun des deux parents ne se montre suffisamment complice avec elle pour lui permettre une identification, une issue ? En tant que fille, elle s'identifiera d'abord, bien sûr, à la figure maternelle, mais comme celle-ci ne semble exister qu'avec son compagnon, avec le père, elle cherchera à son tour son salut dans la formation d'un couple, un couple d'enfants cette fois-ci, capable de faire face au couple hostile des parents.

C'est là une véritable hantise dans l'œuvre d'Anne Hébert : les couples et, qui plus est, les doubles y sont partout. Ceux qu'elle invente sont soit des jumeaux, soit des êtres qui se ressemblent comme deux gouttes d'eau, ou encore – image la plus fidèle des parents – un frère et une sœur unis par un amour incestueux. Le lecteur se rappellera sans doute ces inséparables : Michel et Lia, les habitants des *Chambres de bois*, Julie et Joseph, *Les enfants du sabbat*, Nora et Olivia, deux *Fous de Bassan*, et, près d'elles, deux autres oiseaux de la liberté, Stevens et Perceval. Les tristes jumelles au service de l'oncle Nicolas, toujours dans *Les fous de Bassan*, font elles aussi partie de cette catégorie d'êtres, la plus fréquente sans doute chez Anne Hébert. Même George Nelson a été flanqué par l'auteur de *Kamouraska* d'une sœur religieuse, plus ou moins incestueuse. Et que penser du premier prénom de Flora Fontanges, l'actrice, dont le nom de petite fille, Pierrette Paul, contenait déjà cette promesse du double personnage ?

Au fond, dans l'univers préœdipien et narcissique que décrit Anne Hébert, il y a peu ou pas de place pour l'autre, pour le troisième personnage qui permettrait d'échapper à l'étouffement de la vie à deux, avec celui ou celle qui vous ressemble le plus, et qui a la même vie, la même origine que vous. L'autre qui vient du dehors n'est pas admis, ni du côté des parents, dans leur lit de mort, ni du côté des enfants, qui imitent cette funeste complicité. Si parfois ils essaient de s'évader de ce cercle infernal, leurs efforts ne convainquent nullement le lecteur. Le « je » qui a la parole chez Anne Hébert s'accouple le plus volontiers à son double, à l'autre soi-même, il n'a guère appris à affronter l'appel de quelqu'un qui est véritablement autre. Dans ce contexte, il est peut-être intéressant de signaler que pour les dates de ses désastres Anne Hébert choisit à deux reprises un 31 du mois : le 31 janvier pour le meurtre de *Kamouraska,* le 31 août pour celui des *Fous de Bassan.* Le 1 étant dans la vie intérieure l'idéal du commencement – celui de l'union bienheureuse mais désormais impossible avec la mère – et le 3 le signe d'une vie ouverte sur la réalité d'autrui, devenue également inaccessible, le nombre 31 pourrait bien renvoyer le lecteur au 2, c'est-à-dire à la vie illusoire que l'on mène avec un double et qui semble être l'une des clés du rêve que nous raconte l'œuvre d'Anne Hébert.

Le double, chez Anne Hébert, est celui ou celle qui a la même origine que le personnage auquel il est accouplé. Cela n'exclut nullement la différence, surtout lorsqu'il s'agit du couple homme-femme. Mais là, à coup sûr, la femme est reine, surtout lorsqu'elle est aussi mère. Il faut le redire : avec notre auteure nous sommes en plein matriarcat. Depuis que la mère Ève est sortie de France, le Canada appartient à ses descendantes (P, 99). Les maisons y ont tendance à ressembler à des gynécées où des femmes en noir vous observent et vous jugent. La tâche principale de l'homme n'est que d'aider à faire durer cet état de choses. Les femmes sont les maîtresses et les propriétaires du sexe de l'homme, cet aiguillon que « puissantes, [elles] leur ont planté au milieu du corps » (F, 118). Anne Hébert va jusqu'à comparer la mère à un cheval (E, 19, 61) sur le dos duquel elle voit se dresser un coq. Scène originaire fantastique, « coq et cheval ne forment plus qu'un seul corps fabuleux » (K, 191) (Jacques, 1988 : 34ss). La femme se sert de la main de l'homme pour mettre à exécution ses propres projets funestes. « C'est vous qui l'avez tué », dira-t-on à Élisabeth après le meurtre commis par son amant à Kamouraska, et elle ne le niera pas. Même Stevens, l'assassin des deux adolescentes de Griffin Creek, ne semble agir que sous l'influence de la mer et d'une séduction féminine qui appellerait la mort...

La mère, nous le savons maintenant, est froide et violente. C'est la reine de cœur d'*Alice au pays des merveilles* (P, 139), celle qui fait couper les têtes ; la narratrice semble nourrir une haine tenace à l'égard de l'image de la mère, l'adulte à qui elle ressemble et avec qui elle n'a pas pu ne pas essayer de s'identifier.

Tant de haine ne saurait être, bien entendu, qu'un amour déçu. Nous retrouvons les traces de cet amour dans telle ou telle réflexion de la narratrice, par exemple lorsque, dans son dernier roman, elle fait remarquer : « Et si c'était ça, la vie ? L'idée de la bonté maternelle absolue, comme ça, au bout du monde, et l'on part à sa rencontre, on oriente sa vie dans sa direction, n'importe qui, n'importe où, n'importe comment, tant l'espoir et le désir sont forts » (P, 100-101). Cette bonté maternelle, on la trouve parfois dans le personnage de Philomène, la même qui rit du viol de sa fille, et surtout dans telle ou telle *Urmutter* : la bonne Rosa qui console Pierrette Paul (P, 142) ou Felicity Jones, la grand-mère qui, parmi ses petits-enfants, « préfère les filles » (F, 74) et va se baigner avec elles dans la mer, mais, se demande aussitôt la narratrice, n'est-ce pas pour les noyer (F, 166) ?

Le désir des femmes, c'est sans doute aussi le sexe de l'homme, mais lorsqu'elles sont devenues mères, on distingue mieux que leur désir le plus profond va vers la mer, dont elles ont émergé, et vers la mort qui y habite. Dès lors, elles deviennent de véritables « night-mères » (E, 73), des méduses (F, 35), des sorcières ou, si elles ont moins d'énergie, des tricoteuses qui se racontent les ragots du village. À vrai dire, le pire, chez Anne Hébert, n'est que rarement le fait des véritables mères qui se cachent dans l'ombre. Les sales besognes sont plus d'une fois confiées par elles aux hommes ou à telle ou telle inquiétante servante – Aurélie dans *Kamouraska,* Aline dans *Les chambres de bois,* les religieuses dans *Les enfants du sabbat.*

Qu'en est-il, en fait, de l'homme dans tout cela ? Jacques Lacan aurait dit un jour : « Il y a en toute femme quelque chose d'égaré, en tout homme quelque chose de ridicule. » Les romans d'Anne Hébert fournissent une confirmation *sui generis* de cette conception assez particulière de la différence sexuelle. Ils nous présentent l'homme comme un être faible, plus humain peut-être, plus abordable que la femme, mais sans racines. Ces livres si peuplés de grand-mères, d'*Urmutter,* jusqu'à la nième génération, ne connaissent guère d'ancêtres masculins, pas d'*Urvater.* L'image traditionnelle de l'arbre généalogique, masculin bien entendu, est transformée par Anne Hébert en un « arbre avec ses mères branches, ses maîtresses branches [...], ses branchettes » (F, 63-64).

Certes, dans ces romans écrits par une femme, l'intérêt pour l'autre sexe est très présent. On y trouve de l'admiration de la part des filles envers les garçons. Plus d'une jeune fille, telle Nora Atkins, est décrite comme un garcon manqué. Elles se montrent volontiers jalouses du monde des garçons, ces dieux (E, 24) ou ces archanges (P) qui ont sans doute la vie plus facile que leurs sœurs au lourd passé, porteuses de mystères menaçants. Anne Hébert prend plaisir à évoquer le sexe du garçon, cet « oiseau tendre » (F, 139). Ainsi, dans la scène d'ouverture des *Enfants du sabbat,* on voit le petit Joseph en train de « pisser très haut », et dans la scène finale du même roman, c'est un bébé « au sexe géant » qui va être tué par le couple de la mère supérieure et de l'aumônier.

Notons également que la femme peut désirer l'homme sans danger pour elle. Julie, Élisabeth, Héloïse même, désirent vraiment les hommes qu'elles attirent vers elles. Sur ce plan, la jeune femme n'a qu'à imiter sa mère, elle n'a nullement besoin de se mettre dans une position homosexuelle, qui en effet est pratiquement absente dans l'œuvre d'Anne Hébert. Pourquoi le ferait-elle, puisqu'elle est la plus forte du couple et qu'elle mène toujours le jeu dangereux entre homme et femme ? L'homme, par contre, a tout à craindre ici. Élisabeth aime Nelson pour faire de lui l'instrument de ses desseins meurtriers. Lorsqu'il revient après avoir tué et qu'il veut définitivement s'accoupler à sa maîtresse, celle-ci le refuse. Dans l'univers d'Anne Hébert, la castration de l'homme constitue le privilège de la femme, ce qui est sans doute propre au matriarcat. Le plaisir qu'elle y prend s'avère encore plus net dans le cas d'Héloïse, dont le nom est suffisamment éloquent. Anne Hébert joue d'ailleurs avec ce couple célèbre – Abélard et Héloïse – en donnant à l'un des protagonistes des *Enfants du sabbat* à peu près le nom de l'homme châtré, comme s'il ne fallait pas prendre au sérieux les exploits sexuels de cet Adélard, mari de l'incomparable Philomène. Certes, dans ce roman de l'enfance, la narratrice fait pour une fois mourir la mère et lui refuse également l'inceste avec son fils, sachant très bien que la seule issue de cette machinerie macabre se trouverait dans un jeu plus harmonieux entre parents et enfants. À la fin du roman, toutefois, les choses sont rentrées dans leur désordre initial, Joseph étant tout de même devenu la victime à distance des pratiques magiques incestueuses de sa sœur. On comprend que chez Anne Hébert les héros masculins se retranchent fatalement dans leur narcissisme à eux, de fou, de saint, d'aventurier, mais toujours impuissant devant l'ombre de la mère. Le seul jeune homme qui semble à un moment donné échapper à ce sort, après avoir délibérément évité la maison de ses parents, est Stevens, le meurtrier des *Fous de Bassan*. Cependant, avant de tuer, il va coucher avec la vieille Maureen, maternelle et protectrice, et le meurtre, dont le mystère échappe en grande partie au meurtrier lui-même, est commis au bord de la mer et sous son influence néfaste.

Tout se passe donc comme si la narratrice de ces romans, enfermée qu'elle est dans l'univers maternel et très consciente de l'héritage qu'en tant que femme elle porte en elle, souffrait plus qu'elle ne jouissait de son redoutable pouvoir. Freud a parlé de la femme au phallus, en pensant aux femmes qui se sont arrogé, en plus de leur rôle maternel, la place du père dans la vie quotidienne, amoureuse ou non. Anne Hébert ne cesse d'évoquer l'image de cette femme au phallus, sa violence, sa nuit. Mais elle ploie sous le fardeau. En plus, ce rôle s'avère un leurre, puisque celle qui l'adopte change tout amour en haine et toute vie en mort.

Le lecteur sait désormais pourquoi les choses se passent ainsi. Il semble bien en effet que, dans tous ces récits, l'autre, en l'occurrence l'homme, n'a pas pu être découvert en tant qu'autre, la présence trop envahissante du couple parental, très matriarcal, ne permettant pas la sortie de l'univers de l'enfance. Les romans d'Anne Hébert sont à plus d'un point de vue des romans d'« enfant trouvée ». Le surmoi, instance régulatrice, nécessaire au bon fonctionnement de tout être humain qui veut vivre et aimer, instance où la parole du père a force de loi, est systématiquement bafoué par la narratrice. Ce que d'autres font pour se soustraire à la présence oppressante du père, Anne Hébert le fait parce que, devant la mère, le père ne fait pas le poids, et qu'elle ne saurait donc le prendre au sérieux. Qu'il s'agisse de la tradition catholique (E) ou protestante (F), de la loi canadienne (K) ou québécoise, ou de l'idéalisme des jeunes (P), tout cela est démasqué dans son irrémédiable faiblesse, sans que rien ne vienne le remplacer.

Nous aboutissons au vide, ce vide dont il est si souvent question sous la plume d'Anne Hébert, vide des plaines enneigées du Québec, vide du désert intérieur des personnages. Cette emprise, cette hantise du vide fait d'elle la sœur d'un autre enfant trouvé de notre littérature, Samuel Beckett, celui dont Flora Fontanges, dans *Le premier jardin*, joue *Fin de partie*.

En effet, comment trouver un chemin ou, si l'on veut, une identité, si les exemples que la vie vous propose restent opaques ou insignifiants – au sens propre du terme ? Si la mère, à qui vous ressemblez, et le père, cet autre à qui vous ne ressemblez pas, ne vous apprennent pas à vivre, c'est-à-dire à jouer au jeu du même et de l'autre, s'ils ne vous permettent pas de sortir de leur intimité oppressante, sans vie véritable ? Faut-il se faire religieuse comme Julie, incestueuse comme Lia, adultère comme Élisabeth, fugueuse comme Maud, la petite sœur du grand Meaulnes ? Ou jouer tous ces rôles à la fois, comme le fait Flora Fontanges ? Où suis-je, où est-elle (la rivière près de Kamouraska s'appelle assez significativement *Ouelle*), où est mon moi ? N'est-ce pas là la question de toutes les femmes qui composent l'univers d'Anne Hébert, question à laquelle l'auteure ne donne pas de réponse. Elle est elle-même cette question, ce vide, ce blanc que vient colorer parfois le rouge de la douleur. Elle nous peint l'image de la femme sans identité, sans moi, parce que sans autre. Celle qui doit se contenter de vivre avec des doubles, qui, comme le dit Élisabeth dans *Kamouraska*, n'a que « le plaisir de faire semblant d'être là » (K, 96) et qui continue à jouer, tout comme Perceval, dans *Les fous de Bassan*, à perdre ses parents.

Comment terminer ? En disant que l'auteure Anne Hébert est une fugueuse, et que les fugues qui lui permettent d'échapper au vide s'appellent « poèmes » ou « romans » ? S'il en est ainsi, il vaut mieux parler d'exorcisme, ce mot d'Église qu'elle aime tant, sans doute parce qu'il aide à comprendre ce qu'est la littérature, qui en cela ressemble étrangement à la psychanalyse : un jeu libérateur avec le langage de nos fantasmes, jeu qui non seulement nous fait revivre notre passé, mais qui également nous libère de son poids, en nous invitant, auteurs et lecteurs, à imaginer et à saisir d'autres chances...

BIBLIOGRAPHIE

ANZIEU, Didier (1981), *Le corps de l'œuvre. Essais psychanalytiques sur le travail créateur,* Paris, Gallimard. (Coll. Connaissance de l'inconscient.)

BELLEMIN-NOËL, Jean (1978), *Psychanalyse et littérature,* Paris, Les Presses universitaires de France. (Coll. Que sais-je ?)

FREUD, Sigmund (1960), *Gesammelte Werke,* Francfort, S. Fischer Verlag, 18 vol.

FREUD, Sigmund (1975), *Studienausgabe,* t. II, *Die Traumdeutung,* et t. X, *Bildende Kunst und Literatur,* Francfort, S. Fischer Verlag.

HOLLAND, Norman N. (1968), *Poems in Persons. An Introduction to the Psychoanalysis of Literature,* New York, Oxford University Press.

JACQUES, Henri-Paul (1988), *Du rêve au texte. Pour une narratologie et une poétique psychanalytiques,* Montréal, Guérin. (Coll. Études André Belleau. Les Cahiers du Département d'études littéraires de l'UQAM.)

KRISTEVA, Julia (1983), *Histoires d'amour,* Paris, Denoël. (Coll. L'Infini.)

MAURON, Charles (1962), *Des métaphores obsédantes au mythe personnel,* Paris, Corti.

MILNER, Max (1980), *Freud et l'interprétation de la littérature,* Paris, Sedes.

PONTALIS, Jean Bertrand (1988), *Perdre de vue,* Paris, Gallimard.

PONTALIS, Jean Bertrand et Jacques LAPLANCHE (1975), *Vocabulaire de la psychanalyse,* Paris, Les Presses universitaires de France.

ROBERT, Marthe (1985 [1972]), *Roman des origines et origines du roman,* Paris, Gallimard. (Coll. Tel.)

SKURA, Meredith Ann (1981), *The Literary Uses of the Psychoanalytic Process,* New Haven et Londres, Yale University Press.

STAROBINSKI, Jean (1970), *La relation critique,* Paris, Gallimard.

WIEDER, C. (1988), *Éléments de psychanalyse pour le texte littéraire,* Paris, Bordas.

Lecture thématique d'un roman fantastique : *Les demoiselles de Numidie* de Marie José Thériault

Maurice ÉMOND
CRELIQ, Université Laval

Au cours d'un colloque intitulé « Pour une thématique » qui avait lieu à Paris en juin 1984 et dont les actes ont été publiés dans la revue *Poétique,* Philippe Hamon disait qu'il lui semblait bien difficile de reparler du thème, « et cela malgré certains réajustements, déplacements ou redéfinitions élargissantes ou restrictives » (1985 : 495). Il ajoutait aussitôt qu'il était pourtant difficile de s'en passer.

Il m'apparaît tout aussi difficile de parler de thématique et de thème aujourd'hui, malgré les nombreuses recherches des esthéticiens, des musicologues, des anthropologues, des sociologues, des linguistes ou des poststructuralistes axées sur le dépistage sémantique. Pourtant, ces recherches redonnent aux études de contenu une légitimité et une pertinence qui avaient été excessivement occultées.

C'est qu'il n'est guère plus commode de nos jours de définir ce qu'est un thème ou de décrire la démarche thématique. Faut-il parler de thème, de motif, de leitmotiv, de *topos,* d'image ? Comment distinguer les thèmes des archithèmes, des mythèmes, des sous-thèmes, des types, des archétypes, des concepts ? D'une discipline à l'autre comme d'un chercheur à l'autre, les définitions et les applications se multiplient. Pour un littéraire, le thème ne signifie pas nécessairement la même chose que pour un linguiste (ce que l'on pose au début d'un énoncé) ou un musicologue, qui va parler d'un thème musical, ou un philosophe, qui le compare à un concept. Sans compter que d'un littéraire à l'autre la notion de thème varie considérablement.

Pour plusieurs, dont Gérald Prince (1985 : 428), le thème est une entité générale et abstraite (telles les idées, les pensées, les notions) plutôt qu'une entité spécifique et concrète. Pour Raymond Trousson, le thème est au contraire « l'expression particulière d'un motif, son individualisation [...] le résultat du passage du général au particulier. On dira que le motif du séducteur s'incarne, s'individualise et se concrétise dans le personnage de Don Juan » (1965, 13). Pour lui, c'est donc le motif qui apparaît comme un concept, comme une vue de l'esprit. Le « monothématisme » d'un Jean-Paul Weber (1966 : 13), pour qui le thème est « la trace qu'un souvenir d'enfance a laissée dans la mémoire d'un écrivain » (1963 : 9), tel le thème de l'horloge chez Poe, contraste vivement avec le polythématisme d'un Gaston Bachelard, d'un Georges Poulet ou d'un Jean-Pierre Richard dont les approches ressemblent davantage à la mienne. Jean-Pierre Richard, dans son ouvrage sur *L'univers imaginaire de Mallarmé,* définit le thème comme « un principe concret d'organisation, un schème ou un objet fixes, autour duquel aurait tendance à se constituer et à se déployer un monde » (1961 : 24). Avec Richard, nous ne sommes pas loin de cette autre définition du thème à la fois forme et structure que propose Jean Rousset dans *Forme et signification* :

> Zones de coïncidence [...] points de suture [...] les « thèmes » insistants qui signalent une piste de la rêverie peuvent être en même temps des « schèmes » formels par la fonction qui leur est assignée dans l'organisation générale, leur situation dans le développement, leurs phases d'affleurement ou d'immersion, de condensation ou d'alternance, leur contribution aux rythmes d'ensemble, leurs relations respectives. Aux structures de l'imagination correspondent de toute nécessité des structures formelles (1970 : XV).

Si, dans la multiplicité des démarches thématiques, je mentionne en particulier la thématique bachelardienne, dont je m'inspire plus particulièrement, je délimite d'une certaine façon le champ thématique, mais sans trouver pour autant un lieu de rassemblement, encore moins une théorie commune. D'ailleurs, je me demande s'il est approprié de parler de thématique avec Gaston Bachelard, lorsque l'image remplace la notion de thème, lorsque l'image littéraire, à la fois unique, organique en quelque sorte, substantielle, n'a rien d'un concept. Comme le dit Peter Cryle, « l'enjeu d'une phénoménologie de l'image poétique est de permettre une compréhension de l'acte de lecture sans faire de l'image l'objet statique d'une description théorique. Il devient difficile dès lors d'identifier *une* thématique bachelardienne » (1985 : 507). Ce qui m'apparaît primordial avec l'approche bachelardienne, c'est la notion d'imaginaire, la primauté accordée à l'« action imaginante » (Bachelard, 1972 : 7). Bachelard écrit au début de *L'air et les songes* : « Le vocable fondamental qui correspond à l'imagination, ce n'est pas *image,* c'est *imaginaire* [...] Grâce à l'*imaginaire,* l'imagination est essentiellement *ouverte, évasive* » (1972 : 7). Il ajoute à la fin de son ouvrage : « L'image littéraire est un explosif. [Elle] met les mots en mouvement, elle les rend à leur fonction d'imagination » (1972 : 285). Encore faut-il bien reconnaître les images, souligner leur dynamisme, leurs résonances et leur retentissement. Il faut être sensible aux récurrences, aux fréquences. Il faut être tout aussi attentif à la place, à la valeur stratégique qu'occupe telle image dans l'économie générale de l'œuvre.

En plus du mot « thématique », mon titre comprend également celui de « fantastique ». L'application de ma démarche à un roman fantastique soulève certaines questions supplémentaires. Peut-on parler d'une thématique des genres romanesques ? Existe-t-il une thématique du fantastique, du merveilleux, de la science-fiction, du western, du roman policier ? Si l'on peut facilement concevoir un certain nombre de thèmes caractéristiques de ces divers genres littéraires, il reste à cerner leur fonctionnement, leurs particularités dès qu'ils s'illustrent dans ces formes précises.

Le récit fantastique évoque généralement dans l'esprit du lecteur une série d'images, de thèmes, de motifs typiques : fantômes et morts vivants, sorciers et sorcières, loups-garous, vampires, lycanthropes, diables, objets animés et monstres de toutes sortes. Peut-on pour autant en arriver à déterminer une typologie du récit fantastique en général ou du récit fantastique québécois en particulier ? Plusieurs critiques ont tenté de mettre en évidence les thèmes propres au fantastique. Ainsi, Caillois estime qu'ils sont « dénombrables et déductibles, de sorte qu'on pourrait à l'extrême conjecturer ceux qui manquent à la série » (1975 : 43). Vax (1951) aussi a voulu dresser un inventaire des thèmes et motifs fantastiques même s'il voit les limites d'une semblable entreprise : « Si une table *a priori* des motifs et thèmes fantastiques ne paraît pas réalisable, on peut toujours en dresser une table empirique » (Vax, 1965 : 62). Mais il s'empresse d'écrire que « la fonction fantastique n'est pas éternelle et rigide comme la table kantienne des catégories, elle évolue selon l'histoire de la culture » (1965 : 69). Freud, Scarborough, Penzoldt ou Todorov ont tous tenté d'énumérer, à leur façon, les thèmes du fantastique. Plus récemment, Jean-Luc Steinmetz (1990 : 25) propose une « thématique *actantielle* », en voulant éviter de confondre motifs et pratiques, formes et forces.

Sans doute est-il possible de déterminer un certain nombre de motifs fantastiques liés à certaines situations de temps et de lieu. Pourtant, ces thèmes ne résument guère la diversité des motifs explorés ou à explorer, pas plus qu'ils ne réussissent à eux seuls à caractériser le récit fantastique lui-même. Outre le fait que ces thèmes se retrouvent parfois dans d'autres types de récits, il faut éviter de limiter la thématique du fantastique à ces motifs récurrents à telle époque et dans tel corpus. Le fantastique peut se nourrir d'un nombre quasi illimité d'images et de motifs. Comme le dit admirablement Vax : « Ce n'est pas le motif qui fait ou ne fait pas le fantastique, c'est le fantastique qui accepte ou n'accepte pas d'organiser son univers autour d'un motif » (1965 : 30).

Dans les limites du présent texte, je ne m'attarderai guère à décrire en détail la démarche bachelardienne qui m'inspire, ni à circonscrire une thématique du fantastique. Plus concrètement, j'aimerais proposer une lecture thématique d'un roman fantastique québécois, en l'occurrence *Les demoiselles de Numidie* de Marie José Thériault. Dans ce but, j'ai retenu un thème en particulier, celui du labyrinthe, et je tenterai de montrer le dynamisme, l'expansion, les résonances de cette image archétypale dans le roman choisi.

Plusieurs motifs qui ont trait à l'espace fantastique, tels les caves obscures, les galeries souterraines, les métros désaffectés, les ascenseurs étranges, les rues ou les jardins inconnus, et j'en passe, trouvent dans l'archétype du labyrinthe un dynamisme commun. « L'espace fantastique, affirme Vax, c'est le labyrinthe que nous ne pouvons survoler et qui nous emprisonne, qui nous ramène inexorablement à l'endroit que nous voulons fuir » (1965 : 199). Le labyrinthe convient particulièrement à l'univers fantastique lequel, tout en s'installant dans l'illusion d'un réel familier, doit s'en éloigner pour permettre l'apparition de l'insolite, de l'imprévu, en d'autres mots de l'événement fantastique. Le labyrinthe devient un lieu de transition, un espace désorientant où les balises habituelles s'évanouissent. Prolongement de l'univers réel, il s'en échappe pourtant en proposant des ouvertures possibles sur des mondes inconnus. La logique perd toute efficacité, les points de repère disparaissent en même temps que la peur, et une sourde angoisse s'insinue insidieusement ou brutalement. Le narrateur a mis le lecteur en « *situation d'effroi* », dirait Bachelard (1972 : 119), « il a ému l'imagination dynamique fondamentale. L'écrivain a *induit* directement dans l'âme du lecteur le cauchemar de la chute. » Pourtant, le labyrinthe demeure un lieu intermédiaire, un lieu de passage. À tout instant, au détour suivant, tout peut rentrer dans l'ordre ou basculer dans le désordre le plus complet. Le retour, si le fil d'Ariane ne se rompt, peut paraître encore possible, les métamorphoses ne sont peut-être qu'un mauvais rêve.

Si le fil est rompu ou perdu, s'enchaînent inévitablement les appréhensions les plus extravagantes. Mais déjà le récit fantastique tire à sa fin, car il se complaît plus volontiers dans les méandres du labyrinthe que dans la description d'un ailleurs qui reste insaisissable. Il lui importe davantage de trouver moyen de s'affranchir du quotidien, de permettre toutes les ouvertures que de devoir trancher et retenir une figure particulière d'un monde inconnu lequel, s'il s'installe à son tour, devra lui aussi être déstabilisé. Le fantastique n'est nulle part plus à l'aise que dans la remise en question de tout, y compris de lui-même. Il excelle dans le paradoxe, l'ambivalence, l'antirationalisme, l'incrédulité, en donnant toutes les allures d'une ouverture sur un autre monde, d'autres croyances, de nouvelles certitudes sans jamais les emprunter véritablement. La thématique du labyrinthe rejoint donc de façon privilégiée l'esthétique du récit fantastique.

Dans son chapitre sur le labyrinthe dans *La terre et les rêveries du repos,* Bachelard a bien mis en relief les aspects essentiels de celui-ci en plaçant « avant l'imagination des formes, avant la géométrie des labyrinthes, une imagination dynamique spéciale et même une imagination matérielle » (1971c : 211). La première caractéristique est bien l'« *être perdu* » : « C'est cette situation typique de l'*être perdu* que nous revivons dans le rêve labyrinthique » (1971c : 212). Ainsi, marcher dans les bois sombres, explorer des cavernes ou des grottes obscures, hésiter à la croisée de chemins inconnus, se perdre dans les rues d'une ville étrangère peuvent être autant d'occasions de malaise, de peur, voire d'angoisse. Mais il faut se souvenir avec Bachelard que « ce n'est pas parce que le *passage est étroit* que le rêveur est *comprimé* – c'est parce que le rêveur est *angoissé* qu'il voit le chemin *se resserrer*. Le rêveur ajuste des images plus ou moins claires sur des rêveries obscures, mais profondes » (1971c : 215). La rêverie labyrinthique rassemble l'angoisse, la peur de l'*être perdu,* du passage qui se rétrécit, se resserre, du mouvement difficile, lent, douloureux, dans les profondeurs matérielles. Toutefois, selon les époques et selon les écrivains, ces images de labyrinthe prennent de multiples formes et consistances ; de la fissure au gouffre, du labyrinthe dur au labyrinthe mou, la diversité est sans limite. « Le labyrinthe, écrit Henri Ronse, constitue donc un archétype de l'imaginaire aux multiples avatars » (1965-1966 : 31).

Voici la première phrase des *Demoiselles de Numidie* :

> Le 12 novembre, par 36°58'3 de latitude nord et 09°06' de longitude ouest, serrant la terre au sud-ouest du cap Saint-Vincent en raison d'un haut fond de 82 mètres signalé dans ces parages entre les lignes de sonde de 100 et 200 mètres, le

> *Maria Teresa G.* délaissait les côtes de l'Algarve et filait vers le nord tandis qu'une brise courtoise lui léchait l'étambot et que la mer oscillait peu (p. 11)[1].

Le narrateur ne se donne pas toujours tant de mal pour situer dans le temps et dans l'espace le déroulement de son récit. Empruntant ici le vocabulaire marin, il livre les coordonnées spatio-temporelles les plus « réalistes » et les plus rassurantes. Il ne manque que l'indication de l'année 1956, d'ailleurs précisée quelques pages plus loin. On croirait lire le livre de bord du commandant lui-même. C'est là une technique de narration propre au récit fantastique. Décrivant l'incipit comme un rituel typique caractérisant le genre du récit, Roger Caillois explique ce qui suit :

> [Le] conte de fées commence par « Il était une fois... ». C'est qu'il se passe aux origines des temps, dans un passé lointain et inaccessible, dans un univers étanche et révolu. Le récit fantastique débute tout comme le roman réaliste par une phrase du genre : « Le 23 juillet 1910, à 11 h. 50 du soir, 64, rue Humblot... » C'est dire qu'il se situe dans notre propre monde, hier, aujourd'hui, dans la première habitation venue, du moins en apparence, car l'épouvantable ne va pas tarder à s'y produire. La science-fiction suppose de nouveau un intervalle rassurant, l'abîme du futur, à son défaut l'espace sidéral. Par définition, chacun des épisodes qu'elle relate pourrait commencer ainsi : « Sur *Proxima* du Centaure... » ou par : « Il y aura une fois... », ce qui revient au même (1975 : 206ss).

Les premières lignes du roman empruntent les voies du récit réaliste. Comment imaginer une dérive totale vers un univers fantastique impossible à localiser lorsque d'entrée de jeu le récit est si bien ancré sur la carte marine ? On peut mieux mesurer à la lecture des dernières lignes du roman les métamorphoses réalisées, le passage à l'espace fantastique du labyrinthe et de l'errance qui s'est accompli entre les deux pôles du texte, points de repère privilégiés du lecteur :

> Serena, femme-mer, ils boivent, tes damnés, à la fleur sombre de ton sexe pendant que ton haleine se soulève, et monte, et devient brise, pendant qu'elle se déploie de vague en vague et pousse à la dérive un cargo gris habité par un chien, gouverné par personne.
>
> Eux s'ensevelissent dans ton ventre, sans recours, sans salut, et ton haleine éloigne leur navire pendant que les aurores

---

1. Les pages indiquées entre parenthèses renvoient à Thériault (1984).

> s'éteignent dans l'aurore et pendant que le ciel pâlit, Serena, Serena, montrant enfin à l'horizon la découpe incertaine d'une île (p. 244).

La technique descriptive, le vocabulaire, le style se sont transformés radicalement. À la précision rationnelle du début succède la polyvalence métaphorique de la fin décrivant le naufrage d'hommes condamnés sombrant dans le ventre d'une femme-mer, leur navire à la dérive. Telle est bien la première caractéristique du labyrinthe : l'être perdu, l'être désorienté. Et voilà que les cavernes, les grottes, toutes les rêveries labyrinthiques terrestres ne suffisent plus. Marie José Thériault a besoin de la vaste étendue de la mer et surtout de ses profondeurs obscures pour vivre un labyrinthe liquide qui gardera néanmoins les empreintes des matières terrestres.

La première phrase du roman était un leurre avec ses coordonnées d'une exactitude scientifique. S'y cachait déjà la crainte d'une immensité marine capable de désorienter le voyageur le plus averti. Lorsque le petit cargo du commandant Giusti s'éloigne des côtes du Portugal, il s'engage dans un vaste labyrinthe liquide, dans « l'enfer de l'Atlantique Nord, ses immensités boréales, ses démences, ses calmes blancs » (p. 14). Les pêcheurs portugais qui regardent s'éloigner le navire rêvent, à la fois inquiets et fascinés, d'une mer en furie aux lames grondantes et vertigineuses :

> Les lames prenaient par moment des allures de bêtes innommables [...] Certains voyaient s'approcher des méduses ou des chimères torturées, d'autres des langues d'eau gluantes [...] Tous entendaient des sifflements s'échapper des formes qui tournoyaient au-dessus d'eux pour plonger ensuite avec des râles d'engoulevents au tréfonds de leur être d'où elles ressortaient en brandissant très haut des entrailles déchirées dont elles gréaient les mâts (p. 15).

C'est l'angoisse qui, pour l'instant, transforme une mer étale en un monde en furie à la mesure des appréhensions de chacun. Comme le Labyrinthe de Minos, la mer cache dans ses entrailles des monstres troublants. Le commandant lui-même n'arrive pas à masquer toutes ses frayeurs :

> « Trente ans de carrière, se disait le commandant Giusti, trente ans et plus. Malgré cela, toujours ce sentiment d'inéluctable à l'entrée des grandes eaux, une angoisse sourde, comme si à chaque fois risquait de se dérouler là quelque chose d'atroce. » [...] [La mer] réveille les peurs primordiales de l'enfance, surtout la nuit, elle suscite une sorte d'horreur sacrée [...] à laquelle n'est pas étrangère l'immobilité propre à

> la vie maritime, cette impression que le temps tout à coup s'arrête et que le navire entre dans un suspens où il évoluerait au ralenti. Les points de repère [...] n'existent plus (p. 12).

Sans points de repère, l'être est voué à l'errance. Le temps est alors comme suspendu, aboli, en attente. Ces ruptures temporelles, annoncées d'avance dans le récit, préparent bien le lecteur à l'acceptation d'un autre temps et d'un autre espace qui peuvent surgir à l'improviste avec toutes les figures étranges qui les habitent. « La synthèse qu'est le rêve labyrinthique, écrit Bachelard, accumule l'angoisse d'un passé de souffrance et l'anxiété d'un avenir de malheurs » (1971b : 213).

L'univers fantastique se tisse ici subtilement et progressivement. Le fil d'Ariane qui guide le lecteur n'est autre que le fil du discours lui-même. « Il est de l'ordre du rêve raconté. C'est un fil de retour », dit Bachelard (1971b : 215). C'est aussi un fil qui nous conduit au centre du labyrinthe.

La première rupture importante a d'ailleurs lieu dès le chapitre III qui narre, dans un vieux français, des événements qui se seraient déroulés « il y a sept fois septante années » (p. 58) quand fut construit « une nef à vocation paillarde, pleine de filles dextres en plaisements et de croupe dévouée » (p. 63). Le navire coula pour ressusciter et hanter les mers à la recherche de marins consentants. Il s'agit dans ce chapitre d'un récit parallèle, dans une langue du passé, par un narrateur qui est la nef elle-même, comme si nous parvenait d'un autre temps, d'un autre espace, dans une autre langue, une autre voix narrant des événements étranges sur le point de pervertir la cohérence déjà fragile du cargo marchand errant en haute mer. D'ailleurs, le narrateur nous en avertit dans un clin d'œil complice : « Mais – et voilà chose estonnante – nef devait porter charge très-précieuse, car ce qui parut noyé, en vérité ne le fut point, et lors advint l'invraisemblable, lequel est si extraordinaire, si mirifique, si merveillable, qu'il mérite d'être narré avec moult détails, en chapitre distinct » (p. 66). Ainsi, la linéarité temporelle, spatiale et rationnelle du récit est perturbée. L'ordre cohérent de l'univers se désagrège. Le discours fantastique tisse sa trame événementielle en sautant des mailles, en livrant des éléments qui sont inconciliables dans un univers dominé par la raison et l'ordre. Cela se répercute sur les personnages. Le commandant a beau s'enfermer dans sa cabine pour écrire à sa fille afin de faire le point et de se retrouver, rien n'y fait et il s'enfonce dans les méandres de ses désirs, comme le font également les autres membres de l'équipage ; tout l'espace qui les entoure se métamorphosera en conséquence, faisant basculer le récit dans une narration fantastique.

C'est alors que s'abat sur la mer un épais brouillard qui a pour effet de placer le cargo et son équipage dans un monde méconnaissable, sans points de repère, véritable labyrinthe en pleine mer. Nous sommes au chapitre V : « Le navire perçait cette craie comme un objet fée pénètre la matière par une faille invisible au mortel. Cependant, dans la résine qui adhérait au cargo, celui-ci semblait immobile, englué [...] un spectre inerte suspendu dans l'espace désert. Il avançait sans paraître se déplacer » (p. 85). Grâce au brouillard, voici que la mer revêt des attributs terrestres. Elle est *craie, faille* dans la *matière, résine, glue, espace désert.* Il suffit de quelques attributs, d'une simple fissure, pour que surgisse l'image du labyrinthe : « la fissure est étroite, mais le rêveur s'y glisse », explique Bachelard. « On peut même dire que dans le rêve toute fissure est une séduction de glissement, toute fissure est une sollicitation pour un rêve de labyrinthe » (1971b : 216). Si, au départ, le navire « fendait l'eau sans effort » (p. 12), le voilà obligé de ralentir et d'éprouver la lenteur, le glissement, dans une mer qui offre une résistance terrestre, la résistance de la résine qui englue. « Il n'y a pas de rêve labyrinthique rapide. Le labyrinthe est un phénomène psychique de la viscosité. Il est la conscience d'une pâte douloureuse qui s'étire en soupirant » (1971b : 217). Et si le passage se rétrécit de la sorte, se fait simple faille dans une matière visqueuse, c'est bien parce que le rêveur est comprimé, angoissé, comme l'indique le narrateur lui-même : « Une menace terrible pesait sur la mer [...] C'est le règne trouble du néant, de l'absence, du rien. Lugubre espace flasque et froid où l'œil ne s'accoutume pas, où l'homme ne reconnaît que sa faiblesse. La mort partout présente, dilatée et blême, ouvre ses abîmes » (p. 85-87). Le rêveur est perdu, il craint la mort. Le navire ressemble à la barque de Charon sur le fleuve des enfers, lourd de toutes ses fautes passées, chaque marin est un mort en sursis.

Une courte phrase de ce même chapitre résume bien la situation : « Le *Maria Teresa G.* errait dans une énigme pleine d'impossible et d'irréel » (p. 86). Le mot clé dans cette citation est bien « errait ». Le navire avance sans paraître se déplacer sur des chemins inconnus, perdu en pleine mer, errant en territoire méconnaissable, à mi-chemin entre le réel et le rêve, dans l'attente anxieuse d'une manifestation quelconque. Dans cet espace indéfinissable naissent des images fantastiques : « Quelles hydres vaquaient là à d'inquiétants travaux ? Quelles méduses ? Quelles chimères ? Ces solitudes, pour peu qu'on s'ouvre à elles, dégorgent des gueules, des mâchoires, des ventouses. Des léviathans surnagent dans les étroits passages entre deux lames. Dans les franges de brume, des lémures viennent se coucher » (p. 89). Si ces images sont encore du domaine du rêve, bien vite toute frontière entre réel et irréel s'estompe.

Alors surgit l'impossible, l'inexplicable, l'interdit : « Dans un râlement de corne si formidable qu'il paraissait surgir à la fois des profondeurs, de la tête et d'un cœur, du flanc et de l'arrière, de dessus et de dessous, la muraille de brume céda vers l'avant, à tribord [...] Un gigantesque navire se dressa devant le gaillard » (p. 101). Le lieutenant Fabiani, surpris, distingue de la voilure, le passager Culic voit des femmes sur le pont et le commandant Giusti, « au lieu du gréement, avait vu distinctement une coque en bois et, près de la poupe carrée couverte d'ornements, un sabord dont le mantelet baissé montrait la sculpture polychrome d'un échassier d'Afrique » (p. 102). Il s'agit bel et bien, comme le récit le confirmera plus loin, du vaisseau fantôme surgi des profondeurs du passé et de la mer avec pour nom « *Demoiselles de Numidie,* qui sont oiseaux à longues jambes et tête huppée, tels qu'on en voit dans le pays d'Afrique » (p. 201s.) ayant à son bord « putes achevées à la cuisse altière et pucelles en mal de chatouillements » (p. 201). Voilà que la légende risque de devenir réalité. La raison lutte contre ces images fantasques. Il n'y a que Culic à bord pour accepter sans hésitation l'événement insolite. Le brouillard constitue cet espace intermédiaire entre le quotidien et l'innommable, permettant le surgissement de l'événement fantastique et de l'espace labyrinthique lequel conditionne (cautionne) ici le discours fantastique.

Lorsque le brouillard se dissipe, les hommes reprennent leurs travaux quotidiens, mais leurs sens et leur esprit sont ébranlés et ils n'arrivent plus tout à fait à redonner à la réalité qui les entoure la consistance habituelle. Ils vacillent au bord du gouffre, à la fois épouvantés et ravis, prêts à accueillir l'envers du monde :

> Fabiani, tout comme son commandant, était issu d'une race païenne ; il entretenait lui aussi un fort penchant pour l'insolite, pour ce qui rampe ou marche dans les nuits lourdes de menace, pour l'envers des choses, l'au-delà du miroir, pour tous ces univers parallèles où l'inconnu est souvent moins terrifiant que l'idée d'éternité des prédicants de pacotille. Les événements d'un peu plus tôt, dans la brume, avaient également servi de déclencheur à ses pensées du moment. Maintes fois [...] il allait *là-bas,* dans l'ailleurs d'une autre dimension où rien n'est impossible, ailleurs où il se sentait chez lui et qu'il cultivait depuis l'enfance (p. 109).

Tous les éléments sont en place pour que l'écriture fantastique s'empare progressivement de tout l'espace. Les points de résistance s'estompent, les vieilles séductions et peurs enfouies dans les profondeurs de la conscience remontent à la surface et se substituent au réel qui semble factice, sans épaisseur, croûte négligeable d'un quotidien qui n'arrive plus à contenir ses monstres. L'insolite apparaît étrangement comme l'explication la plus acceptable. D'autres coordonnées spatiotemporelles, d'autres valeurs, encore indescriptibles, encore confuses, émergent au grand jour. Pour qu'elles puissent s'installer en toute crédibilité, le narrateur doit encore aménager des lieux et des moments de transition, des passages paradoxaux.

C'est encore à la rêverie du labyrinthe que fait appel Marie José Thériault. Une tempête se déclare et le *Maria Teresa G.* « s'engouffr[e] dans la gueule de l'Atlantique Nord » (p. 153) devenue d'abord épaisse et noire comme de l'encre. « Partout de l'encre. Sous l'écume grésillante, l'eau restait parfaitement opaque comme celle, glauque, d'une vasque laissée à l'abandon ou d'une jonchère » (p. 153). Voilà à nouveau le navire « pouss[é] de l'avant dans ces eaux sans point de repère visible » (p. 155), condamné à l'errance sur une mer en furie. Encore cette fois l'angoisse fait craindre le pire et naissent des visions cauchemardesques, en particulier celle des millions de naufragés « dont on entend les pleurs, la nuit, pour peu que l'on se penche au-dessus des plats-bords » (p. 155). Le narrateur évoque des villes sous-marines et fait entendre les litanies et les lamentations que les morts lancent « de leur retraite profonde » (p. 159), afin que les vivants les délivrent « de leur ville de vagues vertes et noires au fond recouvert d'ossements et de navires troués » (p. 159). Au plus fort de la tempête, dans le hurlement du vent et les gémissements du navire, on entend « le ululement de ceux qui ont coulé à pic et qui chargent les vivants avec haine [...] Sur la mer blanche à perte de vue tant elle bout, on peut les voir se dresser, lever leur forme haillonneuse, leur corps déchiqueté qui brandit de longs bras raides aux mains osseuses dont la peau grillée, cuite par le sel, pend par endroits en lambeaux » (p. 163). Dans ce déchaînement de la nature, dans cette métamorphose des éléments, la raison s'égare et tout devient possible : « Le vent souffle, et c'est le bruit de milliers de buccins, la stridence intolérable des trompettes de l'apocalypse, la fanfare de la mort, l'hallali ; c'est la désagrégation de tout ce qui est humain, la fin du raisonnable, le démembrement du bien ; c'est l'avance serrée, constante des pires horreurs » (p. 165).

C'est alors que Culic quitte sa cabine et se rend sur le pont où il aperçoit à nouveau tout contre le *Maria Teresa G.* le mystérieux vaisseau fantôme avec « ses demoiselles, ses néréides, ses gazelles, ses fées » qui l'invitent à bord. Il emprunte une mince passerelle jetée entre les deux bateaux et s'affaisse sur le pont, subjugué par le spectacle des femmes offertes. Il suit une enfant vers l'intérieur du navire et ils « s'engagent dans un escalier étroit en pente raide » (p. 177). Voilà que Culic s'enfonce véritablement dans un labyrinthe d'où il ne ressortira jamais. La rêverie labyrinthique est ici on ne peut plus explicite :

> [Culic a la] désagréable impression de marcher sur de la guimauve. L'enfant, cependant, paraît fort à l'aise et glisse, on dirait, le long des degrés [...] Ils descendent longtemps [...] Mais quand il n'y a plus de degrés, un couloir les remplace, un couloir incliné [...] mais quelque chose a changé le couloir n'est plus lambrissé de chêne ses parois quand Culic s'y appuie laissent des traînées de boue sur ses mains il s'enfonce maintenant de la mousse ou des algues [...] il croit par moments y voir bouger des choses fuir se faufiler de minuscules bestioles [...] les murs eux-mêmes diffusaient une vague phosphorescence [...] la suivre dans des couloirs sans fin qui ressemblent de plus en plus à une grotte dont la voûte s'ornerait de méduses [...] sa tête rejoint presque le plafond et souvent des choses gluantes l'accompagnent frôlent sa poitrine oppressée [...] la lumière passe du vert au gris toujours des choses immondes grouillent autour [...] tout devient noir muet [...] La mer a englouti l'homme (p. 177ss).

J'ai cité longuement ce passage qui illustre admirablement la noyade dans une mer revêtant des attributs terrestres pour devenir labyrinthe liquide. C'est en même temps, pour la deuxième fois, l'apparition du navire fantôme dans l'espace-temps du cargo avec, cette fois, la perte d'un homme que l'on ne retrouve guère et que l'on présume noyé. Un chapitre plus loin, l'auteure intercale une deuxième et dernière fois la narration du navire fantôme et de son équipage de femmes qui ont effectivement survécu jadis au naufrage, vivant dans une ville sous-marine et naviguant sur les mers depuis plus de quatre cents ans à la recherche de marins. On apprend que Culic est maintenant parmi elles et que ce n'est plus qu'une question de temps avant que ne les rejoignent les autres membres de l'équipage du *Maria Teresa G.*

Au dernier chapitre a lieu la rencontre définitive et indubitable des deux mondes sur une mer devenue lieu de dérive par excellence :

> L'eau, l'air et la nuit paraissaient compressés en un bloc unique, sans début, sans fin, sans issue ni durée [...] Puis, peu à peu, le ciel se déchira vers le nord. Il y eut un bris dans la muraille, une faille [...] Il y eut une rencontre inconcevable entre le ciel et l'eau [...] en sorte qu'il parut aux matelots sortis en masse sur le pont pour observer le phénomène que le

> *Maria Teresa G.* se trouvait au milieu d'une bulle de quartz, sans dessus ni dessous ni rose des vents, dans une permanence surnaturelle, dans un monde tout à coup privé de racines et d'armature, un monde désarimé, sidéral (p. 224ss).

On remarque à nouveau qu'il suffit d'un bris, d'une faille, d'une simple fissure pour que tout bascule dans une rêverie de l'errance. Ils ont rompu les liens qui les rattachaient encore au raisonnable : « Tout le réel s'est évaporé » (p. 231). Les marins sombrent complètement « dans les couches inférieures de la conscience où ils pressentent que les attend un délire proche de la folie » (p. 231). Quand les aborde le *Demoiselles de Numidie,* « on croirait que des murs sont sortis de la mer, que d'autres murs sont descendus du ciel pour isoler complètement du monde l'îlot où tout se passe » (p. 237s.). Ils sont coupés irrémédiablement du reste du monde ; sans plus attendre ils « vont s'enclore un à un, ces agneaux dociles, dans un champ fermé par une palissade de cuisses où dévider le fil de leur passion [...] ils vont se perdre dans les femmes sombres, les femmes profondes comme des sépultures » (p. 240s.). Dans ces murs labyrinthiques, le fil qui les conduit vers l'autre navire qu'ils abordent tous, sauf le chien, n'est pas le fil d'Ariane, mais le fil d'une rêverie fantastique qui les entraîne vers l'envers du monde, dans une errance sans fin que la mort elle-même perpétuera. Ils deviendront à leur tour des morts vivants en quête de pardon ou de sursis.

Dans ce roman de Marie José Thériault, le labyrinthe est au centre même d'une écriture fantastique qui trouve en lui son dynamisme et ses formes inusitées. Ce dynamisme est celui-là même d'une imagination qui, avant d'éprouver les formes et les géométries particulières, revit les situations de l'*être perdu* avec ses malaises, ses peurs et ses angoisses. C'est la rêverie labyrinthique et ses hésitations, ses doutes, son va-et-vient de la surface à la profondeur, de la lumière aux ténèbres, du cohérent à l'incohérent, du rationnel à l'irrationnel. C'est là le parcours privilégié du discours fantastique lui-même. D'un chapitre à l'autre du roman et à l'intérieur de chacun des chapitres, l'auteure emprunte ce même trajet, proposant une narration à son tour labyrinthique où se mêlent divers narrateurs, divers modes de discours, où se succèdent les points de vue objectifs et subjectifs, les voix rassurantes et inquiétantes, les perspectives de surfaces ou d'abîmes. « Tout se passe, écrit Michel Lord à propos des *Demoiselles de Numidie,* comme si l'auteur avait voulu recréer le mouvement du roulis et du tangage (ascendant/descendant, rassurant/inquiétant) d'un navire qui vogue sur la mer et, à un niveau plus abstrait, de la conscience sur les limites de l'inconscient » (1984-1985 : 21). La rêverie labyrinthique se fond au discours fantastique pour renouveler l'expression littéraire de l'être égaré. Brouillards, failles invisibles, espaces déserts, abîmes marins permettent l'apparition de toutes les chimères, méduses ou demoiselles de Numidie.

À la fin du roman, après une navigation houleuse nous éloignant des côtes familières de l'Algarve, le naufrage est total dans « un coin perdu [de] l'Atlantique Nord » (p. 238), « comme si les navires avaient été d'un coup transportés sous d'autres latitudes, ou s'ils étaient suspendus dans une autre dimension et soustraits aux inconstances climatiques du monde reconnaissable » (p. 236). Peut-on dire plus clairement l'être voué à l'égarement définitif ? Bachelard décrit ainsi « l'étrange fatalisme du rêve du labyrinthe : on y revient parfois au même point, mais on ne retourne jamais sur ses pas » (1971b : 213).

L'espace du labyrinthe ne peut plus être dépassé. Il ne s'agit pas dans ce roman d'un espace infernal ou paradisiaque, mais d'un espace transitoire permanent. L'espace labyrinthique et l'espace fantastique se rejoignent pour dire la mutation, la transformation, la métamorphose. L'abîme, la perdition de l'être se trouvent ici dans les figures mêmes de l'errance et non dans un absolu infernal ou céleste.

BIBLIOGRAPHIE

ALBOUY, Pierre (1969), *Mythes et mythologies dans la littérature française,* Paris, Armand Colin. (Coll. V2, nº 49.)

ALLEAU, René (1982), *La science des symboles. Contribution à l'étude des principes et des méthodes de la symbolique générale,* Paris, Payot.

BACHELARD, Gaston (1969), *La psychanalyse du feu,* Paris, Gallimard. (Coll. Idées, nº 73.)

BACHELARD, Gaston (1970), *Lautréamont,* Paris, Corti.

BACHELARD, Gaston (1970), *La poétique de l'espace,* Paris, Les Presses universitaires de France.

BACHELARD, Gaston (1971a), *La poétique de la rêverie,* Paris, Les Presses universitaires de France.

BACHELARD, Gaston (1971b), *La terre et les rêveries de la volonté,* Paris, Corti.

BACHELARD, Gaston (1971c), *La terre et les rêveries du repos,* Paris, Corti.

BACHELARD, Gaston (1971d), *L'eau et les rêves. Essai sur l'imagination de la matière,* Paris, Corti.

BACHELARD, Gaston (1972), *L'air et les songes. Essai sur l'imagination du mouvement,* Paris, Corti.

BACHELARD, Gaston (1973), *Le droit de rêver,* Paris, Les Presses universitaires de France. (Coll. À la pensée.)

BISHOP, Neil B. (1985), « Fables et fantasmes », *Canadian Literature,* nº 106 (automne), p. 166-167.

BURGOS, Jean (1982), *Pour une poétique de l'imaginaire,* Paris, Éditions du Seuil.

CAILLOIS, Roger (1972), *Le mythe et l'homme,* Paris, Gallimard. (Coll. Idées, nº 262.)

CAILLOIS, Roger (1975), *Obliques,* précédé de *Images, images...,* Paris, Stock.

CAILLOIS, Roger (1978), *Approches de l'imaginaire,* Paris, Gallimard.

CHEVALIER, Jean et Alain GHEERBRANT (1982), *Dictionnaire des symboles,* Paris, Robert Laffont/Jupiter.

CRYLE, Peter (1985), « Sur la critique thématique », *Poétique,* nº 64 (novembre), p. 505-517.

DIEL, Paul (1970), *Le symbolisme dans la mythologie grecque,* Paris, Payot. (Coll. Petite Bibliothèque Payot, nº 87.)

DURAND, Gilbert (1953), « Psychanalyse de la neige », *Mercure de France,* août, p. 615-639.

DURAND, Gilbert (1969), *Les structures anthropologiques de l'imaginaire ; introduction à l'archétypologie générale*, Paris, Bordas. (Coll. Études supérieures.)

DURAND, Gilbert (1971), *Le décor mythique de « La Chartreuse de Parme » ; les structures figuratives du roman stendhalien*, Paris, Corti.

DURAND, Gilbert (1975), *Science de l'homme et tradition. Le « nouvel esprit anthropologique »*, Paris, Éditions Tête de feuilles et Éditions du Sirac.

DURAND, Gilbert (1976), *L'imagination symbolique*, Paris, Les Presses universitaires de France. (Coll. SUP, n° 66.)

DURAND, Gilbert (1979), *Figures mythiques et visages de l'œuvre ; de la mythocritique à la mythanalyse*, Paris, Berg international. (Coll. L'Île verte.)

DURAND, Gilbert (1980), *L'âme tigrée ; les pluriels de psyché*, Paris, Denoël/Gonthier.

ELIADE, Mircea (1968), *Le chamanisme et les techniques archaïques de l'extase*, Paris, Payot. (Coll. Bibliothèque scientifique.)

ELIADE, Mircea (1969), *Le mythe de l'éternel retour ; archétypes et répétition*, Paris, Gallimard. (Coll. Idées, n° 191.)

ELIADE, Mircea (1970), *Traité d'histoire des religions*, Paris, Payot. (Coll. Bibliothèque scientifique.)

ELIADE, Mircea (1971), *Aspects du mythe*, Paris, Gallimard. (Coll. Idées, n° 32.)

ELIADE, Mircea (1971), *La nostalgie des origines ; méthodologie et histoire des religions*, Paris, Gallimard. (Coll. Les Essais, n° CLVII.)

ELIADE, Mircea (1971), *Le sacré et le profane*, Paris, Gallimard. (Coll. Idées, n° 76.)

ELIADE, Mircea (1972), *Mythes, rêves et mystères*, Paris, Gallimard. (Coll. Idées, n° 271.)

ELIADE, Mircea (1976), *Images et symboles. Essais sur le symbolisme magico-religieux*, Paris, Gallimard.

ELIADE, Mircea (1976), *Initiation, rites, sociétés secrètes. Naissances mystiques. Essai sur quelques types d'initiation*, Paris, Gallimard. (Coll. Idées, n° 332.)

ELIADE, Mircea (1985), *L'épreuve du labyrinthe. Entretiens avec Claude-Henri Rocket*, Paris, Belfond. (Coll. Entretiens.)

FRYE, Northrop (1969), *Anatomie de la critique*, traduit de l'anglais par Guy Durand, Paris, Gallimard. (Coll. Bibliothèque des sciences humaines.)

FRYE, Northrop (1969), *Pouvoirs de l'imagination ; essai*, traduit de l'anglais par Jean Simard, Montréal, HMH. (Coll. Constantes, n° 22.)

HAMON, Philippe (1985), « Thème et effet du réel », *Poétique*, nº 64 (novembre), p. 495-504.

HÉBERT, François (1984), « Un roman exotique bien d'ici », *Le Devoir*, 27 octobre, p. 23.

JANELLE, Claude (1985), « La mer, cette grande matrice originelle », *Solaris*, vol. X, nº 6 (mars-avril), p. 7-8.

LAURIN, Michel (1984), « Thériault (Marie José), *Les demoiselles de Numidie* », *Nos livres*, vol. XV, nº 5997 (décembre), p. 33-34.

LORD, Michel (1984-1985), « Quand l'esprit glisse entre deux eaux. *Les demoiselles de Numidie* de Marie José Thériault », *Lettres québécoises*, nº 36 (hiver), p. 21-23.

MAINDRON, André (1990), « Serena Klein Todd ou le paradoxe romanesque », *Voix et images*, vol. XV, nº 3 (printemps), p. 424-436.

MARCOTTE, Danielle (1985), « Marie José Thériault. Mystères et sortilèges », *Nuit blanche*, nº 17 (février-mars), p. 46-49.

MARCOTTE, Gilles (1985), « La littérature à coups de hache », *L'Actualité*, vol. X, nº 1 (janvier), p. 72.

MATIVAT, Daniel (1985), « Marie José Thériault. *Les demoiselles de Numidie*, roman, Éditions du Boréal Express », *Imagine*, vol. VII, nº 1 (octobre), p. 131-132.

PARIS, Jean (1965), *L'espace et le regard*, Paris, Éditions du Seuil.

POULET, Georges (1972), *Études sur le temps humain I*, Paris, Plon. (Coll. 10/18, nº 721.)

POULET, Georges (1976), *Études sur le temps humain II*, Paris, Éditions du Rocher.

POULET, Georges (1976), *Études sur le temps humain III. Le point de départ*, Paris, Éditions du Rocher.

POULET, Georges (1977), *Études sur le temps humain IV. Mesure de l'instant*, Paris, Éditions du Rocher.

POULET, Georges (1979), *Les métamorphoses du cercle*, préface de Jean Starobinski, Paris, Flammarion.

POULIN, Gabrielle (1985), « *Les demoiselles de Numidie* de Marie José Thériault. Univers magique », *Le Droit*, 17 août, p. 26-27.

PRINCE, Gérald (1985), « Thématiser », *Poétique*, nº 64 (novembre), p. 425-434.

RICHARD, Jean-Pierre (1954), *Littérature et sensation*, Paris, Éditions du Seuil.

RICHARD, Jean-Pierre (1955), *Poésie et profondeur*, Paris, Éditions du Seuil.

RICHARD, Jean-Pierre (1961), *L'univers imaginaire de Mallarmé*, Paris, Éditions du Seuil.

RICHARD, Jean-Pierre (1984), *Pages paysages. Microlectures II*, Paris, Éditions du Seuil.

RONSE, Henri (1965-1966), « Le labyrinthe, espace significatif », *Cahiers internationaux de symbolisme*, nos 9-10, p. 27-43.

ROUSSET, Jean (1970), *Forme et signification : essais sur les structures littéraires de Corneille à Claudel*, Paris, Corti.

RUDEL-TESSIER, Danièle (1985), « *Les demoiselles de Numidie* », *Châtelaine*, vol. 26, no 1 (janvier), p. 24.

SELLIER, Philippe (1970), *Le mythe du héros ou le désir d'être dieu*, Paris, Bordas. (Coll. Thématique.)

STAROBINSKI, Jean (1971), *L'œil vivant ; essai. Corneille, Racine, Rousseau, Stendhal*, Paris, Gallimard.

STAROBINSKI, Jean (1972), *L'œil vivant II. La relation critique*, Paris, Gallimard.

STEINMETZ, Jean-Luc (1990), *La littérature fantastique*, Paris, Les Presses universitaires de France. (Coll. Que sais-je ?)

THÉRIAULT, Marie José (1984), *Les demoiselles de Numidie*, Montréal, Boréal Express.

TROUSSON, Raymond (1965), *Un problème de littérature comparée : les études de thèmes. Essai de méthodologie*, Paris, M. J. Minard. (Coll. Situation.)

TROUSSON, Raymond (1981), *Thèmes et mythes : questions et méthodes*, Bruxelles, Éditions de l'Université de Bruxelles.

TURCOTTE, Jeanne (1985), « *Les demoiselles de Numidie* », *Québec français*, no 57 (mars), p. 6.

TURCOTTE, Susy (1984-1985), « *Les demoiselles de Numidie* », *Nuit blanche*, no 16 (décembre-janvier), p. 5.

VAX, Louis (1951), « L'attrait du mystère », mémoire dactylographié, Nancy, Université de Nancy.

VAX, Louis (1965), *La séduction de l'étrange. Étude sur la littérature fantastique*, Paris, Quadrige et Les Presses universitaires de France.

WEBER, Jean-Paul (1960), *Genèse de l'œuvre poétique*, Paris, Gallimard.

WEBER, Jean-Paul (1963), *Domaines thématiques*, Paris, Gallimard.

WEBER, Jean-Paul (1966), *Néo-critique et paléo-critique, ou contre Picard*, Paris, Pauvert.

Y a-t-il une rhétorique du roman ? Les figures d'argumentation chez Jacques Godbout

Jean-Marie KLINKENBERG
Centre d'études québécoises, Université de Liège

Rhétorique(s) et roman

Si, en une première approximation, on définit la rhétorique comme la discipline dont l'objet est la constitution des discours, alors on doit d'emblée souligner, avec force, qu'elle n'est pas une discipline littéraire. Comme telle, la rhétorique ne saurait fournir une grille de lecture des textes littéraires, qu'ils soient romanesques ou non.

La seule justification de la présence de la rhétorique dans le présent ouvrage est dès lors celle-ci : être équipé pour rendre compte de certains traits discursifs que l'on peut éventuellement rencontrer dans le roman. « Éventuellement » : l'approche rhétorique laisse de côté le problème de l'éventuelle spécificité formelle des discours littéraires, et en particulier celle du roman.

Au moment de tester la validité des concepts rhétoriques sur le texte romanesque, encore faut-il s'entendre sur ces concepts. Ce qui ne peut manquer de poser la délicate question de l'identité de la discipline en cause. C'est la question même de la définition de la rhétorique.

Deux néo-rhétoriques

On sait qu'il n'y a pas une néo-rhétorique mais deux. La première est née dans l'orbe de la poétique. Et cela a longtemps pu laisser croire à son caractère littéraire. La recherche méthodologique de la poétique fut en effet, dès les origines, fécondée par une réflexion historique : n'y avait-il pas eu, dans le passé, des disciplines visant à la généralité[1], qui est la condition de toute science ? Or, une telle discipline existait : la rhétorique. Dès ses origines, la poétique s'est donc offerte à la rencontre avec cette dernière. Elle comportait en effet un concept – celui de figure – qui permettait d'expliquer un phénomène central en littérature (mais n'appartenant pas en propre à cette littérature), phénomène que ni la sémantique ni la sémiotique ne prenaient alors en considération : la possibilité pour un énoncé (linguistique ou autre) d'être programmé de façon à produire simultanément plusieurs sens distincts (et non seulement un sens indéfini)[2]. Bien que les notions de métaphore et de métonymie, rendues populaires par Roman Jakobson et ses épigones, se soient rapidement révélées insuffisantes et que leur polarité apparaisse aujourd'hui comme résultant d'une réduction peu soutenable, il semblait légitime au départ de tester leur généralité et leur applicabilité. C'est donc sur ce premier point qu'une rencontre devait avoir lieu entre la poétique et la rhétorique. Ou plutôt avec une de ses subdivisions, l'*elocutio,* puisque c'est de ce champ que sont originaires les notions en question.

Mais on peut se demander si la ressemblance entre la rhétorique ainsi ressuscitée par la poétique et la rhétorique classique n'est pas une simple homonymie. En effet, cette dernière avait d'autres ambitions : notamment celle d'être une théorie (et une pratique) générale du discours en société. Par rapport à celle-ci, la néo-rhétorique des figures apparaissait dès lors comme le fruit d'une importante restriction, souvent dénoncée comme une espèce de péché mortel. La formulation la plus nette de cet anathème, cent fois citée, est la suivante :

> Rhétorique-figure-métaphore : sous le couvert dénégatif, ou compensatoire, d'une généralisation pseudo-einsteinienne, voilà tracé dans ses principales étapes le parcours (approximativement) historique d'une discipline qui n'a cessé, au cours

---

1. L'objet de la poétique n'était pas, on le rappelle, l'œuvre ou la collection d'œuvres mais le caractère abstrait qui fait d'un discours donné un discours littéraire. C'est évidemment à cette seule condition que l'on peut parler de science de la littérature, au nom du principe selon lequel il n'y a de science que du général (la « pataphysique », qui est tout, étant mise à part...). À ce sujet, voir Klinkenberg (1991).

2. Le phénomène a fait une entrée remarquée en pragmatique, sous le nom de « polyphonie ». Mais la position de Ducrot (1984), responsable de la réintroduction de cette notion qui doit beaucoup au dialogisme de Bakhtine, aboutit à certaines apories sur lesquelles nous ne pouvons nous étendre ici. Ces apories sont moins graves dans la réinterprétation qu'en a donnée Antoine Culioli.

> des siècles, de voir rétrécir comme peau de chagrin le champ de sa compétence, ou à tout le moins de son action. La *Rhétorique* d'Aristote ne se voulait pas « générale » (encore moins « généralisée ») : elle l'était, et l'était si bien dans l'amplitude de sa visée, qu'une théorie des figures n'y méritait encore aucune mention particulière ; quelques pages seulement sur la comparaison et la métaphore, dans un livre (sur trois) consacré au style et à la composition, territoire exigu, canton détourné, perdu dans l'immensité d'un Empire. Aujourd'hui nous en sommes à intituler rhétorique générale ce qui est en fait un traité des figures. Et si nous avons tant eu à généraliser, c'est évidemment pour avoir trop restreint : de Corax à nos jours, l'histoire de la rhétorique est celle d'une *restriction généralisée*[3].

À peu près au même moment que la rhétorique ressuscitée dans le foyer poéticien naissait, dans l'univers philosophique cette fois, une rhétorique « vraiment générale », que nous nommerons ci-après « rhétorique de l'argumentation ». Cette rhétorique, définie par Perelman et Olbrechts-Tyteca (1976), constituait une réponse à l'appauvrissement dans l'analyse des démarches de la pensée pratique (consécutif à la réduction cartésienne et à l'anti-rhétorisme bourgeois lié à la promotion des arts mécaniques). Elle s'appuie sur le fait que raisonner, ce n'est pas seulement déduire et calculer, mais aussi délibérer et argumenter. Elle met donc à son programme l'étude des techniques discursives susceptibles de susciter ou d'accroître l'adhésion des récepteurs aux thèses que l'on soumet à leur assentiment, et juxtaposera à la logique devenue formelle une logique naturelle.

Oppositions et points de convergence

Dans les années soixante-dix, et jusque dans les années quatre-vingt[4], ces deux néo-rhétoriques ont souvent été opposées. On voit mieux à présent que leurs naissances parallèles n'avaient rien de fortuit et que, loin d'être concurrentes[5], les deux néo-rhétoriques se complètent et se rejoignent sur un nombre important de points. En replaçant chacune à sa façon la langue au sein de l'ensemble des pratiques de

---

3. On doit cette condamnation polémique (Klinkenberg, 1990b ; Lempereur, 1990) à Genette (1970), un des principaux responsables de ce qu'il dénonce.
4. Voir, par exemple, Pozuelo Yvancos (1988).
5. Pas plus qu'il n'y a eu d'opposition entre rhétorique et poétique au long de l'histoire, comme le montre la pénétrante synthèse de Vigh (1979).

communication et de signification, elles ne font rien d'autre que de contribuer à la réalisation d'un programme proposé par Saussure et précisé par Hjelmslev et Buyssens : celui d'une étude de la vie des signes au sein de la vie sociale. Ces dernières années, elles ont été intimement rapprochées par l'évolution actuelle des sciences du langage et de la signification. Car la linguistique a dû, pour survivre et pour résoudre les apories que désignait la poétique, et donc la rhétorique de l'*elocutio*[6], étendre leur champ de compétence vers l'analyse conversationnelle, l'étude des contenus implicites, de la relation entre sémantique et encyclopédie, tous objets qui étaient de leur ressort. Elles ont enfin toutes deux une exigence de rigueur que l'on ne trouvait pas dans les disciplines couvrant le même champ qu'elles. L'une et l'autre peuvent ainsi s'épauler dans leur projet d'analyse rationnelle de l'irrationnel. Car c'est bien en ces termes que s'énonce leur mandat commun : « Est-il exact que nous abdiquions l'usage de la raison sitôt que nous quittons le champ du formel ? [...] La Rhétorique vient ici pour « faire éclater la traditionnelle connexion du rationnel et du nécessaire, du non-nécessaire et de l'irrationnel et acheminer vers une conception élargie de la raison intégrant l'argumentation aux côtés de la démonstration » » (Max Loreau).

Mais c'est même sur les terrains les plus techniques que l'on entrevoit aujourd'hui le rapprochement des deux disciplines. Et nous ne pouvons mieux faire ici que reprendre un point de notre communication au colloque « Figures et conflits rhétoriques » (Meyer et Lempereur, 1990), où nous analysions les conditions de ce rapprochement.

Ce point est central : c'est la définition de la figure. C'est en fait la même que chez Perelman et Olbrechts-Tyteca (1976), d'une part, et

---

6. Nous ne voulons pas signifier par là que ce sont les travaux réalisés en poétique qui auraient donné le branle aux recherches auxquelles nous faisons ici allusion : Berrendonner, Récanati, Anscombre ou Kleiber seraient surpris d'être catalogués comme rhétoriciens, et plus encore comme poéticiens. Les solutions qu'ils élaborent répondent en fait à des problèmes posés dans un cadre plus vaste, qui déborde celui de la littérature, et qui est l'immense éventail des usages sociaux du langage. Mais il est vrai que nombre des questions qu'ils posent l'ont aussi été dans le cadre de la rhétorique des figures. On peut donc affirmer sans exagérer que cette dernière a participé à la fécondation de la linguistique contemporaine. Comme pour en témoigner, le mot « rhétorique » revient fréquemment – avec des sens divers et parfois flous, il est vrai – sous la plume de chercheurs comme Grice, Sperber ou Ducrot.

chez les rhétoriciens de l'*elocutio,* d'autre part. Ce qui a peut-être empêché de le voir, ce sont les critères de classement des figures, radicalement différents chez les uns et chez les autres.

On se rappellera que les rhétoriciens de Bruxelles prennent pour point de départ de leur recherche un certain nombre de processus argumentatifs généraux, appelés « schèmes ». Ils se demandent ensuite si certaines figures sont de nature à remplir les fonctions reconnues à ces procédés, « si elles peuvent être considérées comme une des manifestations de celui-ci » (Perelman et Olbrechts-Tyteca, 1976 : 232). Les figures sont donc observées en fonction des rôles qu'elles jouent à une étape donnée des discours argumentatifs.

Dans la présentation des prémisses, par exemple, on distingue des « figures de choix », des « figures de présence » et « de communion ». Les figures de choix sont, entre autres, la définition, la périphrase, la correction ; toutes ont pour effet d'exhiber la manœuvre de sélection des arguments (leur formalisation dans la substance du monde intelligible). Quant aux figures de présence, comme l'onomatopée ou le pseudo-discours direct, elles ont pour effet d'attirer l'attention sur les matériaux argumentatifs sélectionnés. Les figures de communion sont l'allusion, la citation, l'apostrophe, l'énallage de la personne, etc. Elles ont pour fonction de rapprocher les partenaires et jouent ainsi un rôle phatique, en mobilisant les signes de leur connivence. Dans l'exposé argumentatif proprement dit, on distingue des « figures de liaison » et des « figures de dissociation ». On reviendra sur ces dernières figures. Mais notons déjà, à titre d'exemple, que les premières sont à leur tour réparties en classes, selon qu'elles sont constituées « d'arguments quasi logiques », comme l'ironie ou la rétorsion, « d'arguments fondés sur la structure du réel », comme l'hyperbole ou la litote, ou enfin « d'arguments fondant la structure de ce réel », et c'est ici que nous retrouvons la métaphore.

On voit que le critère de classement, ce sont les effets sociaux et cognitifs de la figure et non sa structure logique. C'est d'ailleurs cette fonction sociale qui autorise Perelman à distinguer nettement les « figures de style » des « figures argumentatives », dites parfois, en une manœuvre de simplification étonnante, de « rhétorique » :

> Nous considérons une figure comme *argumentative* si, entraînant un changement de perspective, son emploi paraît normal par rapport à la nouvelle situation suggérée. Si par contre, le discours n'entraîne pas l'adhésion de l'auditeur à cette forme argumentative, la figure sera perçue comme ornement, comme

> figure de *style*. Elle pourra susciter l'admiration, mais sur le plan esthétique, ou comme témoignage de l'originalité de l'orateur (1977 : 13)[7].

Mais qu'en est-il du problème de la structure des figures ? Celle-ci préoccupe peu les membres de l'école de Bruxelles. Ils se donnent toutefois la peine de la caractériser. Toute figure présente pour eux deux aspects nécessaires : d'une part, une « structure discernable, indépendante du contenu » et, d'autre part, « un emploi qui s'éloigne de la façon normale de s'exprimer, et, par là, attire l'attention » (Perelman, 1977 : 227). Or, la rhétorique de l'*elocutio* définit exactement de cette manière ses figures : à la fois comme un écart réévaluable – la réévaluation étant déterminée par des facteurs contextuels et pragmatiques – et comme une procédure propre à provoquer l'effet d'autotélisme (que Perelman retrouve avec la formule « attirer l'attention »). Il y a mieux encore : sur le détail de certaines figures, les deux rhétoriques se rencontrent. Dans leur *Rhétorique générale,* les rhétoriciens de Liège définissent les métalogismes – parmi lesquels l'hyperbole et la litote – comme des figures qui prennent en considération la représentation que les partenaires de la communication ont du référent. Et Perelman et Olbrechts-Tyteca (1976) parlent, eux, « d'arguments fondés sur la structure du réel[8] ».

---

7. Ainsi, la rhétorique perelmanienne pourrait s'attirer les critiques autrefois adressées à la rhétorique de l'*elocutio* : réductionnisme et mise en avant de l'« écart ». Le réductionnisme se manifeste ici dans le raccourci qui assimile « figures de rhétorique » tout court et « figures argumentatives ». Cette manœuvre qui réduit le champ de la rhétorique en en expulsant tout ce qui n'est pas strictement argumentatif fait courir à la néo-rhétorique de l'argumentation le risque d'être qualifiée elle aussi de « restreinte ». Dans la « mise à l'écart » du stylistique, le trope poétique serait considéré comme un simple ornement et ne pourrait être abordé dans sa spécificité. Ici, on ne le définit que négativement, comme l'effet d'un discours argumentatif qui a échoué. Ce qui semble renvoyer à une conception dichotomique de la norme et de l'écart, où certains discours seraient du côté de la norme et d'autres du côté de l'écart, sans qu'il y ait de partage possible, alors que, dans la néo-rhétorique des tropes, on insiste au contraire sur la relation dialectique qui s'établit entre les divers éléments de l'énoncé, dont certains constituent l'isotopie de l'énoncé – sa norme, si l'on veut – et d'autres se manifestent comme allotopes, donc facteurs d'écart. Sur ces problèmes, voir Lempereur (1990).
8. Un mot, « réel », dont l'imprécision étonne sous la plume de philosophes.

Les faits de structure intéressent moins nos auteurs, et l'on comprend pourquoi. C'est que ces structures sont en fait identiques pour la figure dite argumentative et pour la figure dite de style. Constater cette identité énerverait cette opposition, ou plutôt obligerait à dégager les critères qui la justifieraient. Or, ce qui donne le statut de figure « argumentative » ou « de style », c'est le contexte pragmatique et rien d'autre. Il reste qu'il faut bien nommer la discipline qui peut s'occuper de ces structures communes, et donc loger à son enseigne les deux néo-rhétoriques. Mais comment la nommer, sinon par le terme « rhétorique » ?

Familles de textes et familles de figures

Si les deux rhétoriques sont amenées à se confondre en droit, cette fusion ne doit cependant pas faire disparaître une série de distinctions utiles. Dans la mesure où la rhétorique a dans ses objectifs l'établissement d'une typologie des discours[9], il reste pertinent de se demander si certaines structures sémiotiques n'entretiennent pas des relations privilégiées avec des contextes discursifs précis[10]. Cette question était d'ailleurs centrale chez Perelman et Olbrechts-Tyteca (1976), soucieux d'étudier les corrélations entre schèmes et fonctions argumentatives.

On ne sera donc pas étonné de constater qu'une rhétorique qui s'est constituée à partir d'un réexamen de l'*elocutio* ait d'abord trouvé à s'appliquer à des genres comme la poésie (Groupe μ, 1990 ; Klinkenberg, 1990a) ; et c'est tout naturellement que, si l'on envisage une application à la littérature de la rhétorique de l'argumentation (partie, elle, de la *dispositio*), on songe à se tourner vers la narration, et donc vers le roman.

---

9. La distinction aristotélicienne des discours délibératif, judiciaire et épidictique est la première typologie moderne de ce type, soucieuse qu'elle est d'harmoniser des critères de classement sociologiques et sémiotiques.

10. Comme le dit plaisamment Morel : « Un lecteur du *Canard enchaîné* est sans aucun doute disposé à recevoir et accepter un nombre très élevé de jeux de mots, de calembours, de mots-valises, d'allusions, et d'insinuations, qui sont autant de procédés qu'il jugerait déplacés dans les pages du *Monde* » (1982 : 6). La rhétorique classique observait déjà de telles relations : la paronomasie, par exemple, était jugée conforme au discours judiciaire, la répétition au judiciaire et à l'épidictique, etc.

Cette bipartition n'a cependant rien de nécessaire. Contrairement à une idée qu'un contresens de Ricœur (1975) a contribué à répandre[11], les opérations que détaille la rhétorique des figures peuvent investir des unités excédant les dimensions du mot, et même de la phrase. Les premières applications du concept de rhétorique générale ont d'ailleurs pris pour objet le récit biographique dans la presse de masse[12].

Mais ce qui est vrai, c'est que certains concepts rhétoriques fondamentaux se manifestent différemment à travers des figures comme les métasémèmes ou à travers les figures narratives. C'est le cas de la médiation, concept central en rhétorique, mais familier aussi aux anthropologues (Lévi-Strauss, 1974 ; Durand, 1980). On sait qu'une médiation symbolique consiste à modifier deux termes inconciliables (par exemple mort et vie) en leur trouvant deux équivalents (par exemple guerre et agriculture, activités humaines qui sont entre elles comme mort et vie), et à trouver des intermédiaires entre ces équivalents. Dans notre exemple, ce serait la chasse, qui consiste à tuer pour manger : parente à la fois de la guerre et de la culture, elle associe mort et vie. Dans la médiation symbolique, les contraires restent contraires, mais admettent la possibilité d'un rachat de leur contrariété. La médiation peut être

---

11. Pour résoudre les problèmes posés par les figures, on ne pouvait se contenter d'une sémantique lexicale, ni même d'une sémantique permettant d'envisager le sens des syntagmes. Ricœur (1975) voit ainsi très bien que l'on ne peut se limiter à une conception de la « métaphore-mot », conception qu'il attribue, un peu vite et indistinctement, à tous les néo-rhétoriciens. Définir ce trope comme le changement du sens d'un mot, c'est limiter le pouvoir de la figure, qui se manifeste au niveau non du sens mais de la signification. Ce pouvoir implique la référence et ne peut donc être décrit qu'au niveau de l'énoncé. Or, les thèses de la rhétorique générale se fondent bien sur une théorie de l'énoncé : la figure y est décrite comme la coprésence, dans un ensemble syntagmatique, d'éléments conformes à l'isotopie de cet ensemble et d'éléments allotopes qui doivent être réévalués. Théorie assez puissante pour rendre compte de faits rhétoriques se manifestant dans des ensembles syntagmatiques d'un niveau inférieur à celui du mot (par exemple dans le cas de nombreux métaplasmes), mais aussi de faits englobant plusieurs phrases (comme dans la métaphore filée). Une telle rhétorique, non limitée à la métaphore, doit donc élaborer une théorie générale du contexte (Groupe μ, 1982 : 213-215 ; Groupe μ, 1990 : chap. I ; Klinkenberg, 1990a : 60).

12. Voir Groupe μ (1970). L'ouvrage précédent, réédité récemment, comportait déjà, dans la partie intitulée « Vers une rhétorique générale », un chapitre substantiel sur les « Figures de la narration » (1982 : 171-199).

discursivement produite par des stratégies bien différentes (Bremond, 1973). On peut ainsi distinguer, dans l'ordre, des médiations référentielles, des narratives, des argumentatives et des figurales[13]. Dans la médiation référentielle, le discours comporte explicitement des termes qui désignent des procès médiateurs – le vol, le labour, le jeu, la libation, l'ingestion –, voire des objets présentés comme facteurs de médiation dans une culture donnée : l'arbre, le vin, la lune[14]. Dans la médiation narrative, le discours véhicule un récit qui est lui-même une médiation. Cette idée d'une transformation des états, des statuts et des situations est d'ailleurs à la base de toute la narratologie. Dans la médiation argumentative, le processus médiateur opère au niveau du discours (et non du récit) : il suffit, par exemple, que ce récit pose explicitement, en qualité de postulat, de thèse ou en toute autre qualité, l'équivalence des deux opposés, équivalence ensuite démontrée, exemplifiée ou amplifiée. La médiation figurale est proche de la précédente, en ce qu'elle fonctionne aussi au niveau du discours. Elle s'en distingue en ce qu'elle associe immédiatement les opposés par la superposition de deux isotopies, sans discours de justification. Cet exemple servait à montrer que les études menées jusqu'ici à partir de la *dispositio* seront nécessairement plus fécondes dans l'analyse des genres discursifs qui font un plus grand usage des médiations argumentatives ou narratives – et c'est évidemment le cas du roman – que celles qui l'ont été à partir de l'*elocutio,* plus aptes, elles, à rendre compte des phénomènes mobilisés par les genres où sont plus fréquentes les médiations référentielles ou figurales.

En effet, bien que les récents développements des recherches en poétique aient largement occulté les rapports entre le récit et les autres types de discours[15], un très grand nombre de concepts employés en narratologie constituent de fait des figures argumentatives.

---

13. Nous adaptons ici la terminologie retenue dans Groupe μ (1990 : 96-103). Elle était peu adéquate, puisqu'elle confondait, dans la catégorie « médiation discursive », les médiations narrative et argumentative et qu'elle nommait la dernière catégorie « médiation rhétorique », sans égard au caractère rhétorique de la médiation argumentative.

14. Voir par exemple notre étude de la thématique de Norge (Klinkenberg, 1985).

15. L'ouvrage de Kibédi-Varga (1989) envisage courageusement ces rapports.

C'est le cas du schéma actantiel ou du carré sémiotique. L'un et l'autre permettent effectivement d'obtenir des liaisons ou des dissociations au sens perelmanien du terme : les premières sont des « schèmes qui rapprochent des éléments distincts et permettent d'établir entre ces derniers une solidarité visant soit à les structurer, soit à les valoriser positivement l'un par l'autre » ; les secondes sont des « techniques de rupture ayant pour but de dissocier, de séparer, de désolidariser des éléments considérés comme formant un tout ou du moins un ensemble solidaire au sein d'un même système de pensée » (Perelman et Olbrechts-Tyteca, 1976 : 255-256). Cette perspective permet d'ailleurs d'améliorer le rendement de ces deux outils dans l'analyse du texte romanesque : car si le schéma actantiel ou le carré logique permettent de décrire correctement la structure sémantique d'un texte, ils n'autorisent pas la description des accords et des désaccords entre cette structure et celle de la *doxa* ou de tel autre système de pensée, ni la prise en considération des interactions entre ces structures quand elles sont véhiculées respectivement au niveau du discours et au niveau du récit. Or, ces rapports dialectiques constituent souvent un puissant moteur narratif, comme on va le voir. Replacer ces outils dans le cadre rhétorique permet donc de leur donner une plus grande généralité, puisque la manœuvre peut favoriser l'association dans un cadre unitaire de faits dispersés jusqu'ici dans les analyses narrative et thématique.

Godbout et la dissociation

Puisqu'il s'agit d'illustrer, illustrons. Mais souvenons-nous qu'en l'occurrence tout corpus en vaut un autre. Sauf à faire jouer les goûts tout personnels. Examinons donc quelques figures argumentatives dans l'œuvre de Jacques Godbout, en suivant la taxinomie de Perelman.

Nous laisserons de côté les figures portant sur la présentation des données de l'argumentation. Ce sont notamment les figures de la présence, qui visent à rendre « présent à la conscience l'objet du discours ». Mais ces figures n'en jouent pas moins de manière significative chez Godbout. On notera par exemple que, chez lui, ce sont souvent les thèmes centraux qui appellent le calembour (et plus largement le métaplasme). Dans *Une histoire américaine,* ceux-ci apparaissent systématiquement lorsqu'il est question d'un des quatre thèmes majeurs que sont le livresque, le spectaculaire, le jeu et le journalisme (« Hélas Végas » (p. 15) ; « Rimbaud avait entendu parler de Harar par hasard » (p. 20)). C'est également dans ces contextes que surgissent les jeux de citation, figures de la communion (qui font « participer activement l'auditoire à l'exposé » (Perelman et Olbrechts-Tyteca, 1976 : 240)), mais qui ont aussi un effet de présence (« L'idiot du village global » (p. 39) ; « politique, mode d'emploi » (p. 146)).

Figures de liaison

Comme nous l'avons mentionné, les figures proprement argumentatives se subdivisent, selon une polarité dont on verra qu'elle n'est peut-être pas aussi solide qu'elle en a l'air, en figures de liaison et en figures de dissociation.

Parmi les premières se trouvent les « argumentations quasi logiques ». Celles-ci organisent les éléments du discours dans un schème proche de ceux qu'offrent les démonstrations formalisées. La différence avec ces dernières est évidemment qu'elles suivent des lois plus proches de celles de l'abduction que de celles de la déduction et qu'elles se fondent sur un vraisemblable social et non sur des postulats de signification.

Au sein des argumentations quasi logiques, Perelman et Olbrechts-Tyteca détachent la classique rétorsion. C'est un type de raisonnement qui « tend à montrer que l'acte par lequel une règle est attaquée est incompatible avec le principe qui soutient cette attaque » (1976 : 274). Bon nombre de narrations sont conduites selon ce schéma.

Dans *D'Amour, P.Q.*, le héros est un écrivain qui entreprend trois œuvres. Entreprend seulement car les différences qui opposent ces trois moments cachent mal leur point commun : l'inachèvement[16]. Chaque œuvre, correspondant aux trois phases du roman de Godbout, est aussitôt contestée, mais cette critique est elle-même mise en cause par le résultat. Le roman de Godbout apparaît ainsi comme une vaste rétorsion. La première œuvre illustre ce que Mireille appelle une « littérature de Haute Classe ». Coupée de l'histoire et de la société, impuissante, elle cherche son inspiration dans la création des autres. Elle a la prétention d'aborder toute la destinée humaine vue comme une pure essence (« Je cherche l'homme universel, voilà », déclare le premier D'Amour). Thématique inféodée à la convention, mais aussi *elocutio* artificielle et précieuse. Échec pour D'Amour, qui est en quête de légitimité littéraire.

---

16. Ces trois œuvres correspondent aux moments forts de la littérature québécoise telle que Godbout la voit. Même dans ses phases achevées, la littérature québécoise est donc présentée comme pulsion et non comme état, comme projet et non comme objet.

Le deuxième moment naît de la rencontre entre Mireille et D'Amour. Changement de cap : après les modèles français, les modèles américains. Cette littérature-là a sur l'autre l'avantage de donner un statut social à l'écrivain : Thomas aura enfin son public. Mais elle présente bien des points communs avec l'autre, dont celui de faire de l'écriture un rituel mythique et, en tout cas, sécurisant. Quant au statut conquis, il reste ambigu : la première littérature condamnait à l'isolement ; celle-ci mène droit à la prostitution. L'artifice ne peut durer longtemps : dès les débuts de l'aventure qu'est sa nouvelle culture, D'Amour pressent qu'elle est vouée à l'échec. Le troisième projet de l'Auteur – ou mieux, celui de la cellule désormais constituée par Mireille et Thomas – n'est plus de renforcer ses marginalités pour en tirer avantage, mais de s'efforcer sans cesse de médier ses contradictions. Cette structure tripartite interdit de parler de finalisme : elle renvoie de toute évidence à la triade dialectique thèse-antithèse-synthèse ; et l'on sait que la propriété de cette triade est d'être constamment relancée. Incomplétude mise en abyme dans l'œuvre de D'Amour condamnée à se réécrire sans cesse. C'est d'ailleurs bien ce qui se passe à la fin du roman : D'Amour se croit arrivé, mais sa Mireille lui démontre qu'il ne peut jamais en aller ainsi.

Les arguments qui fondent la structure du réel sont ceux qui, « à partir d'un cas particulier connu, permettent d'établir un précédent, un modèle ou une règle générale, tels les raisonnements par le modèle ou par l'exemple » (Perelman, 1977 : 66). C'est dans cette catégorie que l'on pourra glisser toutes les démarches analogiques, depuis la métaphore ponctuelle et la comparaison jusqu'aux grandes structures textuelles en forme de paraboles. Toutes ces figures ont pour fonction commune non seulement de séduire et de convaincre le partenaire, mais aussi de structurer un contenu nouveau et de le modaliser, c'est-à-dire d'indiquer la position qui doit être adoptée à son endroit.

Ce type de figures abonde dans *D'Amour, P.Q.* Les comparaisons y sont légion : « Il y a des jours où le Kébek est comme une marque de cercueil, on te dépose dedans, on met un carcan au verrat, on te donne à manger deux épis de blés d'Inde et une tasse de bleuets, tu dois t'en contenter et fermer ta gueule » (p. 95)[17]. Dans le même roman, Godbout traite des difficultés de l'écrivain francophone « provincial », difficulté qui s'accroît et qui devient drame lorsqu'une frontière ou un océan lui donne, à lui et à la communauté de ses lecteurs, d'autres horizons, d'autres évidences, d'autres accents. Ce drame des littératures

17. Les pages indiquées entre parenthèses renvoient à Godbout (1991).

françaises hors de France, il le parodie de manière grotesque à travers une parabole :

> Il n'y a au loin, couchée dans la paille, que la littérature française, toute nue, qui l'attend. Il la regarde longuement, il la désire, mais aussi il regarde son jardin québécois, sourit, sort de sa poche une fourchette plaquée argent et une salière de porcelaine, puis il s'agenouille devant un pneu comme devant une assiette, et se met à dévorer des Saint-Joseph velouté [...] Au bout du champ, dans le foin sec, la fille s'agite et s'énerve (p. 115).

Mais c'est au niveau du texte général que peut jouer la parabole : on sait par exemple que la critique a généralement lu *Les têtes à Papineau* comme une parabole destinée à mettre en évidence la dualité de la culture québécoise[18]. Nous en avions proposé, quant à nous, une autre lecture (Klinkenberg, 1987c), que la parution d'*Une histoire américaine* a validée : le roman porte témoignage des écartèlements suscités par la culture narcissique et spectaculaire née dans l'Occident développé après le choc pétrolier. L'important n'est pas ici – où le propos doit d'abord être méthodologique – d'opposer une « interprétation » à l'autre. Il est à noter que ces lectures ne sont pas mutuellement exclusives et qu'elles dépendent de règles contextuelles. Le contexte étant en l'occurrence du type pragmatique, les règles de lecture rhétorique rejoignent sur ce point la théorie de la réception.

L'argument établissant la structure du réel peut être intégré de manière subtile dans le roman, et par exemple par un enchâssement. Prenons le cas du passé idéologique québécois. Ce passé semble ne survivre, dans *D'Amour, P.Q.*, qu'à travers des signes démotivés, comme ces sacres qui émaillent le discours des robustes secrétaires de ce roman. Le religieux n'est plus pour elles ni une référence vivante, ni une source d'aliénation, ni même un sujet de débat : tout au plus un folklore. Certes, D'Amour peut encore « se souvenir », lui : d'une génération antérieure[19], il est situé au carrefour de deux cultures et peut dénoncer « la grande noirceur » qu'il a connue (c'est lui qui compare le Québec à un cercueil). Mais c'est par un autre biais, plus important, que le thème

---

18. Plus largement, d'ailleurs, la critique lit souvent l'œuvre de Godbout à l'aide de la clé identitaire. Clé qui, en l'occurrence, force toutes les œuvres à la manière d'un pied de biche (Klinkenberg, 1987b : 225-228).

19. D'Amour n'est-il pas né le 27 novembre 1933, comme Godbout ? Mais, pour faire ressortir l'archaïsme de son art, sa compagne Mireille le vieillira d'un siècle...

chrétien de la malédiction s'introduit dans le roman. Et ce thème sera enfoui, tout comme il l'est dans la mémoire québécoise. En effet, que raconte l'histoire que D'Amour s'exténue à écrire ? Son texte, en abyme dans celui de Godbout, est si souvent interrompu, déchiqueté, recommencé, que l'on finit par n'y plus prendre garde. Il semblait d'abord devoir occuper le devant de la scène, mais il est vite couvert par la voix de ses porte-parole (ceux-ci, en le citant, le mettent comme à distance) et, ne parvenant pas à dépasser l'état d'ectoplasme, est refoulé hors de la scène, au point qu'on ne le lit même plus (d'ailleurs, symptomatiquement, la critique ne l'a pas lu, plus intéressée par l'histoire de l'écrivain et de sa compagne). À sa place, un second roman : roman d'un roman, il s'écrit sous nos yeux, et ses personnages sont dotés de l'épaisseur qui fait défaut à ceux du premier. Mais quel est le thème du premier roman qui peine à devenir ? Il est bien biblique : ses misérables héros sont les « punis », sortes d'anges déchus qui ne sont pas chez eux sur terre et qui tentent de se reconnaître mutuellement dans leurs nouvelles et inconfortables enveloppes. La progressive dissolution de ce roman-là ne suggère-t-elle pas qu'il est vain de chercher le paradis perdu, et que c'est sur cette terre d'écarts qu'il faut désormais chercher son bonheur ? La parabole agit donc et au niveau du discours racontant (le roman de Godbout dissout le roman de D'Amour) et au niveau du récit raconté.

Figures de dissociation

Mais c'est du côté des figures de dissociation que la moisson sera la plus opulente. Son résultat nous permet de formuler l'hypothèse d'une typologie des romans fondée sur leurs préférences en matière de figures argumentatives. Godbout serait, dans cette typologie, l'écrivain de la dissociation.

La figure de dissociation est par excellence celle du discours qui, cherchant à résoudre « une difficulté que lui pose la pensée commune, se voit obligé de dissocier les uns des autres des éléments du réel, pour aboutir à une nouvelle organisation du donné ». Perelman, à qui l'on doit cette définition (1977 : 66-67), note que cette obligation n'avait guère frappé les anciens rhéteurs. Qu'elle ait attiré l'attention d'un contemporain a-t-il de quoi surprendre ? La dissociation n'est en effet rien d'autre que le concept d'opposition, central dans la méthodologie structuraliste.

Remarquons aussi que, du point de vue de sa structure, la dissociation n'est pas si éloignée qu'il y paraît des « figures qui fondent le réel ». En posant les termes polaires, on incite du même coup à rechercher l'axe sur lequel ils se polarisent. C'est dire que l'on établit le paradigme auquel ils appartiennent tous deux. Cette manœuvre est aussi celle de la métaphore : fondée sur l'intersection de deux sémèmes, elle étend à la réunion des ensembles ce qui n'appartient qu'à leur intersection. Elle fait ressortir l'irréductibilité des deux termes en même temps qu'elle incite le récepteur à médier cette différence, d'où l'effet herméneutique puissant de la figure (Ricœur, 1975).

Nous ne savons si nous devons oser la formule « Godbout = écrivain structuraliste ». Mais force nous est de constater que la figure de la dualité est chez lui centrale. Mieux : la stratégie argumentative de ses romans tourne presque toujours autour de la difficulté qu'il y a à élaborer une médiation entre les termes de ses paires.

Rappelons-nous le cas des jumeaux monstrueusement excessifs des *Têtes à Papineau*. Des jumeaux constituent peut-être le parangon de la figure structuraliste : marquer une opposition polaire sur un même axe. Ces frères siamois – un seul corps pour deux têtes – brillent dans le roman par les qualités exceptionnelles que leur confère leur particularité (« il y a plus dans deux têtes que dans une »). Mais celle-ci leur fait vivre un malaise intense, à cause de différences que la ressemblance fait ressortir. Mal si intense qu'ils se résolvent, toujours en bons structuralistes, à neutraliser leur opposition. Ici : à subir l'opération chirurgicale qu'on leur propose et, en recréant une seule tête, avec les deux hémisphères les plus éloignés, créer un archi-Papineau. Mais c'est l'échec : l'hémisphère dominant, jusque-là minorisé, était anglophone ! La figure de dissociation débouche donc sur une parabole claire. La culture française d'Amérique pourrait céder à la tentation de sa normalisation, mais la manœuvre aurait tout du suicide : plusieurs générations ne pourraient « vivre » qu'au prix d'une négation d'elles-mêmes. La culture québécoise apparaît donc comme irrémédiablement vouée à la schizophrénie. Elle est condamnée à ne pas choisir, à vivre écartelée par ses différentes appartenances. (Dans *D'Amour, P.Q.*, Mireille illustre aussi cette dissociation : « Écœure pas l'peuple, baquet ! T'as attrapé un coup d'Europe à l'université ? C'est un maudit torticolis ça. Mais vas-tu te promener toute ta crisse de vie le corps dans un sens, la tête dans l'autre ? » (p. 95).)

La dissociation structure ainsi l'univers de Godbout. À travers les personnages, comme on vient de le voir. Mais aussi à travers les partenaires qui les déterminent, à travers les discours qui les situent, ou à travers leurs actions et attitudes.

Les partenaires qui les déterminent. Songeons à la figure des parents de Francœur dans *Une histoire américaine* : une championne de tennis et un représentant en dictionnaires, s'opposant comme l'intérieur et l'extérieur, comme introversion et extraversion. Mais l'opposition n'est là que pour mieux faire ressortir des traits qui n'appartiennent pas à la définition ni du sport ni du livre telles que l'on peut les poser dans la *doxa* : le livresque comme le spectacle sportif sont ici deux médias susceptibles de déterminer le sens des actions individuelles avant même que celles-ci ne soient sémiotisées par eux. Ils servent équitablement une culture narcissique dont Godbout fait le procès dans son texte (Klinkenberg, 1987b).

Les discours qui les situent. Le poids du passé peut être allégé en même temps que manifesté par les transformations que Godbout lui inflige : dans son cinéma, Tarzan D'Amour devient « fils de Lord Durham et de Jeanne-Mance la plus belle fille de Ville-Marie ». Durham représente celui qui théorisa le génocide culturel des Québécois, peuple sans histoire et sans culture ; Jeanne Mance est celle qui fonda le premier hôpital du Canada à Ville-Marie. La vie et la mort : résumé d'une histoire et tentative de médiation des extrêmes qu'elle révèle. Et l'instrument médiateur est, une fois encore, le spectacle.

Les actions et les attitudes. Pensons à tous ces gens qui parlent, disent, déclarent, écrivent, mis en scène dans les romans de Godbout. Le plus célèbre d'entre eux est certainement François Galarneau, le marchand de hot-dog qui soigne son mal d'être par l'écriture. Or Galarneau hésite longtemps entre une esthétique intérieure, apatride et désengagée et le contact social qui le fait vivre. Mais le choix s'avère difficile : d'un côté, l'esthétique désincarnée symbolisée par la muraille qu'il construit entre lui-même et les autres (encore une figure fondant la structure du réel) et qui n'est plus tenable dans le monde où il se trouve ; de l'autre, un contact avec autrui qui risque d'aboutir à la dissolution de soi, symbolisée par l'impuissance à écrire. La solution, Galarneau la trouve dans une synthèse si neuve qu'il ne peut l'exprimer qu'à travers un mot-valise : « vécrire ». Comme plus haut, nous assistons à la mise en place d'une opposition structurale et à l'effort désespéré pour la neutraliser par la création d'un archi-concept. Mais l'échec guette Galarneau comme il guettait les jumeaux : l'artificialité du mot n'est-elle pas elle-même un indice du caractère fantasmatique de la solution ?

La classe sociale dont sont issus Mireille et Thomas D'Amour vit un rapport difficile à la culture traditionnelle : la première n'a pas la légitimité que donne le long contact avec la seconde. Ce qui différencie les deux acteurs, ce n'est donc pas leur problème, lequel constitue leur axe commun : c'est la manière de le gérer et de le résoudre. L'une se libère, tandis que l'autre s'inhibe, ces deux attitudes prenant sens l'une par rapport à l'autre. Même opposition lorsque, pour orienter D'Amour dans sa carrière, Mariette se fait nurse : « Tu le soigneras, s'il a la littérature malade. Tu appelleras un critique à son chevet ; vous lui donnerez un lavement ; quelques livres américains en poudre dans du... » (p. 42). Ici, une Amérique forte et singulière vient s'opposer à la pluralité d'une Europe évanescente. Même remarque encore pour la prétendue vulgarité des deux dactylos, volontiers pointée par la critique. Sur le plan rhétorique, cette vulgarité a une double fonction : d'un côté, elle est symptôme de la dépossession collective du Québec, comme les autres marques de mauvais goût qu'exhibent les héros de *D'Amour, P.Q.* ; de l'autre, elle est signe d'une robuste santé (« ça sert à rien de soigner mon langage vu qu'il n'est pas malade... » (p. 151)).

La dissociation a souvent pour but, disait Perelman, d'organiser la réalité suivant de nouvelles oppositions. Elle a encore une autre fonction chez Godbout : revenir à un état antérieur à la disparition d'oppositions anciennes, provoquée par un état nouveau de la *doxa*. Songeons à l'importance du thème du spectacle dans *Une histoire américaine*. Le spectaculaire, tel que Godbout le traite dans le roman[20], transcende l'opposition de l'artificiel et du naturel : les images n'y renvoient jamais à des réalités solides mais toujours à d'autres images. Fiction et réalité cessent ainsi de s'opposer. Médiées par le spectaculaire, elles sont emportées par le tourniquet de l'altérité généralisée. D'un tel univers, le sens est totalement évacué et même la quête de l'authenticité est vouée à l'échec. Si *Une histoire américaine* est une parabole, c'est certes celle de la perte de l'opposition structurante. En peignant son abolition, Godbout manifeste sa nostalgie de la dissociation.

---

20. Voir Klinkenberg (1987b : 241-243) ; cette interprétation a été confirmée par *L'écran du bonheur* (Godbout, 1990).

BIBLIOGRAPHIE

AA.VV. (1970), *Recherches rhétoriques*, numéro spécial de *Communications*, n° 16.

AA.VV. (1989), *La rhétorique du texte*, numéro spécial de *Texte*, n°s 8-9. (Comporte une bonne bibliographie de plus de 1 000 titres.)

BARTHES, Roland (1967), « L'analyse rhétorique », dans *Littérature et société*, Bruxelles, Éditions de l'Institut de sociologie de l'Université libre de Bruxelles, p. 31-45.

BARTHES, Roland (1970 [1964-1965]), *La rhétorique*, Cours à l'École pratique des hautes études. (Repris sous le titre « L'ancienne rhétorique », dans AA.VV. (1970), *Recherches rhétoriques*, numéro spécial de *Communications*, n° 16, p. 172-229.)

BELLEMARE, Yvon (1984), *Jacques Godbout, romancier*, Montréal, Parti-Pris.

BREMOND, Claude (1973), « Entre la structure et la forme (à propos d'un essai d'Elli et Pierre Maranda) », *Versus*, vol. VI, n° 1, p. 1-20.

COHEN, Jean (1970), « Théorie de la figure », dans AA.VV., *Recherches rhétoriques*, numéro spécial de *Communications*, n° 16, p. 3-25.

DELCROIX, Maurice et Fernand HALLYN [édit.] (1987), *Introduction aux études littéraires. Méthodes du texte*, Gembloux, Duculot.

DUCROT, Oswald (1984), *Le dire et le dit*, Paris, Éditions de Minuit.

DURAND, Gilbert (1980 [1963]), *Les structures anthropologiques de l'imaginaire. Introduction à l'archétypologie générale*, Paris, Bordas.

FLORESCU, Vasile (1982 [1973]), *Retorica si neoretorica. Geneza, evolutie, perspective*, Bucarest, Editura Academiei. (Traduction française (1982) : *La rhétorique et la néo-rhétorique. Genèse. Évolution. Perspectives*, Paris et Bucarest, Les Belles Lettres et Editura Academiei.)

GARCÍA BERRIO, Antonio (1984), « Retórica como ciencia de la expresividad (Presupuestos para una retórica general) », *Estudios de lingüística*, n° 2b, p. 7-59.

GENETTE, Gérard (1966), *Figures*, Paris, Éditions du Seuil.

GENETTE, Gérard (1969), *Figures II*, Paris, Éditions du Seuil.

GENETTE, Gérard (1970), « La rhétorique restreinte », dans AA.VV., *Recherches rhétoriques*, numéro spécial de *Communications*, n° 16, p. 158-171. (Repris dans Genette, 1972 : 21-40.)

GENETTE, Gérard (1972), *Figures III*, Paris, Éditions du Seuil.

GODBOUT, Jacques (1980 [1967]), *Salut Galarneau !*, Paris, Éditions du Seuil. (Coll. Points/Romans.)

GODBOUT, Jacques (1981), *Les têtes à Papineau,* Paris, Éditions du Seuil.

GODBOUT, Jacques (1984), *Le murmure marchand,* Montréal, Boréal. (Essai.)

GODBOUT, Jacques (1985), *Souvenirs shop,* Montréal, Éditions de l'Hexagone. (Poésie.)

GODBOUT, Jacques (1989 [1986]), *Une histoire américaine,* Paris, Éditions du Seuil. (Coll. Points/Romans.)

GODBOUT, Jacques (1990), *L'écran du bonheur,* Montréal, Boréal. (Essai.)

GODBOUT, Jacques (1991 [1972]), *D'Amour, P.Q.,* Paris, Éditions du Seuil. (Coll. Points/Romans.)

GROUPE μ (1970), *Rhétoriques particulières,* dans AA.VV., *Recherches rhétoriques,* numéro spécial de *Communications,* n° 16, p. 70-124.

GROUPE μ [édit.] (1979), *Rhétoriques, sémiotiques,* Paris, UGE. (Coll. 10/18.)

GROUPE μ (1982), *Rhétorique générale,* Paris, Éditions du Seuil. (Coll. Points.)

GROUPE μ (1990 [1977]), *Rhétorique de la poésie. Lecture linéaire, lecture tabulaire,* Paris, Éditions du Seuil. (Coll. Points.)

HENRY, Albert (1984 [1971]), *Métonymie et métaphore,* Bruxelles, Palais des Académies.

KIBÉDI-VARGA, Aron (1989), *Discours, récit, image,* Liège et Bruxelles, Mardaga. (Coll. Philosophie et langage.)

KLINKENBERG, Jean-Marie (1985), « Mots et mondes de Norge », dans NORGE, *Remuer ciel et terre. La langue verte et autres textes,* Bruxelles, Labor, p. 231-268. (Coll. Espace-Nord.)

KLINKENBERG, Jean-Marie (1987a), « Rhétorique », dans Maurice DELCROIX et Fernand HALLYN [édit.], *Introduction aux études littéraires. Méthodes du texte,* Gembloux, Duculot, p. 29-47.

KLINKENBERG, Jean-Marie (1987b), « Altérité et narcissisme chez Jacques Godbout. À propos de *Une histoire américaine* », dans Carla FRATTA [édit.], *L'altérité dans la littérature québécoise,* Bologne, CLUEB, p. 225-272.

KLINKENBERG, Jean-Marie (1987c), « Schizobout le papineauphrène. Identité, narcissisme et postmodernisme dans *Les têtes à Papineau* », dans Madeleine FRÉDÉRIC et Jacques ALLARD [édit.], *Québec/Acadie : Modernité/postmodernité du roman contemporain,* Montréal, Université du Québec à Montréal, p. 111-120. (Coll. Les Cahiers du Département d'études littéraires, n° 11.)

KLINKENBERG, Jean-Marie (1990a), *Le sens rhétorique. Essais de sémantique littéraire,* Toronto et Bruxelles, GREF et Éditions Les Éperonniers.

KLINKENBERG, Jean-Marie (1990b), « Rhétorique de l'argumentation et rhétorique des figures », dans Michel MEYER et Alain LEMPEREUR [édit.], *Figures et conflits rhétoriques,* Bruxelles, Les Presses de l'Université de Bruxelles, p. 115-137.

KLINKENBERG, Jean-Marie (1991), « La définition linguistique de la littérarité : un leurre », dans Louise MILOT et Fernand ROY [édit.], *La littérarité,* Sainte-Foy, Les Presses de l'Université Laval, p. 11-30. (Publication du Centre de recherche en littérature québécoise.)

LAUSBERG, Heinrich (1960), *Handbuch der literarischen Rhetorik. Eine Grundlegung der Literaturwissenschaft,* Munich, Max Hueber Verlag.

LEMPEREUR, Alain (1990), « Les restrictions des deux néo-rhétoriques », dans Michel MEYER et Alain LEMPEREUR [édit.], *Figures et conflits* rhétoriques, Bruxelles, Les Presses de l'Université de Bruxelles, p. 139-158.

LÉVI-STRAUSS, Claude (1974 [1958]), *Anthropologie structurale,* Paris, Plon.

MEYER, Michel et Alain LEMPEREUR [édit.] (1990), *Figures et conflits rhétoriques,* Bruxelles, Les Presses de l'Université de Bruxelles.

MILOT, Louise et Fernand ROY [édit.] (1991), *La littérarité,* Sainte-Foy, Les Presses de l'Université Laval. (Publication du Centre de recherche en littérature québécoise.)

MOREL, Mary-Annick (1982), « Pour une typologie des figures de rhétorique : points de vue d'hier et d'aujourd'hui », *DRLAV,* n° 26, p. 1-62.

MURPHY, James J. (1981), *Rhetoric in the Middle Age,* Berkeley, University of California Press.

PERELMAN, Chaïm (1963), *Justice et raison,* Bruxelles, Les Presses de l'Université de Bruxelles.

PERELMAN, Chaïm (1977), *L'empire rhétorique. Rhétorique et argumentation,* Paris, Vrin. (Coll. Pour demain.)

PERELMAN, Chaïm et Lucie OLBRECHTS-TYTECA (1976 [1958]), *Traité de l'argumentation. La nouvelle rhétorique,* Bruxelles, Les Presses de l'Université de Bruxelles.

POZUELO YVANCOS, José-Maria (1988), *Del formalismo a la neoretorica,* Madrid, Taurus.

RICHARDS, Ivor Armstrong (1936), *The Philosophy of Rhetoric,* New York, OUP.

RICŒUR, Paul (1975), *La métaphore vive,* Paris, Éditions du Seuil. (Coll. L'Ordre philosophique.)

SHIBLES, Warren A. (1971), *Metaphor. An Annotated Bibliography and History,* Whitewater, The Language Press.

SMITH, André (1977), *L'univers romanesque de Jacques Godbout,* Montréal, Aquila. (Coll. Figures du Québec.)

TAMBA-MECZ, Irène (1981), *Le sens figuré. Vers une théorie de l'énonciation figurative,* Paris, Les Presses universitaires de France. (Coll. Linguistique nouvelle.)

TODOROV, Tzvetan (1967), *Littérature et signification,* Paris, Larousse. (Coll. Langue et langage.)

TODOROV, Tzvetan (1975), « Problèmes actuels de la recherche rhétorique », *La métaphore*, numéro spécial de *Le Français moderne*, t. XLIII, nº 3, p. 193-201.

TODOROV, Tzvetan (1977), *Théories du symbole*, Paris, Éditions du Seuil.

VIGH, Arpad (1979), « L'histoire et les deux rhétoriques », dans GROUPE µ [édit.], *Rhétoriques, sémiotiques*, Paris, UGE, p. 11-37. (Coll. 10/18.)

La bibliothèque du séminaire de Sherbrooke a publié deux dossiers de presse sur *Jacques Godbout, écrivain-cinéaste* (1981 et 1986).

Stylistique et recul des genres au Québec

Madeleine FRÉDÉRIC
Centre d'études canadiennes, Université libre de Bruxelles

Au cours de sa relativement brève existence, la stylistique n'a pas manqué de soulever bien des polémiques, quelquefois violentes, autour de son champ d'application, de ses objectifs, de ses méthodes et jusqu'à sa pertinence même.

Si un véritable tir de barrage s'est fait sentir dans les années soixante, couronné par le fameux numéro de *Langue française* qui, en 1969, proclamait la mort du genre, une trêve semble cependant s'être établie depuis et l'on voit peu à peu le terme, longtemps suspect, refaire surface dans le titre de différents ouvrages des années quatre-vingt : *Éléments de stylistique française* (1986) et *Chemins et chances de la stylistique* (1988) de Molinié, ainsi que *Vocabulaire de la stylistique* de Mazaleyrat et Molinié (1989).

Bien sûr, nombre de critiques adressées à la stylistique étaient largement justifiées. Impressionnisme, pointillisme, subjectivisme ; récupération par la critique littéraire, par l'explication de textes, par l'esthétique ; fragilité des notions de choix, de norme, d'écart ; mais surtout absence de toute définition univoque du style sont autant de points qui sapaient une discipline qui ne tentait de s'ériger que depuis un siècle à peine.

Ce n'est pas le lieu de dresser un historique complet des heurs et malheurs de la stylistique, d'autant qu'il existe sur le sujet des bilans extrêmement éclairants[1]. Cependant, étant donné la forte suspicion qui

---

1. Les multiples débats qui ont entouré la stylistique ont été synthétisés en des bilans très éclairants qui offrent au lecteur d'utiles compléments d'information d'ordre historique, ainsi que de précieuses indications bibliographiques (notamment sur les publications antérieures à 1970). Parmi ceux-ci, certains s'appellent mutuellement, tels les numéros 3, 7 et 49 de la revue *Langue française*, ainsi que les ouvrages de

entoure le terme, une mise au point d'ordre terminologique et méthodologique s'impose d'emblée.

C'est pourquoi, dans un premier temps, je proposerai de la stylistique la définition suivante : « analyse linguistique d'un texte littéraire, menée sur le plan de l'expression aussi bien que sur celui du contenu ». Cette définition, qui ne sera sans doute pas plus à l'abri des critiques que les précédentes, s'accompagne d'une série de remarques. La première est que la stylistique ne constitue nullement une science, puisque, comme on le sait, il n'y a de science que du général. Son objectif même (« analyse linguistique d'un texte littéraire » et non du texte littéraire) lui interdit de prétendre à l'élaboration d'un modèle théorique. À ce propos, revenons un instant aux deux attitudes possibles à l'égard d'un texte que distinguait Todorov et que rappelle Klinkenberg :

> Dans le premier cas, l'œuvre individuelle n'est qu'un point de départ pour la connaissance du type de discours dont elle relève. Dans le second, elle reste le but dernier de la recherche, qui vise à décrire et par là même à interpréter. D'un côté, une étude des possibles discursifs (des « formes » littéraires, comme on disait naguère) ; de l'autre, une saisie du sens de l'œuvre. La première activité s'apparente, on le voit, à la science ; la seconde relève de l'interprétation (1990 : 26).

Cette distinction, qui rejoint largement nos vues, amènera cependant la deuxième remarque, dès lors que les termes « stylistique » et « interprétation » ne peuvent nullement être tenus pour synonymes. Les considérer comme interchangeables donne trop à penser que la stylistique viserait à une simple retraduction du texte. Or, elle se doit d'aller plus loin, elle veut entrer plus à fond dans celui-ci : non pas se contenter de dire ce qu'il signifie, sans quoi elle ne se distinguerait guère de la très ancienne pratique de la glose, mais bien plutôt comment il signifie, en montrer les différentes composantes, pister les procédés, les moyens linguistiques mis en œuvre et les divers liens qui se tissent entre eux. On n'oserait plus rappeler ici la filiation étymologique usée : texte = « tissu ». C'est pourtant bien de cela qu'il s'agit : mettre au jour les divers maillons formels, sémantiques, morpho-sémantiques qui assurent la cohérence du texte, ce qui nous entraîne tout de même bien loin d'une simple paraphrase.

Molino et Tamine (1982, 1988). À côté de cette première lignée, on retiendra également les deux bilans dressés, à dix ans d'intervalle, par Lorian (1970, 1980) et les synthèses de Bureau (1976), Delas (1977), Molinié (1986, 1988) et Klinkenberg (1990).

Dans un ordre d'idée semblable, le terme « analyse » demande une autre mise au point. Si le vocable « stylistique » ne peut être conçu comme l'équivalent d'« interprétation », il ne peut davantage l'être de « description ». La stylistique ne vise pas qu'à dresser l'inventaire des différents moyens employés dans le texte ; elle doit dépasser le simple catalogue, doubler le relevé par l'analyse, l'interprétation des données – en ce sens, oui, on peut parler d'interprétation, non pas du texte mais des résultats –, en quoi les faits linguistiques mis en évidence servent-ils (sans aucun présupposé d'ordre esthétique) le texte, quel est leur rôle, leur fonction dans celui-ci. Il doit donc y avoir une part égale laissée à la description et à l'analyse, sans quoi on tombe dans la nomenclature sèche, fastidieuse et d'une utilité plus que relative.

L'adjectif « linguistique », quant à lui, pose une exigence méthodologique fondamentale qui, si elle est respectée, devrait maintenir la stylistique à l'écart des spéculations hasardeuses et de l'impressionnisme qu'on lui a souvent reprochés. Si elle veut, comme le disait Spitzer, être un pont entre la linguistique et la littérature, chaque fait relevé doit être confronté avec les conditions d'emploi en langue. Si la stylistique, comme l'observe Klinkenberg, fait passer du virtuel au réalisé, il faut nécessairement rapporter chaque réalisation à ce qu'il était possible de faire au préalable, autrement dit, poser la question suivante : qu'est-ce que la langue permettait ? Pour y répondre de la manière la plus rigoureuse possible, le stylisticien dispose des études faites dans les différents domaines susceptibles d'être visés : phonétique, morphologie, syntaxe, sémantique, métrique, analyse du discours, etc. Toute hypothèse avancée devra donc se frotter aux conditions réelles d'emploi en langue, au besoin s'y colleter (voir plus loin la valeur d'emploi du présent en français par rapport au pseudo-présent rencontré chez Robert Lalonde) et, si cela est nécessaire, s'incliner et s'adapter ou disparaître si elle s'avère irrecevable.

Ces deux derniers points m'amènent à faire une ultime observation : réserver au terme « stylistique » la stricte acception de « description linguistique du texte littéraire », comme le proposait Arrivé (1969 : 13), comporte un risque clairement perçu par Henri Meschonnic (1969 : 16) dans le même numéro de *Langue française* : celui d'occulter le caractère de « forme-sens », de « forme-histoire » de l'œuvre. Et, de fait, cela se vérifie si l'on dénoue l'écheveau sous-jacent qui unit les numéros 3 : « La stylistique » (désormais à entendre au sens de « description linguistique du texte littéraire »), 7 : « La description linguistique des textes littéraires » et 49 : « Analyse linguistique de la poésie » de *Langue française*, présentant des similitudes d'intitulé qui ne semblent pas fortuites. On remarque que l'adjectif « linguistique » est le dénominateur commun de ces différentes appellations ; l'ennui, c'est qu'au terme de l'évolution il est même devenu le plus grand dénominateur commun, puisqu'il suffit à lui seul à caractériser certaines contributions du dernier numéro, qui n'échappent pas dès lors à la réserve émise par Meschonnic à propos de la démarche de S. L. Levin, qui revient à « ne saisir que du linguistique ». Tel est bien le cas de l'article de Ruwet, « Musique et vision chez Paul Verlaine » : malgré la finesse de l'analyse, celle-ci n'apparaît que comme une étape vers l'analyse stylistique, dans la mesure où elle met en lumière une forme, non une forme-sens. La même observation peut être faite concernant l'étude de B. de Cornulier : « Métrique de l'alexandrin d'Yves Bonnefoy : essai d'analyse méthodique »[2]. Ce constat peut d'ailleurs être élargi à l'ensemble des études sur le couplage faites par Ruwet, ainsi qu'aux analyses métriques de B. de Cornulier. Aux unes et aux autres peuvent s'appliquer les objections de Meschonnic : « tout ne se réduit pas à du linguistique. Le texte est un rapport au monde et à l'histoire » (1969 : 15).

Cette dernière affirmation, indéniable dans le cas du texte littéraire, débouche d'ailleurs sur un problème plus vaste : celui de l'intégration de l'encyclopédie dans le linguistique. Si pour Ruwet, et l'on n'en sera guère surpris, il est évident que l'encyclopédie ne relève pas de la linguistique, cette exclusive est en revanche fondamentalement contestée par Klinkenberg[3].

Je ferai simplement observer, en ce qui concerne le texte littéraire, que le caractère trop étriqué d'une approche à la Ruwet ou à la de Cornulier s'impose de toute évidence. Prenons comme exemple la poésie de Saint-John Perse. Même chez un auteur qui voulait à ce point distinguer l'homme et l'écrivain qu'il a fait carrière dans la diplomatie sous son nom véritable d'Alexis Léger et dans les lettres sous le pseudonyme de Saint-John Perse, l'Histoire et même l'histoire personnelle font irruption dans l'univers poétique. Ainsi, dans le poème *Neiges*, l'isotopie suggérée par le titre, de même que celles qui en naîtront : « douceur », « absence », « exil », « solitude », s'explique en partie par référence

2. À ce sujet, voir Frédéric (1988).

3. Pour cette question qui touche directement à notre sujet en même temps qu'elle le déborde largement, je renvoie aux ouvrages d'Eco (1988) et Klinkenberg (1990 : chap. VII).

à la situation personnelle du poète, exilé loin de la France et de sa mère par la guerre et le régime nazi.

La situation est encore plus nette dans le cas du poème *Images à Crusoé,* qui évoque le retour de Robinson Crusoé parmi les hommes avec cependant une variante importante par rapport à l'histoire de Defoe : ce retour n'est nullement senti comme libérateur par Crusoé, qui n'éprouve que regrets de son île et oppression dans l'univers de la ville. L'isotopie Ville/Île (l'une connotée négativement et l'autre, positivement), perceptible dès le premier tableau, est développée en contrepoint par le réseau lexical et les fragments d'images soigneusement choisis, par le jeu des sonorités, la syntaxe et les volumes (les parallélismes, au centre des analyses de Ruwet, sont également représentés ; mais, on le voit, ils ne sont guère que l'une des composantes de l'ensemble), et jusque dans l'utilisation particulièrement efficace des pronoms, des déictiques, des modalisateurs et du découpage temporel.

C'est précisément le rôle de l'analyse stylistique que de pister ces différents niveaux d'engendrement de l'isotopie ; mais, dans le même temps, elle doit nécessairement mettre cette isotopie en relation avec le contexte dans lequel s'inscrit le poème. En particulier, avec la tradition littéraire qu'appelle le titre : le mythe de Crusoé et sa subversion par le poète, mais également l'opposition Île/Ville qui prolonge elle aussi une tradition littéraire fondamentale, dont les chantres les plus proches alors sont Baudelaire et Verhaeren. En outre, au niveau second se profile l'équation autobiographique Crusoé = Alexis Léger (Saint-John Perse), dont la famille, installée aux Antilles depuis la fin du XVIIe siècle, avait dû quitter ces dernières en 1899 à la suite d'une grave crise économique. Une déception mêlée de nostalgie rapproche le jeune Léger d'un Crusoé vieilli et désillusionné. Ce qui est important à relever, c'est qu'il ne s'agit nullement là d'extrapolations, voire de digressions parasites, mais bien de prolongements naturels et surtout nécessaires de l'étude stylistique : l'approche intertextuelle est inextricablement liée à l'examen de l'isotopie. Quant à la biographie du poète, elle permet d'éclairer en retour le plan stylistique, dans la mesure où le rapport affectif du locuteur-poète (et très nettement complice de Crusoé) à son énoncé se fait jour au travers de multiples facteurs, en particulier le jeu des pronoms, des déictiques, des modalisateurs et du découpage temporel[4].

---

4. À ce propos, voir Frédéric (1987).

Dès lors, au vu de ces deux exemples et pour se garder d'une acception trop étroite du terme linguistique, je proposerais de redéfinir désormais la stylistique comme « l'analyse de la forme d'un texte littéraire, aussi bien la forme de l'expression que celle du contenu ».

Bien sûr, les exemples avancés nous maintiennent sur un terrain particulièrement favorable. Non seulement parce que la poésie occupe dans la littérature un statut tout particulier – Valéry, par exemple, la considérait comme la littérature « réduite à l'essentiel de son principe actif » –, mais aussi parce que Saint-John Perse se rattache à une lignée de poètes, tels Baudelaire, Verlaine, Rimbaud, Mallarmé, Claudel, Valéry, Segalen, qui s'inscrivent dans un même mouvement de rénovation de la poésie et accordent à la technique une très grande importance. Ce travail conscient sur le matériau poétique rend de ce fait le terrain particulièrement propice à l'analyse. On pourrait dès lors s'interroger sur la pertinence de l'approche stylistique (telle que nous l'avons redéfinie dans les pages qui précèdent – oserait-on parler de néo-stylistique, comme on l'a fait de néo-rhétorique ?) lorsqu'on aborde le domaine du roman, dans la mesure où il semble avoir trouvé dans la narratologie sa méthode d'approche.

La Québécoite

Je m'attacherai ici plus particulièrement à la production romanesque québécoise des années quatre-vingt, intéressante par sa diversité même. La démonstration n'en est plus à faire, le roman de facture traditionnelle continue de bien se porter : *Juliette Pomerleau* s'est vendu comme des petits pains. On retrouve là les meilleurs ingrédients du roman populaire : personnages hauts en couleur, coups de théâtre, effets de suspense, romance, bons ou au contraire très vilains sentiments, etc. Toutes choses qui permettent une approche « classique » du roman. En revanche, et bien qu'il appartienne à la même lignée résolument montréalaise, mais au pôle exactement opposé, le roman *La Québécoite* de Régine Robin (1983) nous laisse quelque peu désorientés : intrigue mince, péripéties absentes, analyse actantielle pour le moins inopérante, perspective narratologique guère plus dessillante ; la vraie vie de ce roman est ailleurs. Car on ne peut le nier, c'est à un véritable microcosme que l'on a affaire. La cohérence de l'ensemble ne fait aucun doute : une construction serrée, mais dont la clé ne peut être fournie par les modes d'investigation traditionnels.

Pourtant, sur le plan thématique en tout cas, *La Québécoite* présente certaines affinités avec *Juliette Pomerleau*. L'une et l'autre, en effet, illustrent en littérature ce que Jean Chesneaux (1989) appelle la « modernité-monde » et font un large écho à la relation complètement modifiée que celle-ci entraîne à l'espace et au temps : disparition de la rue comme lieu de socialité, temps contracté dans l'immédiat, repli sur le présent, dégradation de la dimension collective, etc. Dans les deux cas, Montréal sert de toile de fond à un tableau sans concession encore que non dépourvu d'une certaine sympathie pour une ville parfois marâtre. Dans *La Québécoite,* un jeu d'éclairages complexe est en outre permis par les évocations du Paris d'autrefois, mais aussi d'aujourd'hui – mégalopole qu'il n'est plus toujours possible de distinguer de Montréal. Dans l'un et l'autre roman également, une figure féminine est au centre du récit et fait la difficile expérience de la désorganisation spatiale et temporelle inhérente aux mégalopoles modernes. Ici encore, dans *La Québécoite,* le thème reçoit une épaisseur supplémentaire du fait que cette première désorganisation spatio-temporelle se voit au surplus doublée par celle qui tient à la condition d'immigrée de la narratrice.

Là s'arrêtent cependant les similitudes entre les deux ouvrages. Sur le plan de l'écriture, en effet, la tentative de Robin est résolument neuve. Pour dire cette « ville schizophrène », cette « ville d'exils juxtaposés » qu'est Montréal, elle cherche un mode d'écriture approprié :

> La nuit noire de l'exil. L'Histoire en morceaux. Fixer cette étrangeté avant qu'elle ne devienne familière, avant que le vent ne tourne brusquement, libérant des giclées d'images évidentes. Traversées, les nostalgies ne se laisseraient pas apprivoiser. On ne pourrait pas les décomposer. Elles s'imposeraient d'emblée. Aucune figuration à l'exil. Irreprésentable. Sans présent, sans passé. Simplement des lointains un peu flous, des bouts, des traces, des fragments. Des regards le long de ces travellings urbains (p. 15)[5].

Voilà ce qu'on lit dès la première page. Écriture essentiellement polyphonique dont l'un des angles d'approche nous sera fourni quelques pages plus loin :

> [...] parler d'un hors-lieu, d'un non-lieu, d'une absence de lieu. Essayer de fixer, de retenir, d'arracher quelques signes au vide. Rien qu'une marque, une toute petite marque. Il fallait fixer tous les signes de la différence ; la différence des odeurs, de la couleur du ciel, la différence de paysage. Il fallait faire un

---

5. Les pages indiquées entre parenthèses renvoient à Robin (1983).

> inventaire, un catalogue, une nomenclature. Tout consigner pour donner plus de corps à cette existence. Tes menus faits et gestes, tes rencontres, tes rendez-vous – tes itinéraires – les consonances bizarres des grands magasins [...] Tout cela finirait bien par avoir l'épaisseur d'une vie, d'un quotidien (p. 18).

C'est bien par bribes et morceaux que cette réalité neuve et dont la cohérence lui échappe encore va être peu à peu appréhendée par la narratrice.

Inventaire, catalogue, nomenclature..., la piste se précise lentement au travers de ce qui apparaît en définitive comme autant de synonymes du terme « énumération ». Et de fait, celle-ci se révèle à l'examen un procédé stylistique récurrent dans l'œuvre. Les différents exemples rencontrés permettent en outre d'en dégager deux grands types.

Le premier est formé de séries énumératives à caractérisation nulle, véritable déboulé de noms mis bout à bout ; les plus proches incontestablement du catalogue, de l'inventaire nu, de la nomenclature sèche. Elles ont toutes trait à la réalité montréalaise : défilé de commerces en tous genres, relevé de stations de métro, examen de la carte d'un restaurant, passage en revue d'annonces publicitaires, d'émissions de télévision, etc.[6] :

> Le long des rues qui se ressemblent, Sherbrooke entre REGENT et la pointe ouest un vendredi après-midi.
>
> CITY DISTRICT SAVING BANK
>
> SUTTON PASTRY DELICATESSEN
>
> CHARCOAL STEAKS RESTAURANT
>
> BROADWAY GROCERY MONSIEUR HOT DOG
>
> CANADA DRY ROYAL BANK
>
> TORONTO DOMINION
>
> BCN
>
> CANTOR'S BAKERY
>
> HITASHI
>
> PEPSI
>
> CINÉMA KENT
>
> CROWN CARPET

---

6. Pour un inventaire plus détaillé et d'autres exemples, voir Frédéric (1991).

TCHANG KIANG restaurant chinois

PERRETTE

SOUVLAKI

TITO EXPRESSO BAR

PRIMO

HANDY ANDY quincaillerie

On dirait N.Y., le N.Y. du pauvre, délabré (p. 62-63).

À travers ces séries, abondamment représentées dans le roman, c'est la société de consommation montréalaise qui est exhibée sans détour. La narratrice ne cherche nullement à les particulariser ; elle se contente de nous les livrer en vrac, au fur et à mesure que les réalités qu'elles recouvrent s'imposent à elle au cours de ces « travellings urbains » qu'elle évoquait dès la première page.

À côté de ces séquences brutes, sèches se rencontre un second type, par contraste nettement plus étoffé, dans lequel les mouvements proprement énumératifs interfèrent en fait avec des passages de toute espèce – fragments de description, notations de sensations, etc. :

> Chevaleret. Place d'Italie avant l'éventrement du quartier. Les petits bistrots autour de la place, l'entrée d'un magasin, la rue Bobillot où la petite allait faire de la poterie le jeudi je crois. Il y a si longtemps. L'atelier était au fond d'une cour. C'était encore le Paris des artisans. Il y avait des cours intérieures, des maisons basses aux toits biscornus. C'était avant les grandes tours et les supermarchés. Au fond de la cour il y avait un jardin avec de la menthe et de la marjolaine. On entendait les machines du tailleur à côté et un ferblantier un peu plus loin. La vie a passé depuis. Corvisart, Glacière. Il fallait descendre à la Glacière, prendre la rue du même nom jusqu'au carrefour Reille, prendre la rue de la Colonie pour arriver à la place de l'Abbé Henocque. Cette place si calme, si ombragée. C'est là qu'ils ont tué P. Goldmann – les souvenirs du juif polonais né en France s'arrêtent là. UN JUIF POLONAIS ASSASSINÉ EN FRANCE. Tu te souviens de cette douleur violente quand tu appris la nouvelle. Autour de la Place, il y a des vieilles maisonnettes bordées de jardinets. On y serait bien dans cette maison (p. 99).

On observera avant toute chose que ce petit tableau parisien est en fait encadré par deux évocations montréalaises dont seule le distingue la typographie (la présence du blanc). La cohésion générale en est assurée premièrement par l'énumération des stations de métro. Celle-ci parcourt en réalité toute l'œuvre, qu'elle scande telle une basse continue ; les occurrences « Chevaleret » et « Corvisart », « Glacière » ont donc pour effet indirect de rattacher le passage à un mouvement d'ensemble qui le dépasse.

À un niveau plus local, différents facteurs interviennent également pour donner aux panneaux de ce diptyque des tonalités assez semblables. Si l'on dénoue l'écheveau strictement énumératif, on constate qu'en fait il ne dépasse guère le premier panneau, où il semble procéder par pulsations successives. La formule synthétique « Place d'Italie avant l'éventrement du quartier » donne d'entrée de jeu la raison d'être d'une série dont les constituants n'apparaissent que par petites touches : une série ternaire du type nominal (« Les petits bistrots [...], l'entrée d'un magasin, la rue Bobillot ») sera relayée par un mouvement dyadique, verbal cette fois (« Il y avait des cours intérieures, des maisons basses »), que prolonge à son tour un constituant unique amené par le même syntagme verbal (« il y avait »). On retrouvera comme un condensé (une utilisation judicieuse de la répétition n'y est pas étrangère) de cette atmosphère à la fin du second tableau : « Autour de la Place, il y a des vieilles maisonnettes bordées de jardinets. »

L'extraordinaire liberté syntaxique qui règne dans ce passage ressort d'autant mieux si on le compare avec la rigueur sèche des séries du premier type, en particulier avec une énumération sémantiquement proche pourtant, dès lors qu'elle opère pour Montréal un même relevé de quelques stations de métro :

– noter toutes les différences – les noms des stations de métro
– l'étrangeté

Angrignon

Monk

Jolicœur

Verdun

De l'Église

La Salle

Charlevoix

Lionel-Groulx

Atwater

Guy

Peel

McGill

Place des Arts

Saint-Laurent

Joliette

Pie IX

Viau

L'Assomption

Cadillac

Berri-de-Montigny

Beaudry

Papineau

Frontenac

Préfontaine

Langelier

Radisson

Honoré-Beaugrand (p. 51-52).

Ce défilé monochrome en style télégraphique (simple énoncé de chaque station, sans détermination ni caractérisation, mais aussi sans aucune variation dans la présentation) contraste avec la mise en phrases et la diversité des moules syntaxiques sollicités dans le premier fragment.

L'exploitation judicieuse de la syntaxe n'est d'ailleurs pas seule à permettre l'intrusion du pittoresque dans l'évocation du Paris d'autrefois : une caractérisation poussée des constituants, la multiplication des axiologiques, et jusqu'à l'une ou l'autre intervention directe de la narratrice dans son énoncé, une discrète sollicitation de l'intertextualité, sans compter la touche historique et politique finale, autant de ressources, examinées ailleurs (Frédéric, 1991), qui contribuent à donner plus de relief encore au tableau.

À cela vient s'ajouter la prolifération des notations temporelles et spatiales, qui pointent sans détour (voir le rôle de l'accumulation) l'envers parfait de la modernité-monde. On se rappellera la relation complètement modifiée que celle-ci induit à l'espace et au temps : disparition de la rue comme lieu de socialité, temps contracté dans l'immédiat, repli sur le présent, espaces transitoires. Pourrait-on rêver contrepoint plus parfait ?

À ce stade de l'analyse, une constatation s'est alors peu à peu imposée : le côté pittoresque est en fait étroitement lié à l'intrusion du politique dans ce Paris profondément convivial d'autrefois. C'est qu'à la socialité du quartier vient alors s'ajouter la solidarité née d'une même lutte. Cette solidarité, la narratrice finira d'ailleurs par la reconnaître dans la société québécoise également : luttes politiques et syndicales, combat des femmes, agit-prop et tentatives de rénovation artistique seront successivement passés en revue et donneront lieu chaque fois à une évocation du second type (Frédéric, 1991).

La conclusion qui se fait jour dès lors est que le clivage décelé entre les séries du premier type et du second type comprend moins une distinction entre réalité montréalaise et réalité parisienne qu'entre *brave modern world,* mégalopole moderne privée d'âme, d'une part, et cité conviviale, métropole entendue dans son sens étymologique de « ville mère », de l'autre.

En définitive, suivre la figure de l'énumération à travers le roman, en épingler les diverses réalisations concrètes et surtout en retracer les métamorphoses et modulations successives éclairent en retour le contenu de l'œuvre, dès lors que l'évolution qu'elle y dessine au fil des pages semble correspondre à une ré-appropriation progressive du lieu montréalais par la narratrice. Dans le même temps d'ailleurs, on assiste à un intéressant échange de caractéristiques : Montréal devient le lieu d'une solidarité possible, alors que sous l'effet de la modernité-monde Paris semble se déshumaniser. À ces mouvements correspond un glissement, un « rockage » des deux types de séries : la caractérisation tend à se réduire en rapport avec le Paris d'aujourd'hui, tandis qu'elle se fait plus présente quand elle vise à cerner le Montréal des luttes[7]. En conclusion, la démarche du type stylistique, étant bien entendu qu'elle ne prétend nullement épuiser le sujet, n'en fournit pas moins une clé précieuse pour entrer plus avant dans une œuvre au premier abord assez déroutante.

---

7. À ce propos, voir les exemples de *La Québécoite* (p. 86, 186-187), examinés dans Frédéric (1991).

Une belle journée d'avance

C'est ce qui ressort également lorsqu'on aborde un autre roman de facture insolite : *Une belle journée d'avance* de Robert Lalonde (1985). Pourtant, dans ce cas, l'approche narratologique « marche », du moins partiellement.

L'examen de l'emploi du temps, par exemple, fait apparaître un recours quasi généralisé au présent qui entraîne la coexistence d'un présent véritable – lorsque la narration et l'histoire coïncident – et d'un présent-faux ou pseudo-présent – lorsque l'histoire précède la narration mais que celle-ci, dans la mesure où elle est faite au présent, semble donner comme actuels des actions ou des faits passés. J'ai eu l'occasion ailleurs d'analyser cela plus en détail ; je ne m'y attarderai donc pas davantage, d'autant qu'il s'agit là d'un aspect essentiellement narratologique. L'effet de cette technique est d'opérer une véritable mise à plat du temps, une confusion des différentes époques. Qui plus est, par l'entremise d'un jeu habile sur la coréférence linguistique, cette confusion déborde le cadre temporel pour s'étendre aux personnages eux-mêmes, éclairant du même coup un thème majeur de l'œuvre : celui de la continuation des personnages. Cette tendance à fondre des époques et des personnages différents se verra comme amplifiée par la structure même du roman : diégèse, narration et titres des chapitres concourent simultanément à cet effet. Voilà, fortement résumés, différents points qui ont été examinés plus à fond précédemment (Frédéric, 1989).

Si je passe rapidement sur tout cela, c'est autant pour éviter des redites que parce que l'approche du type narratologique est loin d'épuiser le sujet : pas plus que pour *La Québécoite,* l'intrigue ne constitue l'essentiel de l'œuvre ; une analyse des personnages comporte également ses propres limites dès lors que, s'ils ont bien une certaine épaisseur, l'auteur, on l'a vu, s'ingénie à les confondre ; un schéma actantiel semblerait lui aussi un ornement surajouté. Enfin et surtout, il apparaît assez rapidement que la perspective narratologique doit être nécessairement dépassée ou plus exactement doublée par une analyse d'ordre stylistique, dans la mesure où la première se révèle tout à fait inopérante quand il s'agit, par exemple, de caractériser les séquences dites « embryonnaires », c'est-à-dire celles dans lesquelles le « je » narrateur prend la parole en tant qu'embryon.

Ces dernières présentent en effet des affinités très nettes avec la poésie entendue comme « l'application d'une organisation métrico-rythmique sur l'organisation linguistique ». Selon Molino et Tamine,

> la poésie naît de l'application du rythme sur le langage [...] ; elle est le langage plus autre chose qui n'est pas spécifiquement linguistique, et qui est le rythme, le rythme que l'on trouve dans le mouvement, la danse ou la musique, et qui, s'appliquant sur le langage, le soumet à une élaboration qui a le statut d'une véritable mutation. La poésie n'est pas, elle est le résultat d'une construction (1982 : 8-9).

Or, tel est bien le cas de ces séquences embryonnaires, dont l'analyse stylistique révèle qu'elles font intervenir des modalités extrêmement diverses et parfois complexes de répétition. Phonique, lexicale, syntaxique, syllabique ou encore sémantique, la répétition n'est d'ailleurs pas seule à être sollicitée : l'énumération et l'accumulation viennent l'épauler pour conférer à ces passages une structuration qui, par sa densité même, tend à détourner le regard d'une lecture linéaire vers une lecture tabulaire. La situation des séquences embryonnaires n'est pas sans rappeler la notion de contraste avancée autrefois par Michael Riffaterre. Il est sûr en tout cas que, par leur « ton poétique », ces passages se détachent du reste de l'œuvre : dans chacun d'eux, c'est moins ce qui se passe qui est important que les jeux de rythme et les notations d'impressions de toutes sortes. Et ce statut privilégié des séquences embryonnaires, l'analyse a montré qu'il pouvait être expliqué, en même temps d'ailleurs que la technique de confusion des époques et des personnages, par la fin du roman. La révélation par le narrateur du suicide de ses parents est en même temps pour lui une libération : dès l'instant où il accepte de nommer pour sa compagne un épisode refoulé pendant vingt ans, il renoue avec le passé bienheureux de l'enfance, celui où il n'avait pas encore été éjecté brutalement de la triade amoureuse familiale. Cette triade qu'il formait avec ses parents et qu'il espère recréer avec sa compagne et l'enfant à naître de leurs amours est précisément évoquée dans les séquences embryonnaires. Assez significativement, c'est sur l'évocation de la situation embryonnaire – image même de la sérénité totale – que s'ouvre et se ferme tout le roman. Nivellement temporel, confusion des personnages, thème de leur continuation, de leur perpétuation, statut privilégié des passages célébrant le bonheur embryonnaire – passé ou futur –, voilà que se réassemblent petit à petit les pièces de ce puzzle et que l'œuvre prouve sa cohérence. Mais celle-ci ne pouvait être retrouvée que par une investigation menée conjointement sur les plans narratologique et stylistique, seule capable de serrer au plus près et le plus complètement possible le fonctionnement de l'œuvre.

Cette incursion dans le roman québécois aura montré, du moins je l'espère, l'utilité d'une approche stylistique en même temps que l'opportunité d'une redéfinition de celle-ci.

Comme on l'a vu, bien qu'avec *La Québécoite* et *Une belle journée d'avance* on se trouve en présence de romans (voir déjà l'indication de couverture), certaines perspectives « canoniques » s'avèrent inopérantes, telle la notion d'intrigue ou encore celle de personnage. Il n'en reste pas moins que la perspective narratologique trouve sa justification dans les deux cas : l'examen de l'instance narratrice, par exemple, est fondamental en ce qui concerne *La Québécoite,* tout comme celui du temps s'impose pour *Une belle journée d'avance.*

Force est pourtant de constater que, si elle se justifie, une telle perspective est cependant loin d'épuiser le sujet. Passer sous silence l'énumération dans *La Québécoite* revient à « louper » un fait d'écriture essentiel : quantitativement déjà, mais on a vu aussi son influence sur le plan du contenu. Dans *Une belle journée d'avance,* on a pu l'observer, l'approche narratologique se révèle impropre à caractériser les séquences embryonnaires ; or celles-ci ont partie liée avec le jeu temporel. Ce sont donc des pans entiers de l'œuvre qui risquent d'échapper ainsi à celui qui se bornerait à une investigation strictement narratologique. Car le propos de base, lui, reste fondamentalement le même : comment caractériser au mieux le fonctionnement de l'œuvre, saisir sa cohérence ? Faut-il distinguer arbitrairement entre approche narratologique et autre chose (qu'est-ce dans le cas des séquences embryonnaires ?) ou bien ne poursuit-on pas une seule et même démarche visant à livrer une analyse interne de l'œuvre, sur le plan de l'expression aussi bien que sur celui du contenu, ce qui est précisément la redéfinition que je proposais de la stylistique ?

L'avantage d'une telle redéfinition pourrait bien être en fin de compte de permettre de ré-concilier la narratologie avec des pistes qui étaient considérées comme du ressort de la stylistique d'avant 1969. L'énumération, objet d'étude pour Spitzer notamment, recevra d'ailleurs l'appellation de convergence stylistique (Louria, 1971) ; quant à la répétition, elle sera le centre de nombreuses recherches, entre autres de celles d'Antoine (1959). C'est, en effet, la question des rapports entre narratologie et stylistique traditionnelle que soulève la présente redéfinition. En tant qu'« analyse de la forme d'un texte littéraire, aussi bien la forme de l'expression que celle du contenu », la néo-stylistique les englobe en effet l'une et l'autre : il n'y a donc plus concurrence ou hégémonie de l'une sur l'autre, mais épaulement mutuel en vue d'explorer plus à fond le texte en question.

Cet épaulement mutuel s'avère du reste non seulement profitable mais même indispensable quand on aborde précisément la production romanesque récente au Québec et plus particulièrement les tentatives de rénovation du genre. Dans *Une belle journée d'avance,* on l'a vu, les séquences embryonnaires détournent le lecteur vers une lecture tabulaire et le roman se voit ainsi attiré insensiblement dans la sphère de la poésie. Ce dernier constat est d'ailleurs valable pour une part non négligeable de l'écriture féminine : *Lueur. Roman archéologique* de Madeleine Gagnon, le *Journal de l'année passée* de Geneviève Amyot, notamment, « tirent » aussi vers la poésie. En ce sens, on peut parler d'un véritable recul des genres, du moins d'un déplacement, voire d'un dépassement des frontières. Or, dans tous ces cas, les limitations de l'approche narratologique ne tardent pas à se faire sentir, alors que des indications précieuses pourraient sans doute être fournies par une analyse stylistique nouvelle manière.

Il reste que cette néo-stylistique ne peut avoir aucune prétention scientifique, puisque aussi bien il n'y a de science que du général. Mais elle peut néanmoins se revendiquer pleinement comme discipline, dès lors qu'elle constitue l'investigation la plus serrée et la plus complète possible d'un texte. Elle est donc une exigence de méthode, de rigueur, ainsi qu'une mise en place d'un ensemble d'outils, de moyens, de pistes destinés à mettre en lumière le mode de fonctionnement du texte – pistes reproductibles (en tout ou en partie) sur d'autres textes mais sans qu'il soit question d'élaborer des prévisions.

Elle ne devrait pas non plus avoir de visée totalisatrice : l'analyse interne n'est que l'une des manières d'aborder le texte littéraire, elle n'est jamais la seule. Elle apparaît en tout cas comme une étape indispensable, si l'on ne veut pas faire dire au texte des choses qui n'y sont pas ou même qui seraient en franche contradiction avec lui. Étape nécessaire, mais aussi nécessairement à dépasser ; l'analyse d'*Images à Crusoé* le donnait à entendre, celle de *La Québécoite* l'a confirmé. La tradition littéraire dans et contre laquelle l'œuvre s'inscrit ainsi que le contexte historique, social, politique ont également leur importance. Le texte est une « forme-sens », une « forme-histoire » ; toute la production surréaliste le prouve à suffisance et, plus près de nous, le problème des mégalopoles n'est pas que littéraire.

BIBLIOGRAPHIE

ANTOINE, Gérard (1959), *Les* Cinq grandes odes *de Claudel ou la poésie de la répétition,* Paris, Lettres modernes.

ARRIVÉ, Michel (1969), « Postulats pour la description linguistique des textes littéraires », *Langue française,* n°3 (septembre), p. 3-14.

BERNIER, Yvon (1986), « Un romancier à suivre. *Une belle journée d'avance* de Robert Lalonde », *Lettres québécoises,* n°42 (été), p. 21-22.

BUREAU, Conrad (1976), *Linguistique fonctionnelle et stylistique objective,* Paris, Les Presses universitaires de France. (Principalement le premier chapitre : « Style et stylistique ».)

CHESNEAUX, Jean (1989), *Modernité-monde,* Paris, Éditions La Découverte.

COUILLARD, Marie (1983), « Une parole qui dérange : *La Québécoite* de Régine Robin », *Lettres québécoises,* n°31 (automne), p. 26-27.

DELAS, Daniel (1977), « Stylistique », *Grand Larousse de la langue française,* t. VI, Paris, Larousse.

ECO, Umberto (1988), *Le signe. Histoire et analyse d'un concept,* adapté de l'italien par Jean-Marie Klinkenberg, Bruxelles, Labor.

FRÉDÉRIC, Madeleine (1987), « Les tableaux liminaires d'*Images à Crusoé* : essai d'analyse stylistique », *RHSLA,* n°14 (printemps), p. 48-67.

FRÉDÉRIC, Madeleine (1988), « 15 ans de stylistique en France et en Belgique », *Chemins et chances de la stylistique,* numéro spécial de *Helikon,* n°s 3-4, p. 381-397.

FRÉDÉRIC, Madeleine (1989), « *Une belle journée d'avance* de Robert Lalonde ou quand le roman se fait poésie », *Voix et images,* n°43 (automne), p. 83-92.

FRÉDÉRIC, Madeleine (1991), « L'écriture mutante dans *La Québécoite* de Régine Robin », *Voix et images,* n°48 (printemps), p. 493-502.

KLINKENBERG, Jean-Marie (1990), *Le sens rhétorique. Essais de sémantique littéraire,* Toronto et Bruxelles, GREF et Éditions Les Éperonniers.

LALONDE, Robert (1985), *Une belle journée d'avance,* Paris, Éditions du Seuil.

LORIAN, Alexandre (1970), « Stylistique 1970 », dans *Phonétique et linguistique romanes. Mélanges offerts à M. Georges Straka,* t. II, Lyon et Strasbourg, p. 113-122.

LORIAN, Alexandre (1980), « Stylistique 1980 », *Travaux de linguistique et de littérature,* vol. XVIII, n°1, p. 449-458.

LOURIA, Yvette (1971), *La convergence stylistique chez Proust,* Paris, Nizet.

MAZALEYRAT, Jean et Georges MOLINIÉ (1989), *Vocabulaire de la stylistique,* Paris, Les Presses universitaires de France.

MESCHONNIC, Henri (1969), « Pour la poétique », *Langue française,* n° 3 (septembre), p. 15-32.

MOLINIÉ, Georges (1986), *Éléments de stylistique française,* Paris, Les Presses universitaires de France. (Principalement le chapitre VIII : « La recherche en stylistique ».)

MOLINIÉ, Georges [édit.] (1988), *Chemins et chances de la stylistique,* numéro spécial de *Helikon*, n°s 3-4.

MOLINO, Jean et Joëlle TAMINE (1982), *Introduction à l'analyse linguistique de la poésie, I,* Paris, Les Presses universitaires de France.

MOLINO, Jean et Joëlle TAMINE (1988), *Introduction à l'analyse linguistique de la poésie, II,* Paris, Les Presses universitaires de France.

ROBIN, Régine (1983), *La Québécoite,* Montréal, Québec/Amérique.

ROBIN, Régine (1989), *Le roman mémoriel : de l'histoire à l'écriture du hors-lieu,* Longueuil, Éditions du Préambule. (Coll. L'Univers des discours.)

Le travail de l'axiologie dans *Agonie* de Jacques Brault

Joseph MELANÇON
CRELIQ, Université Laval

L'axiologie, comme théorie des valeurs, s'est développée dans la filiation de Kant. En déterminant les conditions subjectives de la raison pratique, Kant établissait dans le sujet le principe de la moralité, tout comme la source de l'entendement. Il n'y a plus alors de connaissance de l'en-soi, mais du pour-soi. C'est pour nous, comme l'a signalé Yvon Belaval, que « l'entendement est habilité à traiter de substances et de causes » (1978 : 12). Il s'ensuit une autonomie et une valorisation de la conscience d'une telle nature que le sens et l'ordre moral ne peuvent relever que du sujet, hors des choses en elles-mêmes. Ce primat de la subjectivité instaure l'ordre des valeurs. « Ce qui est » devient « ce qui est connu » et « ce qui est connu » est établi, dans la pratique, par une valorisation éthique. C'est pourquoi le « devoir », lié à la volonté comme bien absolu et inconditionnel[1], est un *a priori* du jugement moral. Le « je sais » de la raison pure coïncide avec le « je dois » de la raison pratique. Ce qui « doit être » fonde le jugement de « ce qui est ». La subjectivité est alors, paradoxalement, à l'origine de l'objectivité puisque le « devoir-être » est la « raison » de l'être. En définitive, la valeur prime sur le réel. L'axiologie l'emporte sur l'ontologie. On peut voir poindre déjà, au XVIIIe siècle, une certaine philosophie des valeurs qui conduira Fichte à un rejet total de la chose

---

1. Kant écrira : « Ainsi la différence entre les lois d'une nature à laquelle *la volonté est soumise* et celles d'une nature *soumise à une volonté* (eu égard au rapport de cette volonté à ses actions libres), consiste en ce que, dans la première, les objets doivent être causes des représentations qui déterminent la volonté, tandis que dans la seconde, la volonté doit être cause des objets, si bien que la causalité de la volonté a son principe déterminant exclusivement dans la faculté de la raison pure, qui, pour cette raison, peut aussi être appelée une raison pure pratique » (1978 : 44).

en soi. Pour ce dernier, « toute réalité, expliquera Alexis Philonenko, prend son sens et par conséquent son existence intégrale dans les actes de la conscience » (1978 : 185). Ferdinand Alquié dira avec raison que la doctrine kantienne est « la source des modernes théories des valeurs » (1978 : XI). On peut y reconnaître, en tout cas, une certaine dialectique contemporaine du pour-soi et de l'en-soi et une morale de l'ambiguïté (Beauvoir, 1946).

Les premiers axiologues allemands, tel Scheler (1943), étaient toutefois partisans d'une objectivité réelle des valeurs, d'évidence immédiate (on peut percevoir la beauté sans passer par l'analyse de ses caractéristiques formelles), à la source même des jugements de valeur. Il en sera autrement des axiologues français, comme Lavelle (1951 et 1955) et Polin (1944), qui associeront la valeur à un jugement fondé sur une préférence et une liberté créatrice. Cette oscillation entre la subjectivité et l'objectivité de la valeur fait sans doute partie de sa définition, du moins dans le discours, comme j'essaierai de le montrer.

En passant de la philosophie à la linguistique, en effet, la valeur semble se départir de son origine subjective. « La langue, dans le *Cours de linguistique générale* de Saussure, faut-il le rappeler, est un système de valeurs pures » (1972 : 155). « Chaque terme, précise-t-il, a sa valeur par son opposition avec tous les autres termes » (1972 : 126). La valeur est donc dans le système lui-même avant d'être dans le sujet. C'est ainsi que l'entendront les formalistes russes qui seront les premiers, en théorie littéraire, à créer un champ spécifique pour l'axiologie. Voloskinov, par exemple, considérera comme expression axiologique « toute évaluation incarnée dans un matériau[2] ». La valeur prendra alors le sens d'une référence, non d'une appréciation. Mais ce serait oublier que la valeur linguistique ne recouvre pas la valeur sémantique, actualisée dans le discours, qui est, en définitive, la seule valeur significative, au sens premier du terme. Il demeure tout de même que la valeur comporte, en philosophie comme en littérature, une certaine ambivalence qui contribue à superposer le sujet et l'objet et à créer une ambiguïté qui peut se révéler, au demeurant, fort utile pour l'argumentation, telle qu'elle est décrite par Perelman et Olbrechts-Tyteca (1976).

Cette ambiguïté, d'ailleurs, a un fondement étymologique. Dans son étymologie grecque, l'« axion » désigne ce qui a du poids, ce qui est digne, ce qui a du mérite, ce qui a une valeur. Par voie de

---

2. Voloskinov, cité par Todorov (1981 : 271).

conséquence, l'« axion » est lié à l'estime. L'axiologie, du point de vue de son énonciation, est alors un jugement sur l'estimable qui peut relever, à la fois, de l'énonciateur et de ses références, du sujet et de l'objet, sur fond lexical, car il n'est pas de langue qui n'inscrive déjà, dans son vocabulaire, des marques positives ou négatives de l'estimable. C'est pourquoi, dans cet exposé, je voudrais remonter brièvement jusqu'aux valeurs lexicales pour mettre en perspective et en relief le travail et la fonction de l'axiologie. Cette mise en place d'un certain nombre de notions constituera la première partie de mon analyse. Je les ai condensées le plus possible, parfois jusqu'à la caricature, mais je redoute qu'elles n'occupent encore trop de place dans cette analyse d'un roman de Jacques Brault. L'analyse d'*Agonie*, dans la deuxième partie, y gagnera, je l'espère, en économie d'explications et de justifications.

Les valeurs discursives

Tous les lexiques comportent des termes qui peuvent exprimer directement la relation de valeur d'un sujet à un objet. Les mots « horreur », « merveilleux », « sympathique » sont bien, on en conviendra, les expressions disponibles pour exprimer des jugements de valeur déterminés. Il n'y a rien à en dire. Sauf que l'usage peut fort bien renverser la signification de ces termes. C'est ainsi qu'on entendra des « C'est merveilleux ! » pour ridiculiser une assertion aberrante, « C'est sympathique ! » pour ne rien dire de désagréable, ou encore « C'est curieux ! » pour camoufler des réticences. Ces significations contextuelles, sans doute aléatoires, montrent bien que la valeur, au départ, est le résultat d'un acte singulier d'appréciation, bien qu'elle ait son lexique.

Il y a toutefois, dans le même discours, des valeurs qui sont engendrées par des oppositions internes, distinctes de celles des systèmes linguistiques, qui sont systémiques et arbitraires. Elles sont même distinctes des antonymes qui ont des modes d'existence autonomes : le « laid » contre le « beau » ; le « multiple » contre l'« un ». Les valeurs discursives sont plutôt des valeurs produites à partir de termes neutres, comme « chauffard » par référence à « chauffeur », « scientiste » par rapport à « scientifique ». Elles sont surtout du type péjoratif. Elles comportent un marquage toujours identifiable. Ce marquage, *in præsentia* dirait la rhétorique, est un procédé de dérivation qui inscrit la valeur sur la surface du langage et en permet une saisie immédiate. Une telle dérivation peut être considérée, au reste, comme une première manifestation du discours axiologique. Elle manifeste un construit de l'« estimable », avec sa valence positive ou négative. Marc Angenot l'appelle « axiogène », dans son remarquable ouvrage *La parole pamphlétaire* (1982 : 135).

Les termes axiogènes par nature sont différents des « axiologèmes » qui constituent des catégories sémantiques du discours. Ceux-ci sont polysémiques, malléables, mouvants et ils peuvent passer sans entraves d'un champ de pertinence à un autre. « Le mot-valeur, dit Marc Angenot, est un collimateur » (1982 : 134). En examinant le *Discours aux Français* d'Emmanuel Berl, par exemple, il remarque que le mot « liberté » « se déplace, se métaphorise, varie en extension d'une phrase à l'autre » (1982 : 134-135) pour recouvrir des phénomènes tout à fait hétérogènes. Il s'agit tout autant des libertés individuelles, du libéralisme, de la liberté économique, des pays libres que de la liberté de presse ou de la liberté de circulation entre les contrées. L'axiologème, si je lis bien, apparaît comme une base classématique des jugements de valeur. Il serait l'homologue, en quelque sorte, du classème, mais au niveau de la manifestation discursive et non au niveau de la surface. Il produirait donc une forme d'isotopie rhétorique.

Il semble bien, toutefois, que l'axiologème se caractérise moins par sa dispersion sans frontières ou ses déplacements sans médiations que par sa perte de contenu. Ainsi, le mot-valeur « liberté » subsume toutes sortes d'acceptions dans le texte de Berl et, par conséquent, n'en retient aucune. C'est sans doute un cas extrême, en axiologie, où le sujet d'énonciation s'approprie le sens même des mots pour subvertir la signification de l'énoncé. Un tel énoncé pamphlétaire montre bien toutes les possibilités d'argumentation dans les jugements de valeur.

L'axiologène, comme valeur dérivée, et l'axiologème, comme valeur-isotope, constituent donc des valeurs discursives. Ils ne sont pas pour autant des valeurs proprement axiologiques car il y aura toujours, en axiologie, une opération de camouflage pour gommer toute subjectivité et donner aux valeurs un profit de crédibilité. C'est pourquoi le discours moraliste, particulièrement axiologique, parlera d'échelles de valeurs, comme si elles existaient par elles-mêmes, comme si elles étaient des objets autonomes, tout comme les valeurs en Bourse.

La valeur axiologique

L'axiologie parvient à objectiver les valeurs discursives en transformant les qualifications en dénotations : la *bravoure,* par exemple, non la qualité d'un acte, jugé brave, la *beauté,* non les préférences d'un individu ou les critères d'une culture, l'*honneur*, non les intérêts d'une famille, d'une classe, d'une nation, le *bon goût*, non les habitudes et les coutumes. La liste pourrait être longue de ces valeurs qui occultent les opérations qui les ont engendrées. Ainsi, la valeur s'objective ou, plutôt, elle mime l'objet. On parlera alors de la valeur d'un tableau, de la valeur d'un argument ou de la valeur d'une action. Tout semble alors se passer comme si ces valeurs étaient fixées par la « nature des choses ». C'est que l'effet de valeur placé dans un objet est aussi un effet d'objet, un effet dans l'objet.

Le champ de validité de l'axiologie, telle que j'essaie de la définir, est ce champ des manipulations qui transforment la prédication en signification, le syntagme en paradigme et le procès en lexique. Je reprendrai donc la définition de l'axiologie que j'ai déjà proposée dans un article intitulé « Le statut de l'axiologie » (Melançon, 1984). Je pense toujours que l'axiologie est « un paradigme pré-construit de valeurs réifiées qui se décèlent dans le discours par des inférences sémantiques, figuratives et argumentatives ». J'aimerais ajouter, tout de même, que cette axiologie m'apparaît, aujourd'hui, relever de l'énoncé, non du signifié.

L'énoncé axiologique

Si le signifié est l'envers du signifiant, l'énoncé est l'envers de l'énonciation, donc du discours. La différence est de taille, car le signifiant et l'énonciation sont de deux ordres entièrement différents. L'un renvoie à la langue, l'autre, au discours. L'un est du domaine de la linguistique, l'autre est du ressort de la sémantique. Il faut donc éviter de confondre le signifiant avec l'énonciation et, partant, l'énoncé avec le signifié, comme le fait, à l'occasion, Gérard Genette (1972 : 72).

Avec l'énoncé apparaissent les règles et les conditions de la cognition, laquelle n'est pas d'ordre linguistique mais épistémique. C'est ici que prend place un large champ théorique, en train de s'élaborer, sur le travail des inférences et de leurs effets cognitifs dans la lecture. On peut soutenir sans trop de risques, comme l'a fait Christian Vandendorpe (1989), qu'il ne suffit pas de savoir lire pour comprendre une fable. Il ne suffit pas non plus d'expliquer l'enchaînement des propositions pour rendre compte des cinq processus de l'acte de lecture que décrit Gilles Thérien (1990). Il y a donc un saut qualitatif à effectuer pour se départir de la linguistique lorsqu'on aborde l'énoncé axiologique, même si la texture de celui-ci est faite de mots, de phrases et de propositions. Une maison peut être faite de pierres sans qu'il faille se référer uniquement à la nature des pierres et à leurs propriétés pour la décrire, encore moins pour rendre compte de la forme ou de la fonction de cette maison. De même, l'énoncé ne se réduit pas à la phrase ni à des suites de phrases, car il les déborde de toutes parts. Il ne s'agit pas, entendons-nous bien, d'un non-dit ni même d'un présupposé. « L'énoncé, dit pertinemment Michel Foucault, est à la fois non visible et non caché » (1969 : 146). Il n'est pas visible, car il est recouvert par la phrase ; il n'est pas caché, car il se constitue avec des choses dites. C'est que l'énoncé est bien autre chose qu'une forme. Il est une fonction. Un édifice a bien une forme que l'on peut décrire tout comme une phrase. Mais il a la signification que lui donne sa fonction.

La fonction axiologique

La première fonction de l'énoncé est de relier l'énonciation à un domaine de discours. Cela est vrai jusqu'à l'évidence dans les savoirs constitués. L'énoncé historique, juridique, politique ou tout autre énoncé de cet ordre relie l'énonciation à un champ de savoir déterminé. C'est ce champ, en premier lieu, qui permet à l'énoncé de signifier, de définir la position de l'énonciateur et de légitimer les propositions qu'il contient. Plus radicalement, l'énoncé renvoie l'énonciation à ses propres possibilités d'existence. On néglige toujours, parce que sans doute son évidence est aveuglante, de tenir compte du principe que les choses doivent être possibles avant d'être. C'était déjà le postulat majeur de la métaphysique d'Aristote. C'était encore la hantise de Kant dont toutes les questions ont concerné les possibles.

Ainsi, l'énoncé manifeste la possibilité d'une énonciation du sujet et indique, par là même, la position que doit occuper un individu pour investir cette fonction et devenir sujet de discours. Autrement, son discours devient schizophrénique. On n'accepte pas, par exemple, les énoncés de quelqu'un qui voudrait occuper la position de Napoléon ou de Jeanne d'Arc dans leur fonction de sujet d'énonciation. On dira qu'il est fou. Tout comme on ne reconnaît aucune valeur juridique à un jugement qui ne vient pas d'un juge, ni une valeur légale à une définition de droit qui ne vient pas du législateur. En posant l'énoncé, on pose la possibilité pour un individu d'occuper la position du sujet de l'énonciation. Cela semble un truisme, mais les conséquences en sont souvent imprévisibles.

L'énoncé que formule un sujet renvoie donc son discours à son contexte d'énonciation. Ce renvoi est manifeste dans le discours didactique. Un enseignant peut toujours dire, comme tout le monde, que le soleil se lève et se couche chaque jour, mais il ne peut le dire qu'à côté de sa fonction d'enseignant, en dehors de sa salle de cours. Posée à l'intérieur des conditions didactiques d'énonciation, une telle assertion est automatiquement disqualifiée. Le Soleil ne tourne plus autour de la Terre. Il y a, bien sûr, des conditions et des contraintes d'énonciation plus subtiles, mais elles n'en sont pas moins présentes dans tout énoncé. C'est dans ce sens, du moins, que je veux parler du travail de l'axiologie. Il présuppose une conception du langage où des contraintes, des limites et des impératifs externes, tels différents ordres de valeurs, conditionnent l'énonciation d'un sujet. Ce travail, en l'occurrence, est motivé et géré par une fonction tout comme celui d'un ministre, d'un administrateur, d'un scientifique et (pourquoi pas ?) d'un littéraire.

La fonction de l'axiologie n'est pas banale. Si on l'observe dans le discours pamphlétaire, comme l'a fait de façon si pénétrante Marc Angenot, là où l'argumentation est manifestement axiologique, sinon thymique, on constate que l'axiologie produit des effets à de multiples niveaux de signification. Car le pamphlétaire est un homme d'humeur qui est d'autant plus violent que celui qu'il tente de contrer le nie, le rejette ou le méprise. C'est un système entier de valeurs qui est en œuvre pour alimenter la polémique. Mais ce travail de l'axiologie reste très perceptible dans l'essai, pour demeurer dans un genre littéraire plus usuel.

Là, toutefois, où il est le plus dissimulé et le plus retors, c'est dans la poésie et le roman. Encore que des analyses que j'ai pu faire de la poésie de Gaston Miron (1970) m'ont convaincu des possibilités de le déceler dans plusieurs détours du texte. Je tenterai, pour mon propos, de dépister ce travail ou cette fonction de l'axiologie dans *Agonie,* roman de Jacques Brault (1985), qui, à première vue, ne présente guère de valeurs préconstruites qui viendraient prédéterminer la figurativité du récit. Peut-être que la véritable mise à l'épreuve d'une théorie est précisément celle qui s'applique à un objet qui lui est le plus allergique. On risque toujours d'être débouté, bien sûr, mais on a le mérite d'avoir tenté une « épreuve de vérité ».

Les niveaux d'articulation diégétique dans *Agonie*

Agonie est un court roman de 70 pages, le premier d'un professeur de philosophie, Jacques Brault, qui, en 1984, lors d'un premier tirage très limité, avait tout de même six recueils de poésie à son crédit, deux études sur Alain Grandbois et Saint-Denys Garneau et deux essais[3]. Cette incursion dans le monde romanesque se fait d'ailleurs sous le signe de la poésie puisque la distribution des épisodes en neuf chapitres est fondée sur les neuf vers d'un poème de Giuseppe Ungaretti, intitulé « Agonie », inscrit en exergue.

Cette première structure diégétique, plutôt unique, singulière, qui ne s'organise nullement sur la temporalité des événements ni sur leur logique, renvoie à la rareté, à l'unique, à l'originalité que valorise la littérature depuis les romantiques. Pour Angenot (1982 : 389), c'est déjà un lieu axiologique, dans le *topos* du probable. Mais je dirais, de plus, que l'inscription d'un poème dans un roman, davantage dans la structure d'un roman, davantage encore d'un poème italien dans un roman québécois, apparaît comme le marquage d'une volonté de contester des catégories littéraires ou de recatégoriser les éléments constitutifs des genres et des classements.

Or, il arrive, à un deuxième niveau d'organisation, que cette contestation des genres et des disciplines est thématisée. Le personnage principal est un professeur de philosophie qui utilise un poème pour enseigner les universaux. Pour montrer la différence entre le beau et la beauté, l'un universel, l'autre individualisée, il lit le poème de Giuseppe Ungaretti. Au grand étonnement des étudiants, il décide, durant les dernières semaines, de consacrer le reste de son cours à ce poème. Il les prévient qu'il commentera un vers à chaque cours et qu'en conclusion il s'occupera du titre (p. 13)[4]. C'est pourquoi chaque chapitre contient, le plus souvent à la fin, un commentaire du type parfois lexical, parfois biographique, parfois tout simplement parallèle sur les neuf vers. Une certaine axiologie, nous y reviendrons, traverse tous ces types de commentaires.

À un troisième niveau d'articulation, une attente est construite qui joue le rôle de suspense pour le lecteur. Comme le vieux professeur, de 45 ans environ, distille un « ennui brumeux » et que le narrateur a une fâcheuse tendance à somnoler durant les cours, celui-ci a été malencontreusement surpris par un demi-sommeil qui lui a dérobé, à la dernière leçon, le commentaire sur le titre. La recherche de ce commentaire sur le titre le conduit, dix ans plus tard, à dérober son carnet gris au vieux professeur tandis que ce dernier dort sur un banc du parc Lafontaine, à Montréal. C'est de ce carnet qu'il avait tiré le poème

3. Ces ouvrages sont mentionnés dans Brault (1985).

4. Les pages indiquées entre parenthèses renvoient à Brault (1985).

d'Ungaretti et c'est sans doute dans le même carnet, pense le narrateur, qu'il consignait ses commentaires.

À dix ans de distance, donc, l'ex-étudiant, qui croupit dans une petite agence de publicité et qui a revu furtivement son professeur à l'occasion d'une conférence sur le Népal, fait la lecture, durant toute une nuit, de ce petit carnet. À travers cette lecture indiscrète, la biographie du professeur prend forme et, à ce quatrième niveau d'organisation, une chronologie apparaît, parfois inscrite dans le carnet, parfois reconstituée par le narrateur, à partir de ses souvenirs et de ses déductions.

Cette chronique nous informe que le professeur vivait seul avec sa mère et qu'il l'a laissée malade pour aller à un congrès à Annecy, en mai 1968. Il n'a pu s'y rendre, comme c'était à prévoir. Mais il avait traversé la mer sur le *France* et avait séjourné deux jours à Paris, bouleversé par la colère des étudiants. Cette traversée est en écho à un vers du poème qui se lit : « Passée la mer ». Au lieu du lac d'Annecy, c'est Rotterdam qui devient sa destination et, avec Rotterdam, toute la Hollande : « Que c'est gentil, la Hollande ! Les prospectus n'ont pas menti. Le pays est vraiment plat. Tout en eau et en herbe. Les vaches plus placides qu'ailleurs. Tulipes et fromages en abondance. De grands peintres, de grands penseurs. Spinoza, bien sûr, honni par sa communauté ; Rembrandt, bien sûr, failli aux yeux des siens » (p. 53). Il y rencontre une Hollandaise qui le confond avec son petit Jan qu'elle a perdu. Après une nuit d'amour, c'est le fantôme du professeur, selon elle, qui retourne à Montréal pour retrouver une mère décédée. Il erre, fait mille travaux de service et finit à « l'œuvre de la soupe », avec les clochards. Une attaque cardiaque le mène à l'hôpital où il agonise. C'est à la fin de ce dernier chapitre que le narrateur s'identifie au personnage : « Il se mourait. Moi aussi. Chacun à sa manière. Tous deux ensemble. L'espace d'une minute, nous avons formé un lieu de connivence, un pays » (p. 77).

Les préconstruits axiologiques

Si je reviens aux commentaires, je constate qu'ils relèvent, en grande partie, de la scolastique formaliste et de la glose. Le premier vers, « Mourir comme les alouettes altérées », est commenté en ces termes :

> Il y avait cet infinitif, « mourir », qui constituait le véritable début du texte, l'« attaque » disions-nous en Lettres, ou l'« incipit », expression favorite des néo-

> critiques [...] Le pluriel des alouettes défiait le singulier du moment, de même que la féminité enclose dans la soif, le besoin d'eau, venait contrer le neutre du verbe [...] Une étudiante, alors qu'il allait se rasseoir, lui demanda si « assoiffées » n'eût pas été d'un meilleur effet (elle disait : un meilleur « rendu ») que ce curieux « altérées » [...] Être altéré, c'est devenir autre [...] La soif creuse un besoin, un désir de changement [...] D'où il s'ensuivait qu'« altérées » était plus fort et plus évocateur qu'« assoiffées » (p. 13-14).

Ce commentaire rappelle trop les gloses de Montaigne et les arguties des scolastiques pour ne pas y renvoyer. De fait, il est question, par la suite, des universaux : « le beau en tant que tel, ut sic », la « quiddité ». C'est ce moment-là que le narrateur choisit pour sombrer doucement dans « un rêve éveillé où une alouette ruisselante s'élançait vers le soleil plus haut que les nuages et, brûlée vive, se renversait et tombait en chantant » (p. 15). Les aventures d'Icare valent bien les subtilités de Cajetan. Parlant de la philosophie scolastique, le narrateur commente : « on n'avait pas idée d'enseigner matière aussi désuète » (p. 9).

Une telle scolastique, jamais revendiquée, constitue un préconstruit axiologique, sous-tendue par la philosophie des universaux. Cette tradition est à la fois mise en scène et contestée dans la figurativité du poème et la dialectique du commentaire. Une même dialectique, d'ailleurs, conduit le narrateur à se moquer tout aussi méchamment des sémioticiens que des scolastiques. « Mes professeurs de littérature, qui se livraient à des recherches de pointe, remarque-t-il en commentant la mort commune des deux oiseaux, auraient parlé d'isotopie sémantique » (p. 28). Il est alors valorisant, pour le vieux professeur de 45 ans, de ne s'embarrasser, comme le souligne le narrateur, « d'aucune terminologie ».

Cette glose libre, sans système et sans catégories, se prolonge tout au long du roman. C'est tantôt « passée la mer » qui devient « *[l]a mer à passer, la mer à dépasser, la mer à trépasser...* » (p. 33) ; tantôt, « sur le mirage » donne lieu à cette réflexion : « les humains glissent sur les choses comme un soupir de dieu endormi » (p. 19) ; tantôt, « dans les premiers buissons » évoque l'école buissonnière pour le professeur et « se cacher pour mourir » pour le narrateur (p. 40) ; tantôt « parce qu'elle n'a plus de désir » est l'occasion d'une protestation : « on n'échappe au désir que pour être repris par le désir [...] On change de désir, on ne change pas » (p. 48).

Le roman, par cette structure commentative, est une forme d'exégèse, héritée, par la scolastique, de la tradition biblique. Cette exégèse postule une signification première, cachée, qu'il faut dévoiler : « S'il a choisi ce poème pour illustrer ses derniers cours, note le narrateur, c'est qu'il avait un motif » (p. 28). Elle postule un travail de décryptage savant, plus culturel que scientifique.

L'anecdote, pour sa part, raconte les possibilités de l'énoncé axiologique. Au départ, le professeur a été formé dans un collège classique et des rumeurs voulaient qu'il ait embrassé les ordres, le diaconat, peut-être même la prêtrise. Ce qui est sûr, c'est qu'il a d'abord « végété dans divers collèges, enseignant le grec et le latin à des classes de garçons bruyants et cruels [...] Par on ne savait plus quel concours de circonstances, il avait échoué à l'université en qualité d'assistant-professeur de philosophie » (p. 24). En somme, « pour des raisons obscures et pas très nobles, on l'avait casé dans l'enseignement de la philosophie scolastique » (p. 24). Cette anecdote évoque des références, bien sûr, mais elle travaille la signification en rendant vraisemblable le commentaire scolastique dévié, la traduction lexicale de la tradition gréco-latine. Soit dit en passant, il se rendait à Annecy pour « un congrès de latinistes » (p. 31).

Les valeurs formelles

Aux Pays-Bas, il est obnubilé par les peintres et leurs personnages. La belle Hollandaise de Rotterdam, c'est « la jeune fille au turban de Vermeer » (p. 74) ; Amsterdam, c'est son cher Vincent ou son sublime Rembrandt (p. 55). Mais « la peinture ne l'intéresse pas » (p. 55). Rembrandt et Van Gogh ne sont que des « images de papier » (p. 61), que ses « miroirs » (p. 55). La figure utilisée pour rendre compte de cette procuration, tout au long du roman, est la figure littéraire de *Peau d'âne* quand, petit garçon, il lisait le livre posé sur ses genoux, à côté d'une petite fille (p. 61). La peinture et la littérature n'y sont pas présentes pour elles-mêmes, comme arts ou comme esthétiques, mais comme signaux, comme indices. Elles ont valeur d'identification, de référence culturelle, d'inférence, de présupposé, de préconstruit. Elles sont utilisées comme des formes qui ont perdu leur contenu. Elles sont des axiologèmes.

L'intrigue, à son tour, est créée sur une fausse attente. Le carnet ne recélera pas le commentaire sur le titre et ne révélera pas le sens du terme « *Agonie* ». Celui-ci sera à trouver par déduction, par interprétation. La seule phrase, d'ailleurs soulignée, que le narrateur pourra interpréter sera la suivante : « Il n'y a pas, il n'y a jamais eu, il n'y aura jamais de pays » (p. 77). Mais le pays est, rappelons-le, un « lieu de connivences ». C'est dans ce sens glossématique qu'il faut lire, il me semble, l'une des dernières phrases du roman : « Nous sommes tous des exilés. Nous ne rentrerons pas au pays [...] La lutte, inutile, se donne des airs d'y croire, d'espérer que la vie triomphera. Mais il est sur le banc, défait, décomposé. Il n'attendait rien d'autre » (p. 77).

La biographie devient le commentaire tant recherché du titre. L'agonie du héros exilé est celle de l'absence de pays. Le roman acquiert alors le sens du poème : Mourir comme l'alouette et la caille, par mirage et par absence de désir de voler, mais non pas vivre de plaintes comme un chardonneret aveugle. Dans la dernière phrase du roman, cela devient : « Alouette, caille, chardonneret, quand vous reviendrez du soleil, quand vous rentrerez au pays agonisant, vos ombres se déchiquetant aux aspérités du sol, chantez, je vous prie, chantez à vous étouffer. »

ÉPILOGUE

Le roman se termine ainsi sur une métaphore qui, loin de clôturer le récit, l'ouvre sur une énigme qui recouvre toute la signification de l'œuvre. Ce nouveau poème, motivé cette fois par le roman, déplace le sujet de l'agonie. C'est le pays qui agonise et qui entraîne dans sa mort le héros défait. On ne sait plus très bien lequel est la raison de l'autre, mais leur agonie est mutuelle. Tout comme on ne saurait dire si le récit enchâsse le poème ou si le poème enveloppe le roman, mais ils construisent mutuellement une forme littéraire particulière. La sémantique mouvante qu'impliquent la glose et l'exégèse présuppose d'ailleurs une valorisation extrême de la forme que le narrateur met en récit pour la reconstruire autrement.

C'est une sorte d'axiologie formelle, en définitive, qui traverse l'expression et le contenu de l'œuvre pour y instaurer la signification. Le travail et la fonction de l'axiologie, dans *Agonie* de Jacques Brault, seraient alors de dialectiser les formes littéraires tout en accordant à cette dialectique, comme effet de retour, une valeur romanesque. On n'est pas loin de ce que Roman Jakobson (1963 : 218) appelait la « littérarité ».

BIBLIOGRAPHIE

ALQUIÉ, Ferdinand (1978), « Introduction », dans Emmanuel KANT, *Critique de la raison pratique,* traduction de François Picavet, Paris, Les Presses universitaires de France, p. VII-XXXIV.

ANGENOT, Marc (1982), *La parole pamphlétaire,* Paris, Payot.

BEAUVOIR, Simone DE (1946), *Pour une morale de l'ambiguïté,* Paris, Gallimard.

BELAVAL, Yvon (1978 [1973]), « La révolution kantienne », dans Yvon BELAVAL [édit.], *La révolution kantienne,* Paris, Gallimard, p. 9-15. (Coll. Histoire de la philosophie.)

BRAULT, Jacques (1985), *Agonie,* Montréal, Boréal Express.

FOUCAULT, Michel (1969), *L'archéologie du savoir,* Paris, Gallimard. (Coll. Bibliothèque des sciences humaines.)

GENETTE, Gérard (1972), *Figures III,* Paris, Éditions du Seuil. (Coll. Poétique.)

JAKOBSON, Roman (1963), *Essais de linguistique générale,* Paris, Éditions de Minuit.

KANT, Emmanuel (1978 [1788]), *Critique de la raison pratique,* traduction de François Picavet, Paris, Les Presses universitaires de France.

LAVELLE, Louis (1951 et 1955), *Traité des valeurs,* Paris, Les Presses universitaires de France, 2 vol.

MELANÇON, Joseph (1984), « Le statut de l'axiologie », *RS/SI,* vol. IV, n°s 3-4, p. 253-272.

MIRON, Gaston (1970), *L'homme rapaillé,* Montréal, Les Presses de l'Université de Montréal.

PERELMAN, Chaïm et Lucie OLBRECHTS-TYTECA (1976 [1958]), *Traité de l'argumentation. La nouvelle rhétorique,* Bruxelles, Les Presses de l'Université de Bruxelles.

PHILONENKO, Alexis (1978), « Fichte », dans Yvon BELAVAL [édit.], *La révolution kantienne,* Paris, Gallimard, p. 173-239. (Coll. Histoire de la philosophie.)

POLIN, Raymond (1944), *La création des valeurs,* Paris, Les Presses universitaires de France.

SAUSSURE, Ferdinand DE (1972 [1916]), *Cours de linguistique générale,* Paris, Payot.

SCHELER, Max (1943 [1913]), *Formalism in Ethics and Non-formal Ethics of Values,* Evanston, Northwestern University Press.

THÉRIEN, Gilles (1990), « Pour une sémiotique de la lecture », *Protée*, vol. XVIII, n° 2 (printemps), p. 67-80.

TODOROV, Tzvetan (1981), *Mikhaïl Bakhtine. Le principe dialogique*, suivi de *Écrits du cercle de Bakhtine*, Paris, Éditions du Seuil. (Coll. Poétique.)

VANDENDORPE, Christian (1989), *Apprendre à lire des fables, une approche sémiocognitive*, Longueuil, Éditions du Préambule. (Coll. L'Univers des discours.)

La Québécoite de Régine Robin : une approche dialogique

Anthony PURDY
Université de l'Alberta (Edmonton)

Un mot d'explication, pour commencer, au sujet de la démarche adoptée ici et qui ne se conforme pas tout à fait à la formule du présent ouvrage. Cet écart par rapport à la norme s'explique et se justifie par le fait que la romancière dont il est question, Régine Robin, est elle-même, entre autres, théoricienne de la littérature, et que le roman que nous nous proposons d'analyser, *La Québécoite*, est un texte qui théorise et thématise de façon assez explicite sa propre pratique romanesque. Au lieu donc d'essayer de faire un survol de l'approche bakhtinienne[1], chose d'ailleurs impossible dans les quelques pages dont nous disposons, nous nous attacherons plutôt, dans ces remarques préliminaires, à l'usage qu'en fait Régine Robin dans un ouvrage récent intitulé *Le roman mémoriel : de l'histoire à l'écriture du hors-lieu* (1989a), où elle fait état de ses présupposés théoriques. C'est par ce biais, c'est-à-dire en confrontant essai et roman, que nous nous efforcerons de poser le problème du rapport entre théorie et pratique.

Tel qu'elle le décrit dans *Le roman mémoriel,* l'intérêt de Régine Robin pour la littérature québécoise fait partie d'un projet beaucoup plus vaste ayant « trait également au multiculturalisme, aux identités ambiguës et molles, multivalentes et au cosmopolitisme » (1989a : 169). Le premier axe – tout bakhtinien – de ses recherches consiste ainsi à « dégager ce qui se joue dans l'écriture plurilingue et les remaniements identitaires et mémoriels qu'elle entraîne » (1989a : 169). C'est dans ce

1. Les problèmes tout particuliers posés par l'exégèse bakhtinienne sont trop connus pour qu'on les reprenne ici. Aussi nous contentons-nous de signaler que l'on est en train de « repenser Bakhtine » (ainsi que sa conception du dialogisme) à la lumière de textes inédits devenus disponibles depuis sa mort survenue en 1975. Nous renvoyons surtout aux ouvrages tout récents de Morson et Emerson (1989, 1990).

contexte que Robin pose sa notion d'« interlangue » : « rapport imaginaire, rapport de bordure, de frontière que l'énonciateur ou le narrateur ou encore, dans un autre sens, que l'écrivain entretient avec sa langue maternelle (rapport d'amour, de fixation, de haine, de rejet, d'ambivalence ou rapport de transparence illusoire) et avec les autres langues ou registres sociaux qui constituent son univers langagier, rapport imaginaire d'inquiétante étrangeté » (1989a : 171). Chose valorisée mais fragile, « [c]et interlangue est perpétuellement menacé par un retour à de l'homogène, de l'un, de la re-totalisation et de la re-territorialisation » (1989a : 171).

Parmi les différents types de plurilinguisme qu'elle projette de considérer figure celui de l'interlangue minoritaire, phénomène que la société québécoise illustre à merveille : « À Montréal, on parle français, on peut se retrouver dans sa langue, mais en même temps, c'est une autre langue ; il y joue de l'autre » (1989a : 180). (Remarquons en passant que c'est cette inquiétante étrangeté, cette inscription de l'autre dans le même, que signale la lettre « t » dans le titre du roman de Robin, *La Québécoite* : ni tout à fait la même ni tout à fait une autre.) Ce qui est donc en jeu ici, c'est « le Montréal cosmopolite et pluriculturel, le Montréal hybride » sans cesse menacé par trois fausses solutions culturelles : 1) la solution suicidaire de la culture de masse américaine, au sujet de laquelle Robin affirme que « la quête de nouvelles valeurs, d'une hybridité constructive ne peut pas passer par ce genre d'universalisme qui n'est en fait qu'une domination masquée, la pire de toutes pour la littérature, le kitsch » (1989a : 182) ; 2) la tentation de la ghettoïsation, de la folklorisation des cultures ethniques à Montréal ; et 3) l'assimilation.

Cependant, au milieu de tous ces pièges, il devrait être possible, selon Robin, de penser un nouveau cosmopolitisme, de « se tailler une identité floue, pluri-culturelle dans la langue française » : « Reste à penser l'inabouti, l'entre-deux, l'incertitude et le précaire. Peut-être faut-il faire appel à ce que E. Bloch appelle une « identité de traverse » » (1989a : 183). Loin d'être « un hors-lieu vécu dans l'aliénation et le malheur, dans le désir des enracinements », ce nouveau cosmopolitisme serait « une position consciente, assumée » qui « consiste à traverser les codes, à s'en jouer, à développer une parole nomade qui ne soit pas une parole d'exil » (1989a : 184-185). C'est dans le contexte d'un tel projet dialogisant que Robin soulève la question de sa propre appartenance comme écrivaine immigrante :

> Ferai-je un jour partie de la littérature québécoise ? Au prix d'une désethnicisation de la notion, dans un jeu ouvert des mémoires collectives même en conflit, dans la traversée des intertextes multiples, même affrontés. C'est à ce prix que la/les littératures québécoise(s) auront un sens pour que *les autres* s'y fassent une place, y soient acceptés, y aient un lieu de parole contribuant à l'élaboration de ce nouvel imaginaire social si nécessaire dans la société québécoise (1989a : 185).

C'est dans ce même contexte bakhtinien de l'entre-deux que s'écrit *La Québécoite*.

La narratrice anonyme du roman se désigne, un peu à la manière d'Apollinaire dans « Zone[2] », tantôt par « je » tantôt par « tu », schizophrénie narrative qui se reflète dans son projet d'écriture qui consiste à fixer, dans un va-et-vient entre Paris et Montréal, entre le passé et le présent, ses impressions d'immigrante, fixer ce qu'elle appelle la « micro-mémoire de l'étrangeté. Étaler tous les signes de la différence : bulles de souvenirs, pans de réminiscences mal situées arrivant en masse sans texture, un peu gris » (p. 15)[3]. Le jeu pronominal, qui commence par cette oscillation entre le « je » et le « tu », se complique presque immédiatement du fait que la narratrice crée un personnage – imaginaire mais autobiographique, encore anonyme, désigné uniquement par le pronom « elle » – qu'elle installera, dans les trois parties du roman, dans trois quartiers différents de Montréal : Snowdon, « quartier d'immigrants à l'anglais malhabile où subsiste encore l'accent d'Europe centrale, où l'on entend parler yiddish, et où il est si facile de trouver des cornichons, du Râlé natté et du matze mail » (p. 23) ; Outremont, où elle essayera de « s'intégrer à la bourgeoisie québécoise, des fleurs de lys en fer forgé partout accrochées à son balcon » (p. 99) ; et autour du marché Jean-Talon, quartier d'immigrants italiens et latino-américains.

L'histoire de ce personnage – histoire explicitement fictive, ce qui est souligné par le fait qu'elle est racontée entièrement au présent et au

2. La « typographie parlante » du roman rappelle aussi telle innovation d'Apollinaire. D'ailleurs, comme « Zone », *La Québécoite* se construit comme une longue promenade à travers la ville du présent (ici Montréal) et celles du passé du personnage principal (Paris, Budapest, Vienne, etc.), ce qui porte à croire que le poème d'Apollinaire constitue un intertexte important pour le roman de Robin.

3. Les pages indiquées entre parenthèses renvoient à Robin (1983).

passé du conditionnel[4] – est celle d'une immigrante française d'origine juive qui s'efforce de s'établir au Québec, mais qui n'arrive pas à se détacher de son passé européen qu'elle habite toujours en souvenir. Aux trois quartiers de Montréal correspondent ainsi les stations de trois lignes du métro parisien : la ligne 10, Austerlitz-Michel-Ange/Molitor, la ligne 6, Nation-Étoile par Denfert-Rochereau, et la ligne 8, de la Place Balard à Charenton-Écoles. Ces trois lignes passent toutes par Grenelle qui constitue ainsi une sorte de foyer de cohérence textuelle ainsi qu'un lieu de rencontre avec la mémoire culturelle et historique, car c'est à Grenelle, station proche des rues Nocard et Nelaton, que se trouvait l'ancien Vélodrome d'hiver : « C'est dans ce lieu symbolique, qui revient dans le roman de façon obsessionnelle que les juifs, arrêtés lors de la grande rafle du 16 juillet 1942, ont été parqués, avant d'être dirigés sur Drancy et de là, convoyés dans les conditions qu'on sait vers Auschwitz » (1989a : 130). L'opération avait pour nom de code « Vent printanier », expression qui servira de leitmotiv sinistre évoquant à la fois le trou de mémoire qui se trouve au centre de l'errance et l'impuissance du langage à en parler :

APRÈS GRENELLE

JE NE SAIS PLUS

LA LIGNE SE PERD DANS MA

MÉMOIRE

L'OPÉRATION S'APPELAIT

VENT PRINTANIER

APRÈS GRENELLE (p. 111).

Les choses se compliquent davantage quand « elle », qui donne des cours sur la littérature juive soviétique d'entre les deux guerres aux Jewish Studies de McGill, se met à écrire un roman : « Elle aurait commencé un roman impossible sur Sabbatai Zevi le faux messie du 17e siècle, une sorte de réflexion métaphorique sur l'Histoire. Le thème en aurait été un cours réclamé au dernier moment à un vieil écrivain asthmatique s'intéressant depuis longtemps au personnage » (p. 36). Cet écrivain s'appelle Mortre Himmelfarb, et lui aussi se trouve tiraillé entre sa vie présente qui se déroule à Montréal et sa jeunesse passée en Europe centrale et qui comprend un séjour à Auschwitz.

4. Sur l'emploi du conditionnel dans ce roman, voir Purdy (1991).

Le roman comprend donc trois niveaux diégétiques enchâssés et enchevêtrés. Chaque niveau met en scène un personnage-narrateur, « je », « elle » et Himmelfarb, dont l'expérience vécue est non seulement clivée entre la mémoire d'un passé européen et un présent québécois, mais aussi travaillée par l'histoire socioculturelle de la collectivité juive. Et bien que chaque personnage participe à tour de rôle à la narration, dans chaque cas le récit, qu'il soit fictif ou historique, peu importe, s'avère à la limite impossible :

> Elle perd ses mots.
>
> Mémoire fêlée
>
> Mémoire fendue
>
> les articulations sont foutues.
>
> Il n'y aura pas de récit
>
> pas de début, pas de milieu, pas de fin
>
> pas d'histoire.
>
> Entre Elle, je et tu confondus
>
> pas d'ordre.
>
> Ni chronologique, ni logique, ni logis (p. 86).

Or, cette absence d'ordre (« Ni chronologique, ni logique, ni logis »), cette dissolution des structures du récit, relève ici de l'expérience de la déterritorialisation évoquée par Kafka et citée dans l'une des épigraphes de la première partie de *La Québécoite* :

> Ils vivaient entre trois impossibilités (que je nomme impossibilités linguistiques à tout hasard, parce que c'est plus simple – on pourrait aussi les appeler tout autrement), l'impossibilité de ne pas écrire, l'impossibilité d'écrire en allemand, l'impossibilité d'écrire autrement, à quoi l'on serait tenté d'ajouter une quatrième impossibilité, l'impossibilité d'écrire (car ce désespoir, ce n'est pas l'écriture qui aurait pu l'apaiser. L'écriture n'était en l'occurrence qu'un élément provisoire comme pour celui qui fait son testament juste avant d'aller se pendre – provisoire, peut-être pour toute la vie), c'était donc une littérature universellement impossible, une littérature de tziganes qui ont volé l'enfant allemand au berceau et se sont dépêchés de l'habiller d'une manière ou d'une autre parce qu'il faut bien que quelqu'un danse sur la corde raide

> (mais ce n'était pas l'enfant allemand), ce n'était rien, on disait seulement que quelqu'un dansait (p. 13)[5].

Il en résulte, comme le suggère Kafka, une littérature de tziganes ou, pour employer des termes de Régine Robin, une parole nomade, immigrante, une écriture migrante :

> Pas d'ordre – ni chronologique, ni logique, ni
>
> logis
>
> les articulations sont foutues.
>
> Il n'y aura pas de messie.
>
> Il n'y aura pas de récit
>
> tout juste une voix plurielle
>
> une voix carrefour
>
> la parole immigrante (p. 87-88).

Car le personnage principal du roman de Robin, « elle », n'est pas Québécoise – « On ne devient pas Québécois », nous dit le texte (p. 52) – mais Québécoite, c'est-à-dire une immigrante à la « voix muette, scellée » (p. 85), une tzigane, une juive, qui sait bien que « tout ça débouche sur Auschwitz » (p. 76) et sur une impossibilité linguistique insoupçonnée par Kafka :

> Il n'y a pas de métaphore pour signifier Auschwitz pas de genre, pas d'écriture. Écrire postule quelque part une cohérence, une continuité, un plein du sens – même dans l'absurde beckettien – même dans l'angoisse kafkaïenne, le monde a encore forme, consistance – épaisseur. Rien qui puisse dire l'horreur et l'impossibilité de vivre après. Le lien entre le langage et l'Histoire s'est rompu. Les mots manquent. Le langage n'a plus d'origine ni de direction (p. 136).

La Juive, comme l'immigrante, comme la Québécoite, est autre, est d'ici et n'est pas d'ici, habitera toujours un entre-deux, comme le dit Régine Robin dans l'introduction à son ouvrage *L'amour du yiddish* : « Incurable, je n'écris que d'un lieu, celui de l'« entre », l'entre-deux, l'entre-deux-océans, l'entre-deux-langues, l'entre-deux-idéologies » (1984 : 29). Ainsi, à la fin de chaque partie du roman, « elle » décidera de partir, de rentrer en France ; mais à chaque reprise, c'est le même

5. Il s'agit d'une lettre de Kafka traduite de l'allemand par Régine Robin. Sur le problème des langues chez Kafka, nous renvoyons à Robin (1989b).

refrain qui se fait entendre – « La France aurait changé » – et qui donne lieu, dans la dernière phrase du roman, à l'ultime ironie : « à propos, il paraît que la place du Québec est à Saint-Germain-des-Prés » (p. 200).

Mais qu'est-ce qui l'empêche au juste de s'enraciner au Québec, et plus précisément à Montréal, cette « ville schizophrène/clivée/ déchirée » (p. 78) comme elle ?

> Ville schizophrène
>
> patchwork linguistique
>
> bouillie ethnique, pleine de grumeaux
>
> purée de cultures disloquées
>
> folklorisées
>
> figées
>
> pizza
>
> souvlaki
>
> paëlla (p. 80).

D'une part, c'est son « trop visible europocentrisme », « cette impossibilité par moment de sortir des cadres étroits de sa culture parisienne » (p. 74) pour embrasser une culture où « on parle français et on pense américain » (p. 83). D'autre part, c'est sa valorisation même de la différence, de l'hétérogène, sa peur de l'homogénéité dont elle soupçonne la persistance sous la surface cosmopolite de ce Québec qui « tout doucement s'en irait vers une société plurielle sans qu'il y paraisse » (p. 195) :

> Comment voterait-elle au référendum ? Par moment, elle serait presque sûre de dire oui. Elle penserait à Maurice Audin, à Henri Alleg, à ceux qui avaient lutté pour l'indépendance de l'Algérie avec les Algériens, à ceux qui avaient porté les valises du FLN. Impossible de dire NON, de voter avec les tenants des multinationales, des Dominants. Par moment cependant ces moments qui reviendraient souvent où son mari lui ferait sentir qu'elle n'était pas d'ici, elle hésiterait. La peur. Non pas la peur que les libéraux cherchaient à distiller – non une autre peur.
>
> La peur de l'homogénéité
>
> de l'unanimité
>
> du Nous excluant tous les autres
>
> du pure laine

elle l'immigrante

la différente

la déviante.

Elle hésiterait.

Car il pourrait aussi y avoir une façon québécoise de

faire la chasse aux sorcières

car il pourrait aussi y avoir une façon québécoise d'être

xénophobe et

antisémite.

Elle hésiterait. Perdue dans ce combat historique

pas tout à fait le sien

pas tout à fait un autre (p. 128-129).

Rien d'étonnant donc à ce qu'elle finisse par découvrir les « ethniques » à qui la narratrice la rend dans la troisième partie du roman :

> Ils seraient son vrai pays. Les exilés, de nulle part, sans attente, parlant toutes les langues et affrontant tous les défis historiques. Leurs paysages par moment tricoteraient un patchwork, bigarré [...] On les appellerait des « ethniques » pour les différencier des Québécois et des Anglais – se sentirait-elle bien dans sa peau « d'ethnique » les soirs où son mari resterait à Québec ? Transformée en juive anglophone riant gaiement avec des Ukrainiens dont les ancêtres auraient pu massacrer sa propre famille ? Avec des Hongrois descendants d'anciens propriétaires fonciers, avec des militants révolutionnaires chassés d'Argentine ? Son mari lui reprocherait parfois – sans méchanceté aucune – l'exclusivité de ses fréquentations. Elle préférerait les amitiés Québec-Cuba à la Société Saint-Jean-Baptiste, Fidel Castro à Duplessis, Guevara à Lionel Groulx et Rosa Luxembourg à Marguerite Bourgeoys – chacun ses mythes, ses symboles, ses signes (p. 139).

Cependant, il y a quelque chose dans la ghettoïsation et la folklorisation des communautés ethniques de Montréal qui l'inquiète :

> Parfois au milieu des collègues, des amis, elle serait prise d'une grande panique. Cela pourrait lui venir en taxi, en autobus, au restaurant ou en traversant la rue. N'y a-t-il rien d'universel ici ?
>
> DES GHETTOS

DES CLIVAGES
CHACUN SA LANGUE
SA COMMUNAUTÉ
CHACUN SON QUARTIER
SON DÉPUTÉ.
SES GÂTEAUX. SON JOURNAL. SA RELIGION
SON FOLKLORE, SES POMPONS.
CHACUN SON HISTOIRE
SEULS
À PART
NOUS. VOUS. EUX.
N'y a-t-il rien d'universel ici ? (p. 152-153).

Et elle finira par se rendre compte qu'elle est incapable de s'enraciner, qu'elle est condamnée à vivre dans l'entre-deux :

> Elle sentirait qu'elle ne pourrait jamais tout à fait habiter ce pays, qu'elle ne pourrait jamais tout à fait habiter aucun pays.
>
> Pas de lieu, pas d'ordre.
> Mémoire divisée à la jointure des
> mots
> Les couches muettes du langage,
> brisées
> La parole immigrante en suspens
> entre
> deux HISTOIRES (p. 147).

Une telle insistance sur l'entre-deux conduit tout naturellement à la question : que devient dans tout cela la notion du conflit des codes si chère à André Belleau (1981, 1983) ? (« Disons, écrivait celui-ci, que notre institution littéraire est double ou plutôt que notre littérature se trouve sujette à une double imposition institutionnelle. Ceci n'est pas sans conséquence. Je suis persuadé qu'on ne peut comprendre un peu en profondeur la littérature romanesque d'ici – et cela quelle que soit l'approche choisie – sans tenir compte des tensions et distorsions produites par la rencontre dans un même texte des codes socio-culturels québécois et des codes littéraires français » (1981 : 17-18).) Tout d'abord, il est clair qu'il ne s'agit pas dans *La Québécoite* d'une simple opposition entre code littéraire importé et code socioculturel québécois. Car, partout où l'on regarde ici, il y a prolifération et éclatement des codes. Du côté socioculturel, par exemple, l'immigrante s'étonne du fait que la fête du Travail n'a pas lieu le 1er mai mais le premier lundi de septembre (p. 116) et il lui faut du temps pour comprendre que les initiales « PC » s'appliquent au Parti conservateur et non au Parti communiste (p. 176) ; par ailleurs, elle ne saura jamais faire abstraction des connotations troublantes de la fleur de lys : « royalistes, antisémites, nobliaux imbus de leurs anciens privilèges [...] Elle saurait pourtant que les symboles ont une histoire, qu'ils peuvent inverser leur signification, qu'ils circulent d'étranges façons. Elle n'aurait jamais été du côté des Dominants. Elle pourrait comprendre qu'ici... Elle voudrait comprendre. Lui laisserait-on le temps ? » (p. 130).

De même, du côté littéraire, nous avons affaire à un vaste répertoire de textes rédigés non seulement en français mais encore en allemand, en anglais, en yiddish, en hébreu, en russe, etc. Ce qui nous amène à ce code des codes, le langage. Et ici on constate, à côté de l'inquiétante étrangeté et de la parole muette de la Québécoite, un véritable foisonnement de langues, d'accents et de registres :

> Elle se serait adressée à lui en espagnol, d'instinct. Il aurait souri, devant son accent français écorchant la langue de part en part. Il lui aurait demandé malicieusement tout en lui servant son coke d'où elle tenait ce délicieux accent, d'où elle venait, ce qu'elle était. Rien de plus simple voyons : une juive ukrainienne de Paris installée provisoirement à Montréal, donnant des cours dans des universités anglophones mais ayant appris l'espagnol au lycée à Paris (p. 168-169).
>
> [...]
>
> La soirée aurait avancé doucement, dans une délicieuse ivresse. À son tour, il l'aurait questionnée, lui demandant après les premières réponses de lui réciter des poèmes en yiddish, en hongrois, en russe ou en ukrainien. Elle se serait exécutée avec plaisir, parlant un peu fort et suscitant la curiosité des voisins, tous italiens de bonne composition (p. 171).

À cet égard, il est tentant de voir dans le Montréal de *La Québécoite* une transposition franco-américaine de Vilno, cette ville bakhtinienne de Moïshé Kulbak. Dans l'introduction à sa traduction du roman de Kulbak, *Les Zelminiens*, Robin écrit : « Vilno, ville bakhtinienne s'il en fut ! Le pays a été longtemps sous domination russe. Si l'administration parle russe, les habitants parlent le lituanien ou le polonais, le biélorusse ou le yiddish. Ils se distribuent en cinq langues et trois religions, la religion catholique, la religion orthodoxe et le judaïsme. Ville idéale donc pour la naissance d'une conscience culturelle multilingue » (1988 : 7). Et de la ville bakhtinienne au roman bakhtinien, il n'y a qu'un pas :

> Moïshé Kulbak joue d'abord de l'hétéroglossie, ou de la diversité des langues. Bakhtine a beaucoup écrit sur le plurilinguisme du roman. À de nombreuses reprises, il évoque la situation privilégiée de l'Europe centrale et orientale, creusets d'une écriture multilingue. Pourtant, il ne vise pas par là l'avant-garde, tel Stefan George s'inventant une langue littéraire au contact de langues variées, la *lingua romana,* tel T. S. Eliot dans *The Waste Land* ou le James Joyce de *Finnegan's Wake,* ou l'Ezra Pound des *Cantos.* Il vise cette pratique habituelle des écrivains d'Europe centrale et orientale de pouvoir, même dans une esthétique de la représentation et de la mimesis, convoquer différentes langues à l'image de ce qui existait vraiment dans leur culture et interculture.
>
> Le roman est écrit en yiddish, bien entendu, mais sa langue travaille une interlangue complexe : le yiddish étant la langue du narrateur et du registre de l'hétérologie, c'est-à-dire la diversité des registres langagiers, depuis le langage le plus populaire, les locutions et les syntagmes figés, jusqu'aux descriptions poétiques ou la langue neutre ou affectée de certains personnages. Kulbak est un maître du *skaz,* cette imitation de l'oralité dans l'écrit, un maître de l'esthétique de la rumeur, de cette voix du « on » qui devient un actant à elle seule (Robin, 1988 : 22-23)[6].

Malgré certaines ressemblances de structure linguistique, *La Québécoite* n'est pas, bien sûr, un roman bakhtinien à la manière des *Zelminiens.* C'est plutôt un roman postbakhtinien qui cultive de façon assez explicite l'hétéroglossie (ou le plurilinguisme) comme instrument de résistance à l'homogène et comme stratégie de sortie :

> Stratégie de sortie de quoi exactement ?
>
> De la problématique de la petite nation dominée.
>
> De la langue problématique.
>
> D'une littérature directement branchée sur l'identitaire.
>
> D'une littérature du territoire, du pays, même comme métaphore.

---

6. Pour un bel exemple de l'utilisation du *skaz* dans *La Québécoite,* voir les premières pages du roman.

> D'une problématique de l'aliénation
>
> de l'exil intérieur.
>
> de la langue diglossique, pathologique
>
> ou perdue.
>
> de la dépossession.
>
> Bref, d'une obsession de l'identité, de la quête des racines, de la survivance culturelle ou de la quête des origines (Robin, 1989a : 175-176).

C'est pourquoi la narratrice de *La Québécoite* ne peut pas permettre à son personnage de lui échapper pour s'enraciner dans son pays d'adoption, ce qu'elle menace de faire à plusieurs reprises :

> Ce personnage fantôme m'échappe. Impossible à fixer dans cette géographie urbaine, dans cet espace mouvant. Dès qu'elle est installée, intégrée, elle s'enfuit, déménage, et m'oblige à casser le récit alors que je commençais à m'y installer moi-même, à y prendre goût, à me reposer. Elle prend corps et dès lors s'enfuit, me fait la nique. Sais-je exactement où je la conduis, perdue entre ces conditionnels, ces présents et ces imparfaits ? (p. 134).
>
> Le texte m'échappe. Je le sens glisser. Sécrétions de pittoresque, épanchements. Nostalgies de deux sous. Illusions de l'enracinement. Ce personnage encore une fois m'échappe. Je finis par me laisser prendre à son histoire. Je finis par croire à la réalité de Mime Yente et de son chat Bilou, je finis par vouloir suivre une intrigue, un semblant d'histoire avec un début et une fin. Je finis par vouloir un brin d'ordre, de logique, un lieu quoi. Vivre à petits pas, à petits feux. Le temps à se traîner jour après jour. Les courses à faire. Pardon. Magasiner. Enfilement de gestes, miettes de ville, de vide, de vie. Je finis par avoir la nostalgie du récit (p. 180-181).

Cependant, c'est une nostalgie à laquelle il faut résister si l'on ne veut pas renoncer à la stratégie de l'entre-deux et à cette identité de traverse qui trouve son expression dans la parole nomade, l'écriture migrante.

La Québécoite remplit donc, paraît-il, toutes les conditions d'un texte dialogique, dans lequel le discours – ou, pour reprendre un terme de Bakhtine, le *mot* – « est comme distribué sur différentes instances discursives qu'un « je » multiplié peut occuper *simultanément*. *Dialogique* d'abord, car nous y entendons la voix de l'*autre* – du destinataire –, il devient profondément *polyphonique,* car plusieurs instances discursives finissent par s'y faire entendre » (Kristeva, 1970 : 13).

Chez Dostoïevski, par exemple, le mot/le discours est le terrain où, selon Julia Kristeva, « se pluralise et se pulvérise le sujet parlant », où s'inscrit le morcellement du « je » : « Le texte de Dostoïevski se présentera donc comme une confrontation d'instances discursives : opposition de discours, ensemble contra-punctique, polyphonique. Il ne forme pas une structure totalisable : sans unité du sujet et du sens, pluriel, anti-totalitaire et anti-théologique, le « modèle » dostoïevskien pratique la contradiction permanente et ne saurait rien avoir en commun avec la dialectique hégelienne » (1970 : 14).

Et pourtant, même si le roman de Robin est, en tant que système signifiant, rigoureusement non totalisable, « sans conclusion et sans synthèse – sans « monologisme », sans point axial » (Kristeva, 1970 : 15), n'oublions pas que Bakhtine a toujours insisté sur la nécessité de rattacher les systèmes signifiants à des *pratiques* signifiantes dans toute leur spécificité historique :

> Après le travail des formalistes, et ayant retenu de l'expérience formaliste qu'il est nécessaire d'étudier la signification dans sa matérialité verbale, Bakhtine renoue avec la poétique historique. Le but de son analyse n'est plus d'élucider « comment est faite une œuvre », mais de la situer à l'intérieur d'une typologie des systèmes signifiants dans l'histoire. Aussi propose-t-il une étude de la structure romanesque autant dans sa particularité structurale (synchronique) que dans son émergence historique. La structure romanesque est pour lui un « modèle du monde », un système signifiant spécifique qu'il faut saisir dans sa nouveauté historique ; c'est ainsi qu'elle est en même temps prise dans une vision historique, située par rapport à une tradition : le genre comme dépôt de la mémoire littéraire ; et les découvertes de l'analyse synchronique sont confirmées par celles de l'analyse diachronique (« la diachronie confirme la synchronie ») (Kristeva, 1970 : 11).

Or, dès que l'on change de plan pour considérer *La Québécoite* comme une pratique signifiante, on est obligé de reconnaître que l'on a affaire ici non à un roman bakhtinien à la Kulbak ou à la Dostoïevski mais, comme nous l'avons déjà suggéré, à un roman postbakhtinien qui exploite de façon systématique le plurilinguisme (ou l'hétéroglossie) pour signaler sa résistance à toute une situation historique concrète, à savoir celle de la société québécoise et, plus particulièrement, de l'institution littéraire québécoise, du début des années quatre-vingt. Selon cette optique, la polyphonie risque de se transformer en effet de polyphonie, le dialogisme en effet de dialogisme. Et, chose curieuse, c'est la pluralité même, la prolifération parodique de codes et de langues, qui risque ainsi d'aboutir à un aplatissement des différences réelles en revêtant la forme paradoxale d'un roman à thèse polyphonique[7].

Nous avons dit que l'ambivalence signalée par le titre du roman est celle de l'immigrante, de celle qui *est* Québécoise et, en même temps, *ne l'est pas*. Mais ce titre renvoie peut-être aussi au statut profondément ambigu d'une certaine littérature (immigrante), de celle qui *est* québécoise et *ne l'est pas*. *La Québécoite* serait alors l'histoire d'une littérature à la recherche d'une institution, et le dialogisme, selon cette optique, servirait de stratégie non seulement de résistance mais aussi de légitimation.

7. Rappelons que chez Bakhtine plurilinguisme et hétéroglossie ne se confondent nullement avec dialogisme et polyphonie, lesquels désignent les *relations* entre les divers discours qui modèlent l'énonciation romanesque. Voir, à ce sujet, Belleau (1988 : 12) et Morson et Emerson (1990 : 139-145).

BIBLIOGRAPHIE

BAKHTINE, Mikhaïl (1970), *La poétique de Dostoïevski,* traduit du russe par Isabelle Kolitcheff, présentation de Julia Kristeva, Paris, Éditions du Seuil. (Coll. Pierres vives.)

BAKHTINE, Mikhaïl (1970), *L'œuvre de François Rabelais et la culture populaire au Moyen Âge et sous la Renaissance,* traduit du russe par Andrée Robel, Paris, Gallimard. (Coll. Bibliothèque des idées.)

BAKHTINE, Mikhaïl (1977), *Le marxisme et la philosophie du langage,* traduit du russe par Marina Yaguello, Paris, Éditions de Minuit.

BAKHTINE, Mikhaïl (1978), *Esthétique et théorie du roman,* traduit du russe par Daria Olivier, préface de Michel Aucouturier, Paris, Gallimard. (Coll. Bibliothèque des idées.)

BAKHTINE, Mikhaïl (1984), *Bakhtine mode d'emploi,* numéro spécial de *Études françaises,* vol. XX, n° 1 (printemps).

BAKHTINE, Mikhaïl (1984), *Esthétique de la création verbale,* traduit du russe par Alfreda Aucouturier, préface de Tzvetan Todorov, Paris, Gallimard. (Coll. Bibliothèque des idées.)

BELLEAU, André (1981), « Le conflit des codes dans l'institution littéraire québécoise », *Liberté,* n° 134 (mars-avril), p. 15-20.

BELLEAU, André (1983), « Code social et code littéraire dans le roman québécois », *L'Esprit créateur,* vol. XXIII, n° 3 (automne), p. 19-31.

BELLEAU, André (1984), « La dimension carnavalesque du roman québécois », dans André BELLEAU, *Y a-t-il un intellectuel dans la salle ?,* Montréal, Éditions Primeur, p. 166-174.

BELLEAU, André (1988), « Du dialogisme bakhtinien à la narratologie », *Études françaises,* vol. XXIII, n° 3 (hiver), p. 9-17.

DE MAN, Paul (1983), « Dialogue and Dialogism », *Poetics Today,* vol. IV, n° 1, p. 99-107.

GARCÍA MÉNDEZ, Javier (1990), *La dimension hylique du roman,* Longueuil, Éditions du Préambule. (Coll. L'Univers des discours.)

HAREL, Simon (1989), *Le voleur de parcours : identité et cosmopolitisme dans la littérature québécoise contemporaine,* Longueuil, Éditions du Préambule. (Coll. L'Univers des discours.)

HOLQUIST, Michael [édit.] (1981), *The Dialogic Imagination. Four Essays by M. M. Bakhtin,* traduit du russe par Caryl Emerson et Michael Holquist, Austin, University of Texas Press.

KRISTEVA, Julia (1969), « Le mot, le dialogue et le roman », dans Julia KRISTEVA, *Séméiôtikè. Recherches pour une sémanalyse,* Paris, Éditions du Seuil, p. 143-173. (Coll. Tel quel.)

KRISTEVA, Julia (1970), « Une poétique ruinée », préface à Mikhaïl BAKHTINE, *La poétique de Dostoïevski,* Paris, Éditions du Seuil, p. 5-27.

LODGE, David (1990), *After Bakhtin : Essays on Fiction and Criticism,* Londres et New York, Routledge.

MORSON, Gary Saul et Caryl EMERSON (1989), *Rethinking Bakhtin : Extensions and Challenges,* Evanston, Northwestern University Press.

MORSON, Gary Saul et Caryl EMERSON (1990), *Mikhaïl Bakhtin : Creation of a Prosaics,* Stanford, Stanford University Press.

NEPVEU, Pierre (1988), *L'écologie du réel : mort et naissance de la littérature québécoise contemporaine,* Montréal, Boréal. (Coll. Papiers collés.)

PURDY, Anthony (1990), « Shattered Voices : The Poetics of Exile in Quebec Literature », dans David BEVAN [édit.], *Literature and Exile,* Amsterdam et Atlanta, Rodopi, p. 23-36. (Coll. Rodopi Perspectives in Modern Literature, n° 4.)

PURDY, Anthony (1991), « Inscribing Difference : The Changing Function of the Alternarrated as a Site of Intersystemic Interference », *Poetics Today,* vol. XII, n° 4 (hiver), p. 729-746.

ROBIN, Régine (1983), *La Québécoite,* Montréal, Québec/Amérique.

ROBIN, Régine (1984), *L'amour du yiddish : écriture juive et sentiment de la langue (1830-1930),* Paris, Éditions du Sorbier.

ROBIN, Régine (1988), « Préface », dans Moïshé KULBAK, *Les Zelminiens,* traduit du yiddish, préfacé et annoté par Régine Robin avec la collaboration de Rachel Ertel, Paris, Éditions du Seuil, p. 7-30. (Coll. Domaine yiddish.)

ROBIN, Régine (1989a), *Le roman mémoriel : de l'histoire à l'écriture du hors-lieu,* Longueuil, Éditions du Préambule. (Coll. L'Univers des discours.)

ROBIN, Régine (1989b), *Kafka,* Paris, Belfond.

SIMON, Sherry (1987), « The Language of Difference : Minority Writers in Quebec », *Canadian Literature,* supplément n° 1, p. 119-128.

TODOROV, Tzvetan (1981), *Mikhaïl Bakhtine. Le principe dialogique,* suivi de *Écrits du cercle de Bakhtine,* Paris, Éditions du Seuil. (Coll. Poétique.)

Silences et dualisme

Patrick IMBERT
Université d'Ottawa

> « Il y avait autant de sagesse dans les silences du corbeau que dans les versets de la Gita » (p. 120)[1].
>
> « Je répète ce que je n'ai pas dit » (p. 221).
>
> « Est-il pire folie que de vouloir son salut ? » (p. 226).

Théorie

L'identité est liée à la conception que l'on a des signes et des processus de signification. Trois types de signes peuvent être retenus. Le signe qui renvoie à autre chose est le premier : c'est le signe de Saussure échappant, quoi qu'on en dise, à la pure différentialité par l'ancrage au référent ; celui de Jakobson également, et du structuralisme en général. Deuxièmement, on a le signe de l'autre qui se situe dans un processus intégrant le rapport aux autres. Signe d'une communication branchée sur la pragmatique et un certain faire, le référent s'y mêle inextricablement au langage comme acte. Troisièmement, le signe se rencontre comme renvoi à lui-même (lui-même problématique). C'est celui qu'envisage Derrida (1967) dans *De la grammatologie* : il a la structure d'un miroir renvoyant à un miroir, d'un double originaire sans origine, donc. Dans ce cas, le référent est un point de fuite. Cette conception sied particulièrement à la question de l'inconscient ou de la fiction.

Cependant, ces trois types de signes ont des fonctions différentes. Le premier est omniprésent dans le langage public (Bernstein, 1971) pénétrant constamment les langages spécialisés ou les métalangages. Le deuxième se trouve de manière diffuse dans le langage public sous forme

---

1. Les pages indiquées entre parenthèses renvoient à Rivard (1986).

de questionnement lié au point de vue, à la « manipulation », à un faire qui est avant tout un faire-faire. Le troisième est présent dans le langage spécialisé de la réflexion épistémologique ou psychanalytique sur la fictionnalité dans son omniprésence.

Il est remarquable que l'on fonctionne selon l'une ou l'autre de ces trois catégories et que soient bâties sur celles-ci des visions du monde et donc des conceptions du référent et des processus de signification, par conséquent une identité, puisque les êtres humains, les êtres vivants et les molécules maintiennent des relations d'échange avec les contextes et sont, à tout le moins, sémiophores, générateurs et générés par des processus sémiotiques sinon par des processus de symbolisation.

Voyons le référent d'abord. Dans le cadre du signe comme signe d'autre chose, il est considéré comme lié à un monde hors langage qui met ce langage en position dominante. Dans notre univers, il correspond, encore fortement marqué de positivisme, aux objets, aux choses, à l'environnement. Cependant l'objet, comme l'environnement, est inséré dans des systèmes sémiotiques publicitaire, légal, de marketing, cadastral, etc., qui font que l'objet comme l'environnement ne sont pas, à vrai dire, des référents mais constituent des unités de systèmes sémiotiques à part entière que l'on peut considérer comme parallèles au système linguistique ou comme des systèmes modelants secondaires. En effet, les objets sont le fondement d'un univers utilisant le plus possible le temps production/consommation, y compris le temps de repos, de recul et de réflexion dominical, centré sur d'autres paradigmes puisque les centres commerciaux ouvrent le dimanche et que les médias fonctionnent jour et nuit, trois cent soixante-cinq jours par année. Le temps lié à l'objet a déplacé centre et marges. Cela est vrai aussi pour l'espace non seulement du centre commercial, mais également des loisirs *offshore* multinationaux ignorant le local. N'oublions pas le « parc national », reste d'espace public dans l'espace monnayé et cadastré dans ses derniers retranchements. C'est dire que si, dans le cadre du signe comme signe d'autre chose et aussi dans le cadre du signe performatif, le référent est dans ce matérialisme, dans ce donné objectal, dans l'optique du signe derridien, le référent n'est pas là. Il est au niveau du Verbe, des Idées platoniciennes, du sexe ou de la mort comme impossible à dire, éléments que l'on croit pouvoir dire, dans l'optique du signe comme signe d'autre chose, par le canon et les institutions qui lui sont coextensives. Dans notre monde, ce sont les gouvernements liés aux médias et aux multinationales jouant de l'économisme à outrance. C'est pourquoi les

Occidentaux, dans *Les silences du corbeau* de Rivard (1986), se dirigent vers l'Inde et les ashrams de mère Mira et de Satprem ou de ceux qui les imitent. Ils sont à la recherche du référent perdu et d'une possibilité de restructuration de leurs conceptions du signe, des processus de signification et donc de leur identité dans la reconnaissance par l'autre.

À ce questionnement au sujet du signe est liée la question identitaire : Pourquoi suis-je né ? Y a-t-il métempsycose, c'est-à-dire transformation ? Qu'est-ce qu'une transformation ? La question du même et de l'autre, du stable et du mouvement, de l'intérieur et de l'extérieur, des paradigmes fondamentaux est là, dans l'obsession du moi comme être de discours discursivisé et se discursivisant (et discursi(di)visant, pourrions-nous dire). Le « je » est EFFET de discours comme le suggérait Benveniste (1966) dans ses explorations de l'énonciation, des modalités et des déictiques proches des problèmes abordés par Austin (1962) dans un cadre performatif. Mais ce rapport à l'autre, dans le performatif, présent dans le rapport entre le détenteur du pouvoir institutionnel qui est représenté dans *Les silences du corbeau* par Chitkara manipulant les disciples, est dépassé ironiquement par l'EFFET de discours lacanien (Lacan, 1966) branché sur le stade du miroir et le jeu des doubles constitutif d'une identité dans la marge. Nous y reviendrons à la fin du présent texte.

Se pose finalement la question de la lecture ou de la production de significations, de la lecture « naïve » à l'herméneutique en passant par les métonymies, les métaphorisations, les déplacements, les analogies. La lecture, dans l'optique de Derrida et du signe comme double originaire sans origine, est donc une dérive engendrant l'indétermination et un CE N'EST JAMAIS ÇA renvoyant au référent ultime qu'est le Verbe comme point de fuite, comme vide, comme impossible à dire, au même titre que l'inconscient. Tous deux sont des impossibles à dire construits par leurs EFFETS qui sont des effets discursifs.

Dans un tel cadre, plus centré sur une conception épistémologique que sur une application pédagogique d'une méthode ou d'un aspect d'une méthode particulière, ce qui convient d'ailleurs bien aux romans de Rivard (*Mort et naissance de Christophe Ulric* (1976), *L'ombre et le double* (1979), *Les silences du corbeau* (1986)), on retiendra des repères importants. Il s'agit de la question du signe, du référent, de la vérité, de la lecture, de l'intertexte, de l'ironie, de la parabole, représentant diverses manières d'explorer les dérives de la production de significations.

Vérité

> « C'est qu'il n'y a qu'une vérité » (p. 236).
>
> « Hermann a répliqué que s'il avait su que l'ashram, comme le Vatican, détenait le monopole du divin, il serait allé à Rome » (p. 117).

Là s'engage le débat ! Dans le soupçon d'un ailleurs autre que l'ailleurs défini par le canon et classé comme mystère détenu par lui. Cela se joue toujours autour des réponses aux questions des traductions en langage « clair », de ce que ça veut dire. Et dans la quête, certes, mais la quête du consensus : « C'est simple : quelqu'un ne peut prétendre être un maître s'il n'a pas été reconnu tel par d'autres maîtres » (p. 174). Le signe fait signe dans le consensus. Et ce signe est bien le signe d'autre chose de Saussure, maître reconnu par d'autres maîtres (Charles Bally, Albert Sèchehaye) qui ont écrit son ouvrage. D'où l'accord des critiques et l'influence du *Cours de linguistique générale* (Saussure, 1968). Une vérité, celle du signe d'autre chose, est l'enjeu du signe de relation à l'autre et de ses luttes dans le faire-faire. Cet enjeu est omniprésent : « Tu ne feras pas d'image taillée ni aucune figure de ce qui est en haut » (p. 119).

L'interdit de l'icône, comme de la lecture, laisse, par l'adoration aux pieds de l'intermédiaire, Mère, une grande place à l'institution, ici l'organisateur Chitkara. Et cette vérité des *Silences du corbeau* se lit au revers de la couverture. Fondée sur le résumé de l'intrigue qui y est imprimé, elle est analysable selon le schéma canonique greimassien.

DESTINATEUR		**DESTINATAIRE**
angoisse sémiotique métaphysique épistémologique		Alexandre
	OBJET vérité	
ADJUVANT corbeau		**OPPOSANT** canon
	SUJET Alexandre	

Mais, comme le soulignait Hendricks (1973), à partir du moment où on résume et où on travaille sur un résumé, tout texte repose sur la narrativité et propose une vérité liée à une structure paradigmatique profonde et au déplacement de ses isotopies (Bremond, 1982 ; Legaré, 1984 ; Pavel, 1986). Mais, bien sûr, si un des intertextes est l'interdit de lire la Bible, réinstauré stratégiquement et canoniquement par la permanence de la croyance dans le signe comme signe d'autre chose *possible à dire,* selon des herméneutiques stabilisées par des consensus autrefois religieux et maintenant professionnels (anciennes et nouvelles critiques), alors, certes, CE N'EST PAS ÇA. Le point est de savoir pourquoi il faut résumer. Parce qu'il faut une intrigue ? Et à tout prix ! Et une isotopie unique ?

Intrigue : entre Greimas et Freud

> « Il est encore plus beau de ne pas être né » (p. 121).
>
> « Après tout, il n'a jamais couché avec sa fille que je sache.
> Est-ce qu'on peut se punir pour un crime qu'on n'a pas commis ? [...]
>
> – Peut-être, si la faute est justement de ne pas avoir commis ce crime » (p. 187).

Ne pas avoir commis le crime. Donc, ne pas avoir été Œdipe. Ne pas avoir commis l'inceste. Ne pas avoir été coupable. Ne pas avoir été recherché comme coupable. Ne pas s'être construit dans une structure à suspense. Ne pas avoir considéré la symbiose comme possible. Donc, ne pas croire au consensus. Voilà la victime désignée. Elle est coupable de ne pas être comme les autres. Autrement dit, l'intrigue est ce qui réactive la croyance en la possibilité de l'inceste, d'où la demande de suspense. Des fragments d'intrigue sont bien là quand Alexandre évoque ses femmes. Cependant, il les quitte :

> Cet évanouissement de soi dans l'autre, ce sentiment, cette sensation d'unité originelle... (p. 37).
>
> Ai-je cherché auprès des femmes autre chose que cette impossible inversion du temps ? (p. 17).

Temps d'avant le stade du miroir où le bébé était partie intégrante du corps maternel. Temps d'avant la constitution du sujet et de l'accession au langage, à la capacité de produire des significations, de symboliser et de s'imaginer des identités par le conditionnel. (Regarde dans le miroir, ce n'est pas toi, c'est ton image, d'où la possibilité de se fictionnaliser : cet autre dans le miroir, ce serait moi.) Mais le stade du miroir, s'il est atteint, est pris dans le dualisme : d'où la quête incessante. Ce dualisme valorisant toujours un des pôles de l'opposition fait que l'on privilégie un élément censé correspondre à la vérité, à ce qui doit, canoniquement, être cru. Violence épistémologique profonde. Le dualisme débouche toujours sur un monisme. C'est bien pourquoi Alexandre, entre deux femmes, part chercher celle qui lui renverra son identité vraie : « Mais alors, si n'importe qui peut faire l'affaire, si l'autre n'est qu'un miroir, pourquoi suis-je partagé entre deux femmes ? Poser la question, comme toujours, c'est y répondre : parce que je ne sais pas encore laquelle me réfléchit le mieux » (p. 73).

Ainsi, Alexandre a situé ce stade du miroir dans le dualisme et la croyance à la possibilité de dire la vérité dans l'accord au sujet de la conception du signe et de ce que le système de signes, de significations et de communication pose comme son extérieur. Le double, comme double originaire sans origine derridien, lui échappe ainsi que la possibilité de se fictionnaliser dans le multiple, l'hétérogène, le plaisir, le jeu identitaire dans ce miroir qu'est l'écriture tentant constamment, chez Rivard, de poser par la marge, dans la marge (et non dans le canon), cet autre substitué à la mère, qui dirait non pas, en ce qui concerne l'image dans le miroir, *c'est toi* (signe comme signe d'autre chose allant jusqu'au fanatisme critiqué par Korzybsky (1933) du signe c'est la chose), mais *c'est ton image*. Cet autre montrerait qu'il s'agit d'un renversement menant au conditionnel : *ce serait toi*. Voilà qui permet d'assumer la fiction et les multiples identitaires dans le créatif.

L'intrigue, elle, correspond à la quête, à la projection de la croyance en l'adéquation stable. Ce n'est que dans l'écriture de la trace et de la différence que l'on échappe à la quête et à l'intrigue par le plaisir du fragment, de la parabole, antichambre du silence. En même temps, donc, dans *Les silences du corbeau,* comme chez Marcelle (1985), dans *La démolition,* ou chez Don (1986), dans *White Noise,* il y a évacuation de l'intrigue et notamment quand il y a des morts, des personnages « peut-être » assassinés par l'intermédiaire d'une bonne noyade. On les oublie. Le fragment domine dans ce pseudo-causal qui commence au conditionnel (voir l'incipit) tandis que la fin expose l'arbitraire de l'intensité fantasmatique d'une image d'Épinal. Pour écrire une intrigue, il faut ne pas comprendre que l'inceste est une impossibilité logique. Pour faire une analyse narrative, il faut que le métalangage colle à l'épistémè sous-jacente à la production de l'intrigue. Mais ces *Silences* ferment le bec aux métalangages en tant qu'ils sont pris dans une structure dualiste langage/métalangage, liés aux couples signe/référent, extérieur/intérieur, pour ouvrir à une certaine distance paradoxale celle de la dérive définie comme le *à la fois extrêmement concentré et présent* et le *à la fois absent*. Autrement dit, le zen se promène en filigrane aux alentours du référent comme vide, rien, point de fuite.

Fragments paraboliques et paradoxaux

> « L'ennui, c'est que tu manques naturellement de naturel » (p. 22).
>
> « Que peut le temps contre un homme nu qui médite seul, la nuit, face à la mer ? » (p. 12).
>
> « Que peut un homme nu, seul face à la mer, contre un corbeau qui refuse de se prêter à une méditation nocturne sur le temps ? » (p. 13).

Entre ces deux fragments, toutes les fonctions du monde narratif sont possibles, toutes les causalités. Comme chez Roussel (1963) dans *Comment j'ai écrit certains de mes livres,* pourrait dire Yvon Rivard, opposé à un de ses personnages soutenant que « la libre association, c'est dangereux » (p. 38). Avec quelques phrases et quelques images obsédantes, paraboles génératrices de mystère, il refuse le canon et ouvre à la trace dans un déplacement de miroir en miroir, se demandant « si c'est la bannière du temple qui flotte ou le vent qui se meut » (p. 134). Ce rappel de *Mort et naissance de Christophe Ulric* (« De l'arbre ou de l'espace lequel formule l'autre ? ») ouvre au rejet du dualisme, de l'origine, de l'originalité même, comme chez Magritte où la reproduction construit un EFFET d'originalité. Voilà qui évoque le signe derridien, double originaire sans origine, sans authentique, sans possibilité de se mettre d'accord sur l'origine à retrouver dans une utopie consensuelle quelconque à relent de processus victimaire (Girard, 1978).

L'incarnation n'aurait donc jamais de fin ou bien n'aurait pas de fin (au sens de finalité). Ainsi prévaut la métempsycose comme trame obsédante dans cet ouvrage se jouant du cri primal comme EFFET mère (éphémère). Seul cependant le silence importe à Alexandre, car il n'y a pas d'origine même si les corps sont les plus anciens traducteurs de la parole sacrée (p. 36). Voilà *Le Verbe s'est fait chair* qui fait retour. Mais ici, comme chez Derrida, le Verbe est ce point de fuite vide, ce rien construit dans les discours canoniques selon le paradigme intérieur/extérieur. Le Verbe dans ces canons est l'extérieur dont l'institution, par le pouvoir du savoir, comme disait Foucault (1980), affirme qu'il peut être dit. L'institution, pour garder son lieu privilégié, nie le discours comme discours pour l'enraciner dans l'infini dicible aux mains de ceux qui, intermédiaires privilégiés, prêtres, rois, clercs, etc., détiennent le savoir ou les moyens médiatiques de transmettre ce savoir au sujet de cet extérieur. Ainsi disparaît ce lieu vide, cet agora des dialogues entre égaux et en dehors de l'accord consensuel puisque ce qui est privilégié est toujours le plein, la symbiose avec le discours affirmant la vérité.

Il y a des corbeaux sur la blancheur du sable salé dont les silences frappent comme un satori. Changement d'épistémè, changement d'herméneutique aussi et de pédagogie. Comment lire un texte, le mettre en méthode, en tableaux, en graphes, le normaliser quand ces *Silences du corbeau* font écho au *Nom de la rose*, au *Pendule de Foucault* par les deux premières lettres du prénom de l'auteur : YVON–jod, he, waw, he : iahveh, IHVH, YHVH ? Angoisse du nom toujours déjà perdu !

Mais, évidemment, on peut toujours revenir en plein dualisme et la métempsycose tourne en psychose : « Autrement dit, les corps ne sont que des vêtements dont l'âme change quand bon lui semble » (p. 90). Jolie lecture prise dans l'épistémè dualiste et une métaphysique de la présence. Comme le souligne Benoit (1959) dans *The Supreme Doctrine,* telle est la lecture généralement faite, par l'ensemble de l'Occident, des philosophies orientales. Benoit montre que la structure syntaxique, sémantique même, des langues, avec ses catégories de déictiques, ne permet pas d'approcher le zen. Exemple : *J'ai perdu la conscience d'être séparé des choses*. Dire est éminemment contradictoire : « C'est un fait que seuls ceux qui rêvent ne savent pas que la vie est un songe » (p. 264). Voilà qui nous mène aux confusions du menteur propres à Épiménide le Crétois, ce qui remet en question le dualisme du mythe de la caverne toute « platonique » et la croyance au signe comme signe d'autre chose fondant l'opposition apparence/réalité. Mais quand il n'y a pas d'extérieur dicible, il n'y a plus de « réel », c'est-à-dire du discours qui génère du discours, des systèmes sémiotiques/symboliques engendrant des systèmes sémiotiques/symboliques dans une production de signification s'arrêtant au canon et à ses fondements épistémologiques.

Lecture, intertexte

> « L'univers est une corde abandonnée dans un champ qu'un passant dans la pénombre prend pour un serpent » (p. 181).

L'écriture est lecture et toutes deux sont constructions. La lecture construit des traces de textes comme chez Ferron dans *La nuit* (1965 : 11 (horloge et nuit)) ou chez Aquin (1966) dans *Prochain épisode*. De « Cuba coule en flammes au milieu du lac Léman » et de l'engagement politique au « Feu dans le lac » évoquant la quête identitaire épistémologique, à la fois à l'intérieur et à l'extérieur des univers occidentaux, occidentalisés et zen, se joue une visée vers la double exotopie comme dirait Todorov (1982). Ce dernier démontrait que la quête de la vérité (comme dans *Le nom de la rose* (Imbert, 1985)) et de Jérusalem avait mené à la conquête de l'Amérique. En intertexte, n'oublions pas la Bible (« Mère ne boit pas [de vin], dit Véronique, elle l'aurait changé en eau » (p. 228)) et surtout l'évocation de l'extérieur impossible à dire et quand même affirmé comme dicible par les discours canoniques et autres exégèses : « Tout ce qui n'est pas vécu devient irréel et Dieu sait que l'irréel met du temps à mourir » (p. 44). Discrète évocation de l'historique Mère et de Satprem, peut-être, mais surtout tentative de travailler le discours par le discours dans une trace de traces de discours qui foisonnent et rappellent entre autres :

> S'il y a un Dieu, on l'entendra (Ferron, 1965 : 22).
>
> Si personne ne parlait de Dieu, il n'existerait pas (Hébert, 1978 : 24).

L'énoncé de Ferron renverse le cliché et repose la question de la voix, du Verbe et de la dominance de l'écoute. Quant à Hébert, il s'engage, en un paradoxe, dans l'idée de Dieu comme EFFET de discours et construction canonique. Ainsi, on rejoint l'ironie de Rivard jouant du cliché « Dieu sait » et remettant en question l'irréel ou Dieu. Le canonique, présent chez Ferron, est ici embrayé sur le paradoxe de l'EFFET de discours qui est toujours une croyance en la possibilité de dire l'impossible, en une contradiction logique puisque la symbiose n'est pas plus possible avec l'extérieur, point de fuite du Verbe, qu'avec le jeu des corps et dans l'inceste. *Le Verbe s'est fait chair,* donc, et rencontre l'impossible logique que le sujet, après le stade du miroir, veut surmonter en une quête répétée où inceste et croyance au signe comme signe d'autre chose dérivant constamment vers le fanatisme du *signe c'est la chose* entraînent la construction d'intrigues, de suspense et la volonté de dévoiler le secret : « Je crains que nous faussions notre relation avec elle en définissant l'inconnu qui s'y joue » (p. 146). Mais l'inconnu qui s'y joue est celui du dualisme des paradigmes intérieur/extérieur car il n'y a pas de mystère dicible. Silence et vide. De secret point. Je poétise le *Tao Te Ching* (1972) et je travaille le zen. Mais, comme le souligne Rivard, on peut toujours lire dualistement. On peut toujours lire ce que l'on croit. C'est ce que suggèrent ces propos : « Je tente de lui expliquer qu'il m'arrive de penser sans doute un peu comme les Indiens, que la réalité n'est que le reflet d'une autre réalité plus vaste, immuable » (p. 121). Propos qui, hors contexte (mais n'est-on pas toujours hors contexte ?), veulent dire l'opposé (ou ont des significations différentes), soulignent que le stable s'effiloche dans une dérive évoquant un interculturel en mouvance : « Si tu reviens, sache que je ne serai plus jamais la même » (p. 222). La lecture est bien l'accumulation de CE N'EST JAMAIS ÇA. Saisie et symbiose sont une impossible logique. Il reste marges, hétérogènes, écritures explorant les bords du vide, du rien, de l'EFFET. Rien à voir avec « certains bons vieux freudiens » (p. 168) qui croient que l'inconscient répète la leçon du maître. Les significations sont toujours déjà déplacées. Il n'y a pas d'ailleurs d'origine mais apparition/disparition en un sens satori, ce rien du rien.

La lecture est construction et fonctionne au mieux dans un plaisir du texte barthésien qui pousse à continuer la production de significations par l'entremise de codes divers, peinture, écriture, danse, etc. « Peur du plaisir dépouillé de toute glose affective », dit Alexandre (p. 48), dans une phrase d'une profondeur vertigineuse quand on mesure l'horreur de la répression de celui-ci dans le monde (Imbert, 1990). C'est ce que soulignait Foucault en montrant que la meilleure manière de contrer plaisir et sexualité est d'obliger le sujet à parler, de parler la sexualité. Vider son sac à vie par incapacité de jouir comme dans le cas de Marie Bonaparte ! Il en est de même pour la lecture qui est enserrée dans les gloses strictes des anthologies et des manuels de littérature à organisation historico-biographique. Il s'agit toujours d'autre chose, alors qu'il serait tellement agréable de s'attarder, de dériver de métaphores en paradoxes, en ironies, en analogies. Mais, en fait, toute écriture est fictive et en particulier l'écriture historique liée au pouvoir des états gommant les victimes ou parlant en leur nom (Girard, 1978).

CONCLUSION

Il est toujours possible, pourtant, de produire des significations ; il suffit de savoir que l'on a non seulement le droit de lire, mais aussi le droit d'écrire dans les marges, de ne pas respecter le livre ou le gloseur : « Si on leur avait dit qu'ils avaient le droit d'écrire dans la marge, ils auraient été aussi étonnés que d'entendre dire qu'il faut maintenant à la fois être et ne pas être » (p. 77). L'intertexte déplace la position de lecteur, de critique où sont situés tous ces disciples par rapport à Mère. Ce livre réécrivant, à sa manière, l'interdiction de lire la Bible problématise l'histoire de l'herméneutique et sa canonisation dans le contexte laïque du roman. C'est dire que la marge est le lieu même de la subversion du canon et de l'exégèse effaçant l'image dans le miroir et le stade du miroir car, en imposant le consensus, ils remplissent le vide et se substituent, d'une part, au point de fuite qu'est la vérité et, d'autre part, à celui qui est rêvé comme regardant et re-connaissant. C'est dire que la marge, occultée au Moyen Âge (qui obsède Rivard dans ses deux précédents romans) par le canon romain se substituant à Dieu comme point de fuite absent/présent (« être et ne pas être », dit Rivard), mais mise en valeur à la Renaissance chez Montaigne, Pic de la Mirandole ou Thomas More, est ce lieu où, premièrement, se construit l'individu non morcelé par rapport au fragment-miroir scripturaire et où, deuxièmement, se pose celui qui est rêvé comme regardant (ayant remplacé Dieu, la mère, etc.). Ce pourrait être par exemple des *Happy few* utopistes sinon utopiques.

Les silences du corbeau construisent les marges qui, comme chez les penseurs de la Renaissance, appellent à la subversion du canon et en particulier des rouages de l'institution critique et enseignante dont les membres n'utilisent plus leur savoir, la plupart du temps, que pour s'entrelire : « I began this essay by arguing that modern criticism was born of a struggle against the absolutist state. It has ended up, in effect, as a handful of individuals reviewing each other's books » (Eagleton, 1984 : 107). N'oublions pas que l'interdit est passé au niveau systémique, celui de la mainmise des multinationales sur la diffusion. Si le roman *Les silences du corbeau* avait été publié chez Bompiani, l'éditeur d'Eco, il aurait été traduit, vendu peut-être à des millions d'exemplaires et ne serait probablement pas l'objet d'une communication savante. Car comment conjuguer circuits internationaux ancrés dans les jeux les plus paradoxaux (*Les silences du corbeau, Le pendule de Foucault* d'Eco (1990)), la documentation la plus poussée et les remises en question épistémiques, avec des méthodes critiques partiales ou insuffisantes devant l'enjeu de ce type de « *top-seller* marginal » où le bouche à oreille de la marge échappe au canon et passe par les réseaux multinationaux.

« Bref, il suffit que je m'engage dans une voie pour qu'une autre me sollicite » (p. 76). Le sens à trouver est un EFFET de discours posant le sens comme antécédent alors qu'il surgit dans l'instant, dans une apparition/disparition. « Rien n'aura eu lieu que le lieu », disent Derrida (1967 : 257) et Paz (1972 : 124). Rivard ajoute : « Cette idée, si absurde soit-elle, m'a réconforté : oui, il était possible que chaque instant contienne toute la vie, que la vie soit un seul instant sans commencement ni fin » (p. 124).

Même si on *m'édite* au bord de la mer, on n'atteint jamais la rive, mais, de dérive en dérive, on finit par explorer la portée de son nom : RIVARD. L'avoir lieu est cet instant, ce battement d'un corps, et le lieu est un espace symbolique : les deux rejoignent à la fois *Les silences du corbeau*, écriture en prise sur le zen (« Qu'est-ce que Bouddha ? Réponse : « J'aime beaucoup le potage » » (p. 234)), et cette phrase de l'ouvrage intitulé *Silence,* de John Cage : « I have nothing to say and I am saying it » (1973 : 51). Au lecteur de décider si « nothing » devrait être en italique !

BIBLIOGRAPHIE

AQUIN, Hubert (1966), *Prochain épisode,* Montréal, Le Cercle du livre de France.

AUSTIN, J.-L. (1962), *How to Do Things with Words,* Cambridge, Harvard University Press.

BENOIT, Hubert (1959), *The Supreme Doctrine,* New York, Viking.

BENVENISTE, Émile (1966), *Problèmes de linguistique générale,* Paris, Gallimard.

BERNSTEIN, Basil (1971), *Class, Codes and Control,* Londres, Routledge and Kegan Paul, 3 vol.

BREMOND, Claude (1982), « Sémiotique d'un conte mauricien de C. Legaré », *RS/SI,* vol. II, n° 4, p. 405-423.

CAGE, John (1973), *Silence,* Middletown, Wesleyan University Press.

DERRIDA, Jacques (1967), *De la grammatologie,* Paris, Éditions de Minuit.

DON, Delillo (1986), *White Noise,* Toronto, Penguin.

EAGLETON, Terry (1984), *The Function of Criticism,* Londres, Verso.

ECO, Umberto (1982), *Le nom de la rose,* Paris, Grasset. (Coll. Livre de poche.)

ECO, Umberto (1990), *Le pendule de Foucault,* Paris, Grasset.

FERRON, Jacques (1965), *La nuit,* Montréal, Parti-Pris.

FOUCAULT, Michel (1980), *Power Knowledge,* New York, Pantheon.

FREUD, Sigmund (1938), *The Basic Writings of Sigmund Freud,* New York, Modern Library.

GIRARD, René (1978), *Des choses cachées depuis la fondation du monde,* Paris, Grasset.

GREIMAS, Algirdas Julien (1966), *Sémantique structurale,* Paris, Larousse.

GRIVEL, Charles (1973), *Production de l'intérêt romanesque,* La Haye, Mouton.

HÉBERT, François (1978), *Holyoke,* Montréal, Quinze.

HENDRICKS, W. O. (1973), « Methodology of Narrative Structural Analysis », *Semiotica,* vol. VII, n° 2, p. 163-183.

IMBERT, Patrick (1985), *Dall « intreccio » semiotico alla « suspense » della semantica, Saggi su « Il nome della rosa »,* Milan, Bompiani.

IMBERT, Patrick (1990), « Sexualité et dualisme dans la société libérale occidentale contemporaine », *Carrefour,* vol. XII, n° 1, p. 176-209.

KORZYBSKY, Alfred (1933), *Science and Sanity,* New York, The International Non-Aristotelian Publishing Company.

LACAN, Jacques (1966), *Écrits,* Paris, Éditions du Seuil.

LEGARÉ, Clément (1984), « Réponse à Claude Bremond », *RS/SI,* vol. IV, n° 2, p. 202-215.

MARCELLE, Pierre (1985), *La démolition,* Paris, Denoël.

PAVEL, Thomas (1986), « L'avenir de la sémio-linguistique », *Revue canadienne de littérature comparée,* vol. XIII, n° 4, p. 618-635.

PAZ, Octavio (1972), *Le singe grammairien,* Paris, Flammarion.

RIVARD, Yvon (1976), *Mort et naissance de Christophe Ulric,* Montréal, La Presse.

RIVARD, Yvon (1979), *L'ombre et le double,* Montréal, Stanké.

RIVARD, Yvon (1986), *Les silences du corbeau,* Montréal, Boréal.

ROUSSEL, Raymond (1963), *Comment j'ai écrit certains de mes livres,* Paris, UGE. (Coll. 10/18.)

SAUSSURE, Ferdinand DE (1968), *Cours de linguistique générale,* Paris, Payot.

Tao Te Ching (1972), New York, Vintage.

TODOROV, Tzvetan (1982), *La conquête de l'Amérique,* Paris, Éditions du Seuil.

Des *Mille et une nuits* au *Vieux Chagrin*

Louise MILOT
CRELIQ, Université Laval

Fernand ROY
CRELIQ, Université du Québec à Chicoutimi

PRÉLIMINAIRES

Notre objectif général sera de présenter, en termes sémiotiques, une problématique que notre équipe de recherche élabore au CRELIQ de l'Université Laval, depuis quelques années déjà, autour de l'*Inscription des figures de l'écrit dans le roman québécois de 1837 à 1960*[1]. Le fait de l'illustrer aujourd'hui à partir d'un roman contemporain qui s'écarte de notre corpus habituel – *Le vieux Chagrin* de Jacques Poulin (1989)[2] – tient, bien sûr, aux exigences du présent ouvrage, mais fournit en même temps l'occasion de dissiper certaines ambiguïtés, celle, notamment, de la distinction que nous proposons d'établir entre *figures de l'écrit* et *intertextualité.* L'expérience nous a appris que notre problématique est souvent associée spontanément par nos interlocuteurs – des spécialistes en théorie littéraire, généralement – soit à l'actualisation d'une thématique de l'écrivain et de l'écriture, soit à une valorisation du phénomène de l'intertextualité. Le choix du *Vieux Chagrin* pourrait d'ailleurs tendre à leur donner encore une fois raison : ce roman est justement centré sur un personnage d'écrivain ; et nous proposons précisément d'en faire démarrer l'analyse par la figure des *Mille et une nuits*. Dans notre esprit

---

1. Le premier séminaire sur la question a eu lieu en 1987 ; la recherche est actuellement subventionnée par le Conseil de recherches en sciences humaines du Canada et par le Fonds pour la formation de chercheurs et l'aide à la recherche.

2. Pour une bibliographie concernant *Le vieux Chagrin,* se reporter à l'article de Janet M. Paterson dans le présent ouvrage.

pourtant, aborder un texte par l'examen de la fonction structurante des figures de l'écrit renvoie à une méthodologie générale qui ne se ramène ni à l'autoreprésentation, ni à l'intertextualité, mais qui veut remettre en question dans son ensemble la théorie de la littérarité[3].

Pour bien situer cette perspective, nous ferons un détour par une problématique différente de la nôtre, quoiqu'elle présente avec elle une homologie formelle : il s'agit du développement récent de la sémiotique des passions, posée théoriquement dès la fin des années soixante-dix[4], mais dont la prise en considération plus constante par les praticiens remonte au milieu des années quatre-vingt[5].

La théorie sémiotique tend aujourd'hui à reconnaître la nécessité de poser, à côté d'une sémiotique de l'action, déjà très développée, et peut-être même antérieurement à celle-ci, une sémiotique des passions ; devant la proposition bien connue et selon laquelle le récit est centré sur la quête de l'*objet* cherche à s'imposer une proposition complémentaire préoccupée de capter ce que Greimas et Fontanille (1991) appellent, dans leur ouvrage récent, les « états d'âme » du *sujet.* À côté d'une sémiotique du *discontinu,* dont la clé de voûte est le processus de transformation, cette sémiotique du *continu* veut être attentive aux phénomènes d'aspect et de tensivité. Les défenseurs de cette sémiotique de deuxième génération croient même possible d'en envisager le déploiement aux trois paliers du parcours génératif de la signification. La pulsion profonde d'un mouvement d'attraction/répulsion, la *thymie,* se répercuterait au niveau intermédiaire par la présence dans tout discours, à côté de la dimension pragmatique et de la dimension cognitive, d'une (troisième) dimension *thymique,* que le niveau superficiel du discours, le seul qui soit immédiatement perceptible en fait, manifesterait sous forme de *configurations passionnelles* apparaissant dans les textes à travers des acteurs jaloux, nostalgiques, indifférents, colériques, amoureux, et quoi

---

3. On fera le lien avec l'ouvrage de Milot et Roy (1991a) : il s'agit des actes d'un colloque international sur la question organisé par le CRELIQ en novembre 1989.
4. Nous parlons de la théorie sémiotique élaborée autour de la personne et des travaux de Greimas, et dont l'ouvrage de Greimas et Courtés (1979 et 1986) rassemble les concepts essentiels.
5. Signalons, parmi de très nombreuses publications : un Bulletin des *Actes sémiotiques* (vol. IX, n° 39), paru sous la direction de D. Bertrand, en 1986 ; un numéro spécial de la revue *Versus* (47/48) sous la direction de P. Fabbri, en 1987 ; ainsi que Greimas et Fontanille (1991).

encore (Fontanille, 1984 : 9). La théorie sémiotique semble ainsi en mesure d'englober un aspect sûrement négligé par ses travaux jusqu'à ce jour, et sur lequel les excès de la critique traditionnelle avaient fini par jeter le discrédit : le champ de ce que l'on appelait jadis la « psychologie des personnages ». Notre propos n'est pas ici de juger de la pertinence ou non, voire de la rentabilité, de cette ouverture méthodologique, mais de faire remarquer qu'à supposer, comme il semble, qu'il s'agisse là d'une avancée intéressante pour la science des textes, elle n'aura pas tant résulté du fait de trouver de nouvelles et de meilleures réponses à d'anciennes questions que du fait de déplacer, renouvelant les réponses du même coup, les questions elles-mêmes. En traitant désormais des passions dans les textes non comme de passions *réelles,* mais comme d'éléments à sémiotiser de la même manière que l'ensemble des autres éléments d'un discours, et en rapport avec ceux-ci, on peut dire que la sémiotique des passions, si tant est qu'elle vienne à rendre méconnaissable l'ancienne *psychologie des personnages,* amènera avant tout – et c'est là, à notre avis, un gain réel – à mettre en perspective et, jusqu'à un certain point, à redéfinir la sémiotique de l'action.

Notre préoccupation pour la nature *littéraire* du texte voudrait participer d'une démarche analogue, dont l'objectif serait non pas d'invalider des façons passées de cerner la littérarité, mais de suggérer de voir la question autrement, compte tenu du caractère indispensable et opératoire, sur le plan sémiotique, d'une distinction des niveaux de saisie. La pertinence sémiotique d'un questionnement sur la littérarité, comme celle d'un questionnement sur les passions, appelle le cadre d'une théorie générale de la signification.

La littérarité

On sait – et nous n'insisterons pas davantage – que les recherches sur la littérarité ont achoppé et se sont trouvées comme invalidées à partir du constat selon lequel divers *procédés* mis en lumière par les formalistes comme spécifiques du texte littéraire n'étaient pas propres à ces textes mêmes : Todorov (1978) a commenté à sa façon cet échec, et nombreux sont ceux qui ont alors pensé que la discussion était close. Avec le recul des années, on peut croire que si la désautomatisation par la métaphore, par exemple, n'est pas, en effet, radicalement différente dans la *Recherche du temps perdu,* dans un mot d'esprit ou dans un slogan publicitaire, et s'il s'est agi là pour certains d'un handicap déterminant pour la poursuite des recherches sur la spécificité du littéraire, le défi théorique à relever actuellement ne mène plus à poser ce genre de question, étant entendu qu'un espace exclusivement rhétorique – ou à la rigueur stylistique et même linguistique – est devenu de toute évidence trop étroit pour l'analyse du discours.

Dire que seule une théorie de la signification peut encadrer l'analyse du discours littéraire, c'est proposer qu'une image aussi spectaculaire que celle de la *germination,* aux dernières pages de *Germinal,* a moins d'intérêt comme procédé rhétorique que dans la mesure où elle finit par tenir lieu de dépassement d'une structure spatiale – la verticalité contre l'horizontalité, pour aller au plus court – qui demeurait jusque-là contradictoire (Bertrand, 1985 : 112). Au-delà du ballottement des mineurs entre la profondeur à laquelle ils sont consignés, et qu'ils voudraient détruire, et la surface qu'ils convoitent mais qui leur reste, même au terme de leur grève, plus que jamais inaccessible, l'image finale du surgissement de ces mêmes acteurs à travers l'herbe de la plaine reprend l'opposition tout en la déplaçant, l'axe vertical traversant désormais la surface en direction du ciel. Ayant mis au jour le support spatial de l'organisation d'ensemble du roman de Zola, Denis Bertrand, à qui nous empruntons une analyse trop rapidement évoquée ici, démontre que, malgré son passage inévitable par des procédés rhétoriques, le processus sémiotique se joue « en fonction des relations situationnelles de positionnement » (1985 : 165-166).

Voilà qui illustre, à notre avis – et nous ne nous éloignons qu'en apparence de notre sujet –, combien il est illusoire de prétendre cerner la *textualité* et, dans le cas du texte littéraire, la *littérarité,* dans des fonctionnements singuliers, quel que soit par ailleurs l'intérêt ponctuel fascinant de plusieurs d'entre eux, qu'il s'agisse des figures de rhétorique, de l'autoreprésentation, de la mise en abyme, ou de l'intertextualité, que nous retenons plus particulièrement aujourd'hui. Le discours proprement *littéraire* tient plutôt à un *projet énonciatif global,* ce qui revient à dire qu'il ne peut être recherché que dans une structuration abstraite : non pas dans le discours des sujets discursifs ou narratifs repérables ici et là dans l'énoncé donc, mais bien dans celui d'un sujet d'énonciation construit, « dont l'analyse a pour tâche de tracer le profil » (Bertrand, 1985 : 177) en le reconstruisant. Cela étant dit, la question, néanmoins, demeure de déceler la nature du projet proprement *littéraire* de ce sujet d'énonciation, pour arriver à le définir.

Les figures de l'écrit

Sans nier le caractère historique de la littérature et sans faire de la littérarité une qualité éternelle de certains textes, notre hypothèse est que, dans nos sociétés d'écriture, un texte est *littéraire* – que les institutions de son époque le reconnaissent ou non comme tel – quand le rôle de destinateur y est tenu, du début à la fin du texte, par des figures intratextuelles d'écriture. C'est dans la foulée d'un tel postulat, et sans toujours en expliciter l'arrière-plan comme nous le faisons ici, que nous avons suggéré, depuis quelques années, de faire des figures de l'écrit d'un texte dit littéraire des lieux d'interrogation et d'analyse privilégiés, et du système de ces figures le lieu de pertinence et de mise en perspective de ce qu'il est convenu d'appeler son « anecdote ».

Reconnaître au texte littéraire une certaine *gratuité,* un certain autotélisme eu égard à la situation de communication normale, comme certains textes contemporains et certaines théories contemporaines du texte nous ont de toute façon obligés, parfois même violemment, à le faire[6], revient à admettre que le contrat d'énonciation de ce type de texte est à décoder comme interaction verbale fictive, en d'autres mots comme simulacre. Dans une interaction verbale régulière, la mise commune sans laquelle il n'y a pas de communication, et, partant, pas de signification, est entérinée par le récepteur réel ; ainsi, il y a signification quand la personne que j'invite à entrer ouvre la porte et entre. Dans un texte littéraire, nous proposons de voir que le rôle de cet interlocuteur est assumé grâce à une surmodalisation de l'anecdote par des écrits seconds. Pas étonnant, de ce point de vue, que des théories du texte aient cru et croient encore trouver une panacée méthodologique dans des phénomènes comme ceux de la mise en abyme, de l'autoreprésentation ou encore de l'intertextualité, car il y avait certes là comme la pointe de l'iceberg. Mais la littérarité n'est pas dans le seul fait de la répétition, dans le procédé, dans la métaphore qui constitue une re-prise toujours un peu différente. Elle n'est pas non plus dans le seul fait que les écrits seconds d'un texte constituent linéairement un éventuel contexte de référence ; elle tient à la mise en place syntagmatique, par le moyen de ces écrits seconds, d'une réponse fictive à une tension initiale vers la verbalisation. Aussi dirons-nous que même si on peut voir dans un texte littéraire plusieurs effets de sens – ce qui est un truisme – ceux-ci doivent être distingués de ses enjeux sémiotiques, que nous désignerons comme un projet global d'énonciation *écrite,* qui fait que si la situation finale constitue bien une transformation de la situation initiale, l'actualisation de l'énoncé concerne avant tout et en définitive ce qu'il convient d'appeler la « mise en œuvre » d'une structure de signification, d'une

6. Pensons, par exemple, à l'œuvre romanesque de Claude Simon et à l'œuvre théorique de Jean Ricardou.

écriture. On peut se demander pourquoi une telle façon de voir les choses, évidente dans le cas de l'œuvre musicale ou de l'œuvre picturale, est si difficile à faire avaliser dans le cas de l'œuvre littéraire.

Ainsi, du fait de sa littérarité, un texte est en un sens *ouvert* et en un autre sens il est *fermé. Ouvert,* en ce que la structure de signification produite, d'être relue par des lecteurs différents, se verra jusqu'à un certain point accorder plus d'importance sur une isotopie que sur une autre – ce qu'autorise par définition le procédé de la métaphore ; mais *fermé,* en ce que l'on aura beau faire, on ne pourra jamais résoudre la question de l'indifférence de Meursault sans prendre en considération le fait que l'absurde condamnation finale est une reprise du meurtre de l'Arabe. Or ce récit est justement surdéterminé par deux écrits qui constituent le héros, dans un premier temps, en scripteur et, dans un deuxième temps, en lecteur. L'histoire qui aboutit au meurtre s'enclenche par une lettre écrite à la légère par Meursault pour tendre un piège à une femme qui a prétendument trompé un homme ; et le meurtre même est également un *malentendu* puisque Meursault, voulant se protéger du soleil, a posé un geste qui a été lu comme une provocation. Le même schéma est repris dans le *malentendu* familial du fait divers lu dans la cellule, puis dans le *malentendu* final de la condamnation du héros pour manque de piété filiale. La différence entre les deux parties par ailleurs très semblables réside alors dans l'apparente gratuité de la lecture du fait divers par rapport aux lourdes conséquences qu'aura eues l'écriture de la lettre. Au-delà de la déception ou du plaisir que peut produire la lecture d'un roman comme *L'étranger,* au-delà aussi de la reconnaissance dans ce roman de systèmes sociolinguistiques, philosophiques ou idéologiques, qui, soit dit en passant, pourraient se retrouver ailleurs, c'est-à-dire dans des textes non littéraires, ce qui en est proprement littéraire se ramène à ce que la constitution du sujet advient, finalement, de la *lecture* de sa propre *écriture.* Littérairement, Meursault vient occuper fictivement, par un jeu de métaphorisation, le pôle de destinataire de la lettre qu'il avait écrite. Et cette lecture crée la mise commune qui permet de lier, en un unique fait de langage, les deux parties du texte.

Ces quelques considérations et exemples voulaient situer et définir notre hypothèse. Concrètement, le travail pratique consiste, au moyen d'outils sémiotiques assez classiques, à repérer les figures de l'écrit que nous disons « inscrites » dans le roman, c'est-à-dire dont l'occurrence se double – comme c'était le cas des quelques figures convoquées par l'exemple de *L'étranger* – de ce qu'elles font l'objet ou d'un commentaire, ou d'une reprise, ou d'une répercussion dans une figure homologue. Le déploiement programmatique de ces figures est ensuite mis en rapport avec l'organisation narrative du texte.

C'est en ce sens que nous ferons une lecture du *Vieux Chagrin*. La figure de l'album des *Mille et une nuits,* qui nous servira de point de départ, est la première figure de l'écrit du roman. Cette situation privilégiée, jointe à la récurrence de la figure jusqu'à la fin du texte, permet de combiner, croyons-nous, une économie de moyens et une représentabilité raisonnable de l'organisation interne du texte.

Le vieux Chagrin : entre « Marika » et « la Petite »...

Le vieux Chagrin de Jacques Poulin est tout autant l'histoire d'un roman d'amour qui tourne à la tendresse que l'histoire de l'adoption d'une adolescente orpheline par un écrivain solitaire et vieillissant. L'intrigue est plutôt mince, qui va, pour l'écrivain, du rappel du déplacement de la maison paternelle d'une rive à l'autre du Saint-Laurent à la décision, pour l'adolescente appelée « la Petite », de ne pas déménager chez ses véritables parents, même si elle les a retrouvés. D'entrée de jeu, le narrateur « je » découvre sur le sable, sur la grève, des traces de pas « exactement à [s]a taille » (p. 9)[7] ; et ces pas dérangeants le mènent à une caverne familière où il trouve un livre, *Les contes des mille et une nuits,* auquel il n'ose pas toucher. Après deux jours passés sans être capable d'écrire un seul mot, il retourne à la caverne et, tout en ayant le sentiment d'être indiscret, voit « sur la page de garde [du livre] inscrit à l'encre bleue un prénom et une initiale : Marie K. » ; ce qui donne immédiatement, « dans [s]a tête et dans [s]on cœur », « Marika » (p. 14). Au troisième chapitre, après avoir précisé qu'il était en train d'écrire « une histoire d'amour », mais qu'il « n'arriv[e] pas à bien voir le personnage féminin » (p. 15), le narrateur écrit un mot de bienvenue à « Marika », où il avoue que, du moment qu'elle est là, « il [lui] semble que tout est possible, même les rêves les plus fous » (p. 15). Les trente autres petits chapitres du roman sont presque à déguster un à un, comme chacun des contes des *Mille et une nuits*. L'approche de la fin du récit sera implicitement annoncée quand le narrateur découvrira, dans ses nombreuses tentatives pour rencontrer Marika, que celle-ci en est déjà rendue à l'histoire d'Ali Baba, presque à la fin des *Contes*. Le problème est que Marika va disparaître comme lectrice sans jamais avoir rien lu des messages du narrateur. Ce sera la Petite qui, en exigeant que son adoption soit consignée par écrit, bouclera la boucle. La rédaction

7. Les pages indiquées entre parenthèses renvoient à Poulin (1989).

de l'acte d'adoption est la dernière figure de l'écrit du roman : elle sanctionne le déplacement de l'histoire d'amour vers une histoire d'amitié.

À choisir, la Petite, même si elle vient de retrouver ses parents, préfère donc rester avec le narrateur et ses chats ; et parce qu'il ne voit pas comment il pourrait refuser, celui-ci accepte l'idée « d'une voix aussi résolue que possible » (p. 155). Il monte alors au grenier, là où il écrit quotidiennement ; et la scène finale du roman, une scène d'écriture dans le lieu de l'écrivain, renvoie évidemment au livre trouvé au départ, et plus précisément à la découverte, en tête de celui-ci, du prénom et de l'initiale « K. ». Il vaut de citer :

> Je cherchai une formule spéciale [...] mais je ne trouvai rien de satisfaisant, alors je me contentai d'écrire CHÈRE PETITE JE T'ADOPTE sur une feuille, et au bas j'écrivis le lieu, la date et ma signature. La Petite lisait par-dessus mon épaule (p. 156).

Il nous semble utile d'insister un peu : le livre des *Mille et une nuits* avait été posé comme destinateur, et le narrateur avait été manipulé par une écriture à l'encre bleue qu'il avait imaginée apte à lui permettre de mener à terme l'histoire d'amour de son roman ; par l'actualisation d'une lectrice imprévue, l'acte d'adoption final est bien l'écrit qui vient marquer la fin de la quête. La présence effective de la Petite lisant par-dessus l'épaule du narrateur sauve la mise. En descendant ensuite déposer l'acte d'adoption dans le « coffre aux ferrures dorées » (p. 156), la nouvelle lectrice lui accorde symboliquement valeur d'acte de langage : elle le rend à l'univers merveilleux des *Mille et une nuits*.

On retiendra deux points. Tout d'abord, les noms des deux lectrices sont donnés comme n'en étant pas des vrais ; comme ce n'est pas le cas pour le narrateur, cela indique bien la nature fictive de l'éventuel passage. Il faut voir aussi que l'image initiale du déménagement de la maison paternelle, « parce que [le père] voulait avoir la paix » (p. 10), se déploie sur l'ensemble du roman, dans le déménagement d'une première signature, « Marie K. », de la page de garde des *Contes,* à une seconde, celle du narrateur, au bas de la feuille consignant l'adoption. Cette fois, le fleuve traversé par le texte, pour que soient retrouvées la paix et l'écriture, est celui de la sexualité. La lecture initiale du narrateur avait en effet produit, à partir d'une identité familiale tronquée, et en fonction d'un scénario amoureux, le personnage imaginaire de Marika ; et son écriture finale vient donner une identité familiale complète au personnage, bien réel dans l'histoire, de la Petite. On doit pourtant ne pas perdre de vue qu'entre la rive de l'écriture en bleu de Marie K. et la rive de la lecture silencieuse de la Petite, les deux actes du narrateur ne seront jamais qu'un simulacre d'interaction verbale.

Cela étant, les amateurs d'intertextualité que nous sommes tous en tant que littéraires patentés pourraient pousser plus loin, par exemple jusqu'à rechercher la raison d'être du titre du sixième chapitre : « L'écrivain le plus lent du Québec ». Alors que les histoires des *Mille et une nuits* débutent après un rapide mais violent prologue, quand *Le vieux Chagrin* se termine, le prologue, soit le pacte entre celui qui fait profession de raconter et celle dont il suspendra le « vieux chagrin », vient tout juste d'être signé. L'écrivain a mis bien du temps à terminer le déménagement de la maison familiale et à accepter de se faire Schéhérazade d'écriture. Il aura fallu que son narrateur se trouve une petite sœur faite sur mesure à qui raconter ; et de la sorte, à la place d'une déception amoureuse du sultan, qui risquait de faire coïncider le lever du jour et la mise à mort, le besoin de tendresse permettra d'éviter que la tombée de la nuit ne dégénère en ce qui ne serait pour la Petite qu'une répétition de sa violente histoire d'amour. Mais une telle chaîne est théoriquement sans fin : et si elle relève certes de la culture littéraire du lecteur, elle concerne moins la littérarité que ce que nous serions tentés d'appeler une « étymologie des textes littéraires ».

... comme une imaginaire longue phrase

Un exemple n'est pas une démonstration ; aussi convoquerons-nous à l'appui la figure de l'écrit qui, à notre avis, supporte littéralement le processus de déplacement d'écriture que nous venons de mettre en évidence : soit une citation de Paul Hazard au sujet des *Mille et une nuits*. Nous l'empruntons au chapitre central, le seizième, qui assure la division du récit en deux temps bien précis, mimant ainsi les deux temps de l'interaction fictive entre le narrateur-lecteur qui imagine le personnage de Marika et le narrateur-scripteur qui assure l'identité de la Petite. Le chapitre en question est tout entier articulé en fonction d'une division que la citation de Paul Hazard ne fait qu'exacerber.

Partons du début, qui dévoile que la division peut être un truc d'écriture :

> La première chose que je faisais, quand je montais au grenier le matin à neuf heures, c'était de relire la page écrite la veille. Comme je m'étais volontairement arrêté au milieu d'une phrase déjà toute construite dans ma tête (un truc appris du vieux Hemingway), cette relecture me donnait l'élan nécessaire pour commencer tout de suite la page suivante (p. 61).

Le truc est en soi moins étonnant que ce qui est concurremment dit de la disposition sur le papier de la phrase laissée en plan. Détail à tout le moins curieux en effet, la phrase interrompue coïncide avec la fin d'une page et, partant, sa suite est le début de la page suivante. L'image ainsi suggérée confine à se faire l'idée d'une division artificielle en deux pages ou parties complémentaires d'une même phrase dont la fin a en somme été remise à un autre temps et à un autre espace.

Le narrateur révèle ensuite que, phénomène étrange, il a de plus en plus l'impression qu'entre deux séances d'écriture de son roman, quelqu'un vient écrire à sa place, pendant son sommeil. Cette « perte de maîtrise » fait qu'il s'éloigne de son but, les relations entre ses personnages tournant à l'amitié. Pour éviter les pires ennuis, les séances d'écriture sont interrompues pour quelques jours (p. 63). L'oisiveté aidant, voilà que l'esprit du narrateur vole à nouveau vers celle qui habite sa caverne. Sous prétexte de lui offrir un cadeau, il y portera un texte de Paul Hazard sur les *Mille et une nuits,* qu'il relit avant de quitter parce que, est-il précisé, il en aime « les mots et la ponctuation » (p. 65). Ainsi, après s'être ouvert sur le rappel d'un truc d'écriture appris d'Hemingway, le chapitre se termine sur la lecture *in extenso* d'une phrase de Paul Hazard.

Cette longue phrase[8] est divisée en son milieu par un deux-points. Avant ce premier deux-points, les propositions sont introduites par des « quand » ; après, elles le sont par des « alors » ; la conclusion, qui suit un second deux-points, vient simplement tirer la consé-

---

8. « *Quand* Schéhérazade commença ses récits nocturnes et se mit à déployer, infatigable, les ressources infinies de son imagination, nourrie de tous les songes de l'Arabie, de la Syrie, de l'immense Levant ; *quand* elle peignit les mœurs et les coutumes des Orientaux, les cérémonies de leur religion, leurs habitudes domestiques, toute une vie éclatante et bigarrée ; *quand* elle indiqua comment l'on pouvait retenir et captiver les hommes, non par de savantes déductions d'idées, non par des raisonnements, mais par l'éclat des couleurs et par le prestige des fables : *alors* toute l'Europe fut avide de l'entendre ; *alors* les sultanes, les vizirs, les derviches, les médecins grecs, les esclaves noirs, remplacèrent la fée Carabosse et la fée Aurore ; *alors* les architectures légères et capricieuses, les jets d'eau, les bassins gardés par des lions d'or massif, les vastes salles tapissées de soieries ou d'étoffes de La Mecque, remplacèrent les palais où la Bête attendait que la Belle s'éveillât à l'amour ; *alors* une mode succéda à une autre : *mais ce qui ne changea pas, ce fut l'exigence humaine, qui veut des contes après des contes, des rêves après des rêves, éternellement* » (p. 65-66 ; l'italique est de nous).

quence de ce que les « alors » ont simplement succédé aux « quand ». Voilà pour la ponctuation. Venons-en maintenant au contenu des mots que le narrateur dit aimer aussi, nous le résumerons de la façon suivante :

1) quand, par les possibles de son imagination nourrie des songes de sa culture, Schéhérazade a montré que l'on pouvait captiver les hommes par le prestige des fables ;

2) alors, en Europe, une mode orientale succéda à une autre, remplaçant la fée Carabosse et les palais où la Bête attendait que la Belle s'éveillât à l'amour ;

3) « mais ce qui ne changea pas, ce fut l'exigence humaine, qui veut des contes après des contes » (p. 66).

Prenant comme contexte la figure qui ouvre le roman – ce que nous incite tout de même à faire le narrateur, étant entendu que notre lecture tient à sa re-lecture –, nous nous croyons autorisés à décoder comme suit : si Schéhérazade a fait évoluer la mode et le goût des lecteurs européens, tout en maintenant la nécessité même des fables, alors le narrateur ne serait-il pas justifié de réadapter ses rêves d'écriture à son environnement immédiat, en remplaçant Marika par la Petite ?

On voit donc que la longue phrase de Paul Hazard réactualise le truc d'écriture emprunté à Hemingway mais devenu problématique pour le narrateur. Elle lui procure la possibilité d'une reprise du travail d'écriture. Pas étonnant dès lors qu'il change de tactique après le seizième chapitre. Au lieu, comme il le faisait depuis le début, de laisser de multiples messages à Marika, et dans les endroits les plus insolites, il fabrique une boîte aux lettres, indiquant par là qu'il attend désormais, comme dans ses rêves de tennis, que quelque Martina Navratilova lui retourne la balle (dès la page 52, le rapport entre Martina Navratilova et Marika est fait : s'apprêtant à aller jouer au tennis, le narrateur prend conscience que l'image de son idole était tout à coup remplacée par celle de Marika).

Au fil même de l'anecdote, le rôle de la citation de Hazard sur la transformation du contexte de vie en contexte d'énonciation mérite d'être souligné. Hazard disait qu'avant Schéhérazade la Bête savait attendre le réveil de la Belle. Or, au vingt et unième chapitre, le narrateur, amené à passer la nuit dans le lit de la Petite, attend lui aussi, sans bouger, comme savait le faire, est-il écrit, « jusqu'au moment où la lumière du jour vint la réveiller » (p. 91), le Prince Vaillant des bandes dessinées de son enfance.

Plus abstraitement, on dira que la citation de Hazard met en parallèle les deux parties constitutives d'une phrase et les deux pôles sans lesquels il n'y a pas d'interaction verbale. Est alors instaurée ce qui est pour nous la possibilité fondatrice de la littérarité, soit de faire de l'écriture pratiquée en l'absence immédiate d'un interlocuteur une sorte d'équivalent, de paradigme – quasi achronique et utopique – du discours. En d'autres mots, la spécificité de la fiction littéraire est à lire à l'aune des conditions normales de l'énonciation verbale. Ce qui est fiction dans *Le vieux Chagrin* est clairement marqué par l'attribution aux personnages féminins principaux de noms qui n'en sont pas des vrais.

CONCLUSION

Une vision conventionnelle de l'intertextualité, et à notre avis non sémiotique, reviendrait à dire que c'est parce que Jacques Poulin a clairement donné à entendre que son dernier roman est à lire en opposition avec, entre autres, *Les mille et une nuits* que le roman a pu être reconnu comme littéraire. C'est en effet ce à quoi confinent, du moins actuellement, les thèses sociologiques les plus connues et selon lesquelles le littéraire n'est pas dans l'immanence des textes, mais dans la valeur reconnue à certains d'entre eux par ceux qui les pratiquent, producteurs et consommateurs. Dans un tel contexte, tout écrivain potentiel a certes intérêt à saupoudrer son texte de littérature.

Nous voyons plutôt les choses, non pas à l'envers de cette position, mais autrement, prétendant que, pour saisir la littérarité du roman de Poulin, il n'est pas plus nécessaire – mais pas moins – de connaître ce que représentent *Les mille et une nuits* que d'être familiarisé avec les rives du Saint-Laurent aux environs de Cap-Rouge, près de Québec. Nous dirions même, à la limite, que le fait de savoir doit, en l'occurrence, rendre prudent, qu'il peut être contre-indiqué, puisque l'enjeu du texte de Poulin, comme on l'a vu, revient à déplacer subrepticement l'enjeu énonciatif du texte célèbre. C'est le personnage de l'écrivain en panne d'histoire d'amour qui est une reprise de Schéhérazade, en Prince Vaillant capable de passer avec la Petite une première nuit, mais en ne répétant pas l'inceste paternel. Projeter notre connaissance des fameux *Contes* aurait fait paraître plus plausible – et Jean-François Chassay, lors de la parution du roman, est un peu tombé dans le piège d'une telle lecture stéréotypée (1990 : 3) – d'assimiler Schéhérazade et la Petite. Le risque est toujours le même, de charger les lexèmes d'un discours de l'effet de sens dominant de notre idiolecte ou de notre sociolecte personnels, et de projeter cet idiolecte ou ce sociolecte sur le texte jusqu'à en occulter la spécificité aussi bien énonciative qu'anecdotique.

Ce que nous avons voulu montrer, au moyen du livre laissé dans la caverne par Marika, est que si on peut donner à une figure d'intertextualité, dans un texte littéraire, une signification particulière liée à des marques d'érudition d'un auteur, à des conflits inhérents à son milieu social et caractéristiques de son époque, on ne peut pas dire pour autant que telle référence culturelle, parce qu'elle donnerait un air littéraire à un texte, aurait directement à voir avec sa littérarité. Le fonctionnement que nous nous sommes attachés à retracer à partir d'un livre, s'il est toujours spécifique des textes littéraires, ne s'effectue pas dans tous les cas, loin de là, par le moyen de références, justement, à la littérature.

Nos exemples de *L'étranger* l'illustraient déjà. Ajoutons que dans *Les habits rouges* de Robert de Roquebrune, roman d'une autre époque, ce sont deux listes de noms et la figure aussi triviale que stratégique d'un « laissez-passer » arraché à un militaire qui tiennent lieu de destinateur ; dans *Poussière sur la ville* d'André Langevin, roman d'une rare économie, ce sont les nombreuses plaques de médecin de la ville de Macklin, prétexte au commentaire ironique de Madeleine, et une annonce du retour d'Alain à la pratique médicale parue dans le journal local qui scellent le trajet du texte. Et nous pourrions multiplier les exemples[9].

Tout comme la question de la reconnaissance des passions dans un texte est en train d'être « cognitivement » dépsychologisée, il nous semble que la question du repérage des références intertextuelles d'un texte gagne à être démystifiée. Nous suggérons de lui attribuer un statut sémiotique plus immédiatement fonctionnel, celui de figures de l'écrit permettant la production de simulacres d'interaction verbale. Tout compte fait, c'est le prénom sur la page de garde du livre et non pas les célèbres *Contes* eux-mêmes qui surdétermine fictivement le processus de signification que constitue *Le vieux Chagrin.*

---

9. Notre équipe prépare un ouvrage qui présentera une dizaine d'analyses de romans québécois de divers genres et de diverses époques, du point de vue des figures de l'écrit, et notamment des *Habits rouges* et de *Poussière sur la ville.*

BIBLIOGRAPHIE

ARON, Thomas (1984), *Littérature et littérarité. Un essai de mise au point,* Paris, Les Belles Lettres. (Annales littéraires de l'Université de Besançon, n° 292.)

BELLEAU, André (1980), *Le romancier fictif. Essai sur la représentation de l'écrivain dans le roman québécois,* Sillery, Les Presses de l'Université du Québec.

BERTRAND, Denis (1985), *L'espace et le sens. Germinal d'Émile Zola,* Paris et Amsterdam, Hadès-Benjamins.

CHASSAY, Jean-François (1989-1990), « Éloge de la lenteur », *Spirale,* n° 93 (décembre-janvier), p. 3.

CULLER, Jonathan (1989), « La littérarité », dans M. ANGENOT, J. BESSIÈRE, D. FOKKEMA et E. KUSHNER [édit.], *Théorie littéraire,* Paris, Les Presses universitaires de France, p. 11-79.

FONTANILLE, Jacques (1984), « Pour une topique narrative anthropomorphe », *Actes sémiotiques. Documents,* vol. VI, n° 57.

GENETTE, Gérard (1991), *Fiction et diction,* Paris, Éditions du Seuil.

GREIMAS, Algirdas Julien et Joseph COURTÉS (1979 et 1986), *Sémiotique. Dictionnaire raisonné de la théorie du langage,* Paris, Hachette, 2 vol.

GREIMAS, Algirdas Julien et Jacques FONTANILLE (1991), *Sémiotique des passions. Des états de choses aux états d'âmes,* Paris, Éditions du Seuil.

MILOT, Louise, François OUELLET et Fernand ROY (1990), « L'inscription de l'écriture dans *Marie Calumet* », *Voix et images,* n° 46, p. 80-94.

MILOT, Louise et Fernand ROY [édit.] (1991a), *La littérarité,* Sainte-Foy, Les Presses de l'Université Laval. (Publication du Centre de recherche en littérature québécoise.)

MILOT, Louise et Fernand ROY (1991b), « On Textual Reference to Writing and its Correlation with Literary History », *Poetics Today,* vol. XII, n° 4, p. 713-728.

RICARDOU, Jean (1973), *Le nouveau roman,* Paris, Éditions du Seuil.

RICARDOU, Jean (1978), *Nouveaux problèmes du roman,* Paris, Éditions du Seuil.

TODOROV, Tzvetan (1978), *Les genres du discours,* Paris, Éditions du Seuil.

Fragments de journaux intimes dans le discours du roman québécois depuis 1980

Pierre HÉBERT
Université de Sherbrooke

Exposer succinctement la méthode d'approche à laquelle chacun recourt généralement dans ses analyses du roman québécois contemporain, voilà une recommandation générale qui peut sembler, de prime abord, assez simple. Mais, à l'essai, j'ai dû me rendre compte qu'il me fallait combiner un certain nombre de préoccupations méthodologiques d'apparence étrangère les unes aux autres, pour expliquer (devrais-je dire justifier ?) le sujet et l'approche qui seront miens ici.

Parmi mes intérêts théoriques, l'un de ceux qui ne m'a jamais quitté a été la narratologie. Quelle que soit la définition que l'on en donne – et pour ma part je serais plus près de Gérard Genette ou de Mieke Bal –, quel que soit le contexte culturel où elle se pose, la narratologie, lorsqu'elle est utilisée avec intelligence, c'est-à-dire avec souplesse et sans que l'on veuille lui faire tenir des promesses qu'elle n'a jamais faites, la narratologie, dis-je, me semble recouvrir un domaine théorique incontournable, nécessaire. Une narratologie dépouillée de ses visées totalisantes fera sans doute toujours partie d'une poétique du texte.

Sur le plan du corpus proprement dit, je me suis beaucoup intéressé au roman québécois des dix dernières années. Mais, parallèlement à ce genre fermement institutionnalisé, j'ai aussi abordé un ensemble de textes plus marginaux, et malgré cela importants puisqu'ils couvrent sans interruption plus de cent ans de production littéraire : les journaux intimes. Or, il va sans dire que mener une réflexion sur des œuvres dites mineures ne peut que poser des problèmes ayant une portée générique, mais aussi théorique, particulière. Dès lors, ce sont les rapports entre la narratologie et ses applications dans le journal intime qui m'ont semblé les plus fertiles pour remettre en question tant la narrativité de textes qui ne sont pas censés en manifester, dans le cas du journal, que des catégories théoriques parfois trop figées ou fermées, dans le cas du discours narratif.

Il s'ensuit nécessairement que la fréquentation des zones limitrophes soulève une réflexion touchant les marges tant de la théorie que du texte lui-même. Inévitablement, tout impérialisme, théorique ou générique, n'est plus de mise.

Et c'est ainsi que, tout naturellement, j'ai été conduit à ce sujet qui pourra paraître quelque peu byzantin. Car quoi de plus réduit que d'étudier la question de l'insertion d'extraits de journaux intimes dans le discours du roman québécois contemporain ? Au ministère des Travaux inutiles, on ne ferait guère mieux... Il faut cependant savoir choisir ses citations, de telle sorte qu'un grand réconfort me vient de Jean Rousset, qui ne manque pas de noter qu'il n'est pas indifférent « qu'une composition soit continue [...] ou qu'elle se présente fragmentée : recueil de poèmes ou de maximes, journal intime ou roman par lettre, etc. » (1968 : 60).

Bien malgré moi donc, j'ai été frappé, ces dernières années, par le fait que nombre de romans intégraient des extraits de journaux intimes dans leur discours. Et c'est de là que se sont conjugués les volets de la triple préoccupation évoquée plus haut : la narratologie, le roman québécois contemporain et le journal intime. Ce que je propose donc ici est une réflexion articulée autour des points suivants :

1) un bref parcours historique et critique de la question du fragment de journal dans le roman : est-ce un phénomène récent ? a-t-on déjà étudié cette question ?

2) l'examen d'une dizaine de romans parus depuis 1980 où se pose le fragment de journal intime, afin d'établir un classement des manifestations diverses de ce genre de forme ;

3) l'étude un peu plus serrée de quelques romans où se présentent des fragments de journaux, afin de mettre au jour les principales questions que soulève ce type de discours.

Parcours historique et critique

Le fait, pour le roman, d'intégrer dans son discours des segments de journaux intimes n'est pas un phénomène nouveau. Le premier exemple qui nous vient à l'esprit est bien sûr celui d'*Angéline de Montbrun* de Laure Conan, qui livre en dernière partie quelques « pages intimes [qui] intéresseront peut-être ceux qui ont aimé ou souffert » (1991 : 80). Mais ce journal, ayant pour titre « Feuilles détachées », s'apparente beaucoup plus au journal fictif, comme *Le libraire* de Gérard Bessette par exemple, qu'au cas du fragment de journal qui nous intéresse ici.

En réalité, le premier cas de fragment de journal intégré au discours du roman est bien antérieur à *Angéline de Montbrun* : on le retrouve dans *Charles Guérin* (1846) de Pierre-Joseph-Olivier Chauveau. Marichette, l'un des personnages, s'est endormie avec, à ses côtés, son journal. Le narrateur de dire alors : « L'indiscret qui se serait permis de feuilleter le livre aurait trouvé que c'était un *Album* converti en journal intime, et si, après cette découverte, il eût poussé l'indélicatesse plus loin, il aurait pu lire ce qui suit » (1973 : 186). Et ce qui suit, ce sont évidemment des extraits pertinents du journal. Or, cette technique n'est pas sans soulever de problèmes : comment le journal est-il inséré dans le récit ? quel est son rapport avec la diégèse ? qui en est l'auteur ? le récepteur ? quel effet de lecture produit-il ? Ce sont de semblables questions, et d'autres également, que j'aborderai pour le corpus contemporain.

À partir de 1900, on compte un certain nombre de romans contenant des extraits de journaux dont, entre autres, *Mathieu* de Françoise Loranger, *La fin des songes* de Robert Élie, *Chaînes* de Jean Filiatrault et *Mon fils pourtant heureux* de Jean Simard[1]. Mais c'est véritablement à partir de 1960 que ce phénomène me semble prendre une ampleur nouvelle, et plus particulièrement encore après 1980.

Entre 1960 et 1980 par exemple, les romans suivants recourent à la technique du journal : *L'insoumise* de Marie-Claire Blais, *Trou de mémoire* d'Hubert Aquin, *Les difficiles lettres d'amour* de Jacques Garneau, *La vie en prose* de Yolande Villemaire, entre autres. Et, après 1980, la présence des formes de la littérature intime, de toutes les manières possibles, se fait envahissante ; mais avant d'aborder ce fait qui est celui qui nous intéresse plus particulièrement, voyons si la question du segment de journal intime intégré au roman a déjà attiré l'attention de la critique.

---

1. Je remercie Valérie Raoul, professeure à l'Université de la Colombie-Britannique, qui s'intéresse à cette question, d'avoir bien voulu me communiquer la plupart de ces titres parus avant 1970.

Dans la lancée de « la prise de parole », de la conquête du pays, Raymond Turcotte intitulait un article, en 1969, « L'âpre conquête de la parole ». Dans cette étude, Turcotte abordait les questions des personnages de roman qui tenaient un journal intime. Il s'agissait dans ce cas d'une réflexion thématique mettant en relief les difficultés de communication, le thème de la laideur et d'autres aspects qui permettaient « d'observer un net progrès dans la qualité et l'exigence d'introspection des personnages » (1969 : 27). Discours tout à fait « Voix et imagien » des années soixante, ce « progrès » était vu comme « le signe de la lente mais sûre édification du pays intérieur qui précède et conditionne la naissance du Pays » (1969 : 27), avec une majuscule à « Pays », bien entendu.

À ma connaissance, aucune autre étude n'aborde systématiquement, dans le cas du Québec, les rapports entre le journal intime et le roman, et l'on doit se contenter de récolter, au hasard des lectures, des remarques marginales, mais souvent fort éclairantes. Par exemple, Patricia Smart note :

> Si les femmes en écrivant ont eu tendance à fragmenter la forme romanesque par l'emploi de la forme épistolaire, de journaux intimes ou de l'autobiographie, il se peut que ce ne soit pas (comme on l'a longtemps prétendu) parce qu'il leur manque la confiance, l'expérience ou l'autorité pour écrire comme les hommes, mais plutôt parce que leur écriture présente une façon *autre* de représenter, d'écouter, et de toucher la texture du réel (1988 : 29).

Ces propos nous rassurent, s'il en était besoin. L'étude du fragment de journal atteint ici une portée telle que c'est toute notre manière de re-présenter le réel qui est l'enjeu de cette forme romanesque : voilà l'un des faits sur lesquels il faudra réfléchir. Ainsi, à propos d'*Angéline de Montbrun,* Smart écrit : « La structure fragmentée du roman, avec son utilisation de la forme épistolaire et du journal intime, rompt dramatiquement avec la narration omnisciente des autres romans de l'époque, et communique de façon voilée un contenu également subversif » (1988 : 46). Reste à voir, cependant, si, dans le corpus romanesque des années quatre-vingt, cette forme a toujours la même fonction.

En ce qui a trait au roman contemporain, en effet, le recours aux formes intimes se pose d'une manière tout autre, puisque la narration au « je » est la forme dominante de cette époque, ce qui n'était évidemment pas le cas un siècle plus tôt. C'est ce qu'a bien noté Agnès Whitfield dans *Le je(u) illocutoire,* en mettant en relief le fait que la narration à la première personne s'impose par « sa valeur documentaire, sa capacité de contribuer, aux yeux du lecteur, à la véridicité du récit par son rapport mimétique avec une série littéraire non fictive (journal, confessions, mémoires) [...] Cette caractéristique rejoint la préoccupation de nos je-locuteurs avec les rapports entre fiction et vérité » (1987 : 313). Le recours aux formes de l'intime se pose ici dans un autre contexte formel et doit être compris en fonction de ce nouveau cadre de référence. Mais ce qui réunit les propos de Smart et de Whitfield, c'est que le recours à la forme de l'intime pose la question du rapport entre fiction et réalité, fiction et vérité.

Le moment est maintenant venu, après ce bref parcours historique et critique qui n'avait d'autre fonction que de poser mon sujet de réflexion, d'étudier d'un peu plus près le corpus des années quatre-vingt.

Le fragment de journal dans le roman des années quatre-vingt

La problématique du rapport entre le roman et le journal en tant que forme qui y est intégrée d'une manière ou d'une autre ne peut se poser sans une connaissance préalable de la situation même du journal « réel » non fictif, parmi les diverses séries littéraires. Or, sur ce chapitre, il est certain que le journal non fictif jouit, à partir de 1980 environ, d'une grande popularité en dépit de son statut marginal.

Pour s'en convaincre, on n'a qu'à songer au nombre de journaux qui s'abattent sur les lecteurs : jusqu'à cinq par année, comme en 1984 par exemple. À cela s'ajoute une série de journaux intimes lus à la radio de Radio-Canada pendant plusieurs années, série qui connut un succès certain. Il ne fait aucun doute que l'intime, et en particulier le journal, s'est vu accorder une légitimité inédite dans les lettres québécoises à partir de cette décennie. C'est dans ce contexte qu'il convient de comprendre son insertion dans le discours du roman, conjugué à la prédominance du récit à la première personne.

Mais puisque tant de romans recourent, depuis dix ans et de diverses manières, à la forme du journal, il importe en premier lieu de dresser un inventaire de ces divers modes d'emprunt ou d'insertion. À cette fin, il faut distinguer deux grands types, qui peuvent à leur tour être subdivisés :

- Le roman qui adopte tout entier la forme du journal :
  – le journal fictif proprement dit, sans paratexte ;

– le journal fictif proprement dit, avec paratexte ;
– le faux journal fictif sans paratexte ;
– le faux journal fictif avec paratexte ;

- Le roman qui insère des fragments de journal dans son discours :
  – le fragment non représenté de journal ;
  – le fragment représenté de journal.

Voyons d'abord le premier groupe, qui oblige donc à certaines distinctions internes. En effet, dans le roman qui se présente en entier sous forme de journal, on peut noter quatre types que je décrirai maintenant à tour de rôle.

Le journal fictif proprement dit, sans paratexte. C'est le genre qu'a étudié Valérie Raoul (1980) et qui, au Québec, éveille immédiatement l'image du *Libraire*. Dans ce type de roman, le journal se donne tout de go à la lecture, sans explications sur la manière dont il nous est parvenu, sans paratexte donc, c'est-à-dire sans discours d'escorte, sans « seuil » textuel. Sa transitivité s'accompagne ainsi d'un mutisme sur ses conditions d'appropriation. Je ne connais aucun exemple de ce type après 1980, encore que *La fin de l'histoire* de Pierre Gravel s'en rapproche considérablement. Comme le note Oura Yasusuke, le journal fictif sans paratexte, sans « discours éditorial », « perd de la matérialité, et gagne en idéalité : pour tout dire, son statut d'écriture se rapproche de celui du roman » (1987 : 20).

Le journal fictif proprement dit, avec paratexte. La convention de Suzanne Lamy (1985) est un bon exemple de ce genre de journal avec un discours d'escorte, en l'occurrence celui d'un narrateur qui dit : « Ce cahier, j'aime le savoir là, dans le dernier tiroir de mon bureau, caché sous une pile de dossiers. Je n'ai qu'à passer la main pour sentir sa couverture veloutée. J'y reviens, à intervalles réguliers [...] Par quel drôle de besoin : je l'ouvre, au hasard, le plus souvent n'en lis que quelques lignes, d'autres fois plusieurs pages » (p. 13). Médiation, ce discours suffit à autoriser la liaison lecteur-journal.

Le faux journal fictif sans paratexte. On regroupera sous cette rubrique les textes qui se désignent par l'appellation de « journal », mais qui n'en affichent pas la forme, c'est-à-dire sans écriture régulière et datée. Parlant de son propre texte, le narrateur des *Silences du corbeau* d'Yvon Rivard (1986) n'hésite pas à dire qu'il s'agit effectivement d'un journal (p. 83) mais, là encore, le discours n'en porte aucune marque distinctive. Que penser également d'*Une histoire américaine* de Jacques Godbout (1986) ? L'entreprise rétrospective de Gregory Francœur relève beaucoup plus de l'autobiographie, mais Francœur, ou plutôt le narrateur devrais-je dire, qualifie de « journal » (p. 14, 23, 71, entre autres) cette narration non ponctuée de dates.

Le faux journal fictif avec paratexte. Dans ce dernier type se trouve l'ouvrage *Des nouvelles d'Édouard* de Michel Tremblay (1984), où Édouard dit bien : « J'ai décidé d'écrire mon journal » (p. 58), encore qu'il s'agisse d'un texte destiné à sa belle-sœur, et privé des marques distinctives du journal. Et le journal d'Édouard est précédé par la narration de sa mort, de même que par la description de Hosanna qui prend en main le cahier et qui le lit.

Après cette première catégorie, celle du roman qui adopte tout entier la forme du journal, passons à la seconde, celle du roman qui insère des fragments de journal dans son discours. Je distinguerai en l'occurrence deux sous-classes.

Le fragment non représenté de journal. Dans ce type de narration, il est question d'un journal, mais celui-ci n'est jamais livré tel quel. Il conviendrait de placer *Agonie* de Jacques Brault (1985) dans cette classe de textes, encore qu'il y soit question de « carnets » plutôt que de journal (et, en de rares occasions, des extraits mêmes du journal apparaissent). *L'effet Summerhill* de François Gravel (1988) illustre également très bien ce propos. Le narrateur, Jacques, prend connaissance d'un petit cahier noir, journal de son père, qu'il lit quand il veut savoir « ce qu'on [dit] de [lui] dans les universités » (p. 51). Mais ce journal n'est livré que narrativisé, c'est-à-dire par la médiation de la parole du narrateur.

Le fragment représenté de journal. Ce type de roman insère des segments de journal intime appartenant à l'un ou l'autre des personnages. Il est représenté entre autres par les exemples suivants : *Lucie ou un midi en novembre* (Ouellette, 1985), *Les portes tournantes* (Savoie, 1984), *Les beaux esprits* (Pinard, 1985), *Chair Satan* (Fournier, 1989), *Lux* (Filion, 1989).

C'est à cette deuxième grande catégorie, celle du roman qui contient des fragments de journal (représentés ou non) que je vais maintenant m'attarder, en essayant de regrouper les principales questions qui doivent être posées à ce type de forme.

Le fragment de journal dans le roman : approche des « questions »

Il m'a semblé que l'on pouvait adresser trois types de questions à ce fait de discours narratif, regroupées autour : du fragment lui-même, c'est-à-dire sa description et sa fonction diégétique ; de la production de ce fragment, en l'occurrence tout ce qui touche son auteur-narrateur ; et de la réception du fragment, plus précisément ce qui concerne son destinataire-narrataire et son effet de lecture sur ce dernier.

Le corpus dont je me servirai pour illustrer ces propos est constitué des sept textes cités à titre d'exemples dans la typologie précédente, c'est-à-dire :

- *Agonie* de Jacques Brault ;
- *Lucie ou un midi en novembre* de Fernand Ouellette ;
- *Les portes tournantes* de Jacques Savoie ;
- *Les beaux esprits* de Louise Pinard ;
- *Chair Satan* de Roger Fournier ;
- *Lux* de Pierre Filion ;
- *L'effet Summerhill* de François Gravel.

Description du fragment

Dans la description du fragment de journal, l'appellation même sera souvent assez peu révélatrice. Dans trois cas, le mot « journal » est explicitement attribué au fragment et, dans les autres cas, il s'agit de « cahier » (deux occurrences), « cartable » et « carnet ». Ce qui est beaucoup plus intéressant – mais quelle importance lui attribuer ? –, c'est la couleur de ce journal. En effet, une couleur sombre, noire est nettement prédominante : carnet gris dans *Agonie*, journaux noirs dans *Les portes tournantes* et *L'effet Summerhill*. On dirait que les textes autodestinés affectionnent le sombre : « cahiers gris » dans *Soir de danse à Varennes* (Robert Baillie), noir dans *La falaise* (Francine Lemay), bleu marine dans *Des nouvelles d'Édouard*, cahier noir de Stevens dans *Les fous de Bassan* (Anne Hébert), si je me permets une petite excursion en dehors de mon corpus. Couleurs innocentes ? Le noir est la couleur du retrait, de l'éloignement du monde, ici, donc, du repli sur soi ; mais il est aussi, dans la symbolique chtonienne, celle de la re-naissance ; le noir n'est-il pas aussi la couleur de l'écriture ? Voilà deux aspects qu'il sera possible d'examiner de plus près dans les effets de lecture du fragment.

Parlant du journal intime, Georges Gusdorf distingue le journal interne du journal externe. Le premier traite de la vie personnelle, le second, de faits extérieurs à la personnalité. Dans notre corpus, tous les journaux sont internes, dans la mesure où ils relatent un aspect de la vie personnelle de leur narrateur. Mais qui est au juste ce narrateur ? qui est le récepteur ? Cette question nous conduit à la deuxième grande catégorie de questions, celle de la production et de la situation de communication du fragment.

Production et situation de communication

Connaît-on les conditions de production du fragment ? Dans quatre cas sur sept *(Agonie, Lux, Les beaux esprits* et *L'effet Summerhill),* il nous est donné de savoir dans quelles circonstances ce journal a été rédigé. Mais dans les trois autres cas, le discours est muet et le journal est lancé dans la mêlée sans autre explication.

Qui en est l'auteur ? Est-il le personnage principal ? Un personnage secondaire ? Et le récepteur ? Quel est également le mode de narration principal du roman qui encadre le fragment ? Le tableau 1 regroupe les informations relatives à ces questions.

On ne manquera pas de noter ici que, dans tous les cas, les narrateurs du fragment de journal ne coïncident pas avec le narrateur du roman, pas plus d'ailleurs qu'avec le personnage principal. Le fragment apparaît ici comme un instrument important dans la circulation du sens, à partir d'un personnage secondaire, et il établit ainsi une médiation entre deux protagonistes, comme le met en évidence le tableau 2.

Cependant, dire que le fragment contribue à la circulation du sens repose sur l'appropriation du fragment, sur son destinataire effectif : qui en prend connaissance ? qui le lit ? Dans cinq cas sur sept, c'est le narrateur même du récit premier, alors que dans les deux autres cas, ce sont plutôt des textes autodestinés qui demeurent propriété de lecture de leur auteur *(Lux* et *Les beaux esprits).*

Dans cinq cas sur sept, donc, le fragment est l'œuvre d'un personnage qui n'est pas le narrateur principal, et ce dernier, c'est-à-dire le narrateur du récit, est destinataire dudit fragment. Ce procédé contribue évidemment à une fonction de révélation : le personnage destinataire « découvre » le narrateur du fragment et nous fait part de sa découverte. « Je vais connaître son mystère. Je vais pouvoir vérifier » (p. 11), s'écrie le narrateur d'*Agonie* en mettant la main sur le carnet de

TABLEAU 1

	Narration dominante =	N^1 du fragment N^1 du roman =	P. P. =	P. S. =	N^1 du roman =	D^2 du fragment P. P. = P. S.
Agonie	homo	non	non	oui	oui	oui
Lucie	homo	non	non	oui	oui	oui
Portes	homo	non	non	oui	non/oui	non/oui
Lux	auto	non	non	oui	oui	oui
Esprits	hétéro	non	non	oui	non	oui
Satan	homo	non	non	oui	oui	oui
Summerhill	homo	non	non	oui	oui	oui

Note : N^1 et D^2 signifient respectivement Narrateur et Destinataire.
P. P. et P. S. signifient « personnage principal » et « personnage secondaire ».

TABLEAU 2

	N^1 du fragment		N^1 du roman	D^2 du fragment
Agonie	Vieux professeur	--	Ancien étudiant	Ancien étudiant
Lucie	Lucie	--	Paul	Paul
Portes	Céleste	--	Antoine	Antoine
Lux	Bob	--	« Nous »	Bob
Esprits	Élise	--	Narrateur hétérodiégétique	Élise
Satan	Marie-Hélène	--	Sonia	Sonia
Summerhill	Louis	--	Jacques	Jacques

Note : N^1 et D^2 signifient respectivement Narrateur et Destinataire.

son ancien professeur. Ou encore Paul, dans *Lucie ou un midi en novembre* : « Lisant le journal de Lucie, comme je l'ai fait tant de fois, j'ai l'impression de tout revoir à travers ses yeux » (p. 12) ; Sonia veut voir « l'âme à nu » de sa mère, dans *Chair Satan* (p. 198).

Il en va tout autrement dans les deux cas où narrateur et destinataire du journal coïncident : le fragment joue alors véritablement le rôle d'analepse répétitive, reprenant des événements de la diégèse pour les réévaluer, les approfondir, tout en relançant l'intrigue. Ainsi Bob revient-il sur les événements survenus au Lux dans son « Journal d'hier », en même temps qu'il relance l'intérêt de ces rencontres : « Des choses se préparent en moi, dont j'ignore la configuration » (p. 79). Il ne fait aucun doute que le fragment a une valeur modale : il ajoute à l'information narrative, au point qu'il s'agit à certains égards d'un avatar subtil de la focalisation zéro, d'un retour de l'omniscience. Je reviendrai sur cette question un peu plus loin. Le moment est plutôt venu d'aborder l'effet de lecture du fragment, ce qui en constitue peut-être l'aspect le plus intéressant.

Effet de lecture du fragment

Comme je l'ai déjà signalé, la lecture du fragment apporte au destinataire un nouvel éclairage sur le personnage qui a rédigé ce journal. Ainsi, dans *Chair Satan,* sachant que sa mère avait un amant, Sonia lit le journal de cette dernière : « Enfermée dans son bureau, je vivais des heures délicieuses et palpitantes à essayer de reconstituer ce qui se passait à ce moment-là, au cours de l'été où elle aimait Jacques » (p. 199). Sans le fragment, ce savoir eût été interdit à Sonia. « Les inscriptions du carnet corroborent les rumeurs » (p. 37), observe le narrateur d'*Agonie*. Ou encore Blaudelle, dans *Les portes tournantes* : « Décidément, les lettres de Céleste me font comprendre bien des choses » (p. 135).

On aurait tort, cependant, d'en rester à cette fonction de découverte de l'autre : lire le fragment engendre aussi un effet de découverte de soi sur celui qui en prend connaissance. Le narrateur d'*Agonie* a mis la main sur le carnet de son ancien professeur, et il le lit. Or, cette lecture le renvoie ultimement à lui-même, par un circuit de retour sur soi. La connaissance de ce texte intime le « porte au délire » (p. 23) car, en définitive, la révélation est celle de soi-même à soi-même : « J'ai su à l'évidence que je n'avais pas cessé de vouloir lui dérober son [au professeur] secret. Pour voir en face mon propre secret » (p. 11). Pour Sonia, le fait de connaître le journal de sa mère la conduira encore plus loin : « la lecture de son « journal » m'avait donné le goût de voir Jacques » (p. 207), l'amant de sa mère, qu'elle tuera... Paul, dans *Lucie ou un midi en novembre,* constatera un curieux effet de lecture en parcourant le journal de Lucie : une « interférence des niveaux d'énonciation » fait en sorte qu'il ne sait plus de lui ou de Lucie qui est le narrateur : « Nous avons été par instants tellement imprégnés l'un de l'autre. Il me sera souvent difficile de savoir *qui* écrit... » (p. 12).

CONCLUSION

Nombreux, donc, sont les romans récents qui recourent à une forme ou l'autre de la littérature intime dans le texte même de leur discours, le plus souvent par fragments. Et le plus utilisé de ces moyens est assurément l'extrait de journal.

C'est, à première vue, un « fait littéraire » assez insignifiant mais, comme le fait remarquer avec raison Michel Charles (1982 : 59), la saisie de l'acte de lecture dans le texte équivaut à saisir un modèle herméneutique, un modèle de connaissance. Or, dans la plupart des cas, le roman est une réponse à la question posée par le journal. Que l'on voie *Agonie, Lucie, Les portes tournantes, Chair Satan* ou d'autres textes : il est clair que le mouvement de lecture, qui est, comme le décrivait Todorov, de passer de l'inconnu au connu, s'effectue par la médiation du journal.

Mais avons-nous pour autant un texte éclaté ? un texte où la clôture est abolie par l'insertion d'un genre exogène ? Rien n'est moins certain. Citant Butor et le fait qu'il y ait dans *Intervalle* un journal, Janet M. Paterson note que l'instance énonciative « ne s'articule plus au sein d'un discours clos et unitaire [...] mais par une pragmatique de lecture individuelle et hétérogène » (1986 : 248). Certes, la pluralité des discours au sein d'un même texte subvertit tout monisme générique. L'heureuse expression de Michel Picard, le « feuilleté de la signifiance » (1984 : 262), s'applique d'autant plus et d'autant mieux à des discours eux-mêmes hétérogènes, « hétérogenres »...

Alors, Patricia Smart aurait raison à propos d'*Angéline de Montbrun* : l'insertion du journal permet une voix autre, un contournement du discours autoritaire. Mais les choses, aujourd'hui, ne sont plus si simples. On sait que le narrateur rassurant a perdu des plumes : son « système de sécurité » s'est effondré. En revanche, et Jean-Yves Tadié fait cette remarque fort opportune à propos du roman poétique,

« tout ce qui a été retiré aux êtres autonomes du roman classique, [le romancier] se le donne à lui-même sous la forme du narrateur » (1978 : 18). Mais ce narrateur ne peut plus se permettre les naïvetés de l'omniscience, on le sait bien ! Le recours, dans le roman en « je », aux formes de l'intime et en particulier du journal, peut-il alors être vu comme une autre forme, de la part du narrateur, pour étendre son savoir sans passer par l'impossible omniscience de la narration autodiégétique, ou par l'omniscience tant décriée de la narration hétérodiégétique ? Déployant ainsi une structure de médiation, le narrateur réussit à en savoir plus que ne l'auraient permis autrement ses limites narratives, si bien que, ne recourant pas à l'omniscience, il préfère ce que j'appellerais ici la « pluriscience ». Il ne sait pas tout, mais il réussit tout de même à s'approprier un savoir qui, autrement, lui eût été inaccessible.

Est-ce donc dire que cette forme n'aurait pas, comme au moment où Laure Conan y recourait, une fonction subversive ? Hypothèse tout à fait probable. Car le discours du roman consolide ainsi sa visée, et son savoir s'oriente vers une vision plus homogène qu'hétérogène. Au terme de sa lecture du carnet, le lecteur d'*Agonie* fait une révélation qui va en ce sens : « Tout se tient et s'ordonne. Oui, je commence à comprendre » (p. 75). Ou dans *Les portes tournantes* : « Quand je relis ses lettres, j'ai l'impression d'arriver au bout d'une très longue course, au bout d'un marathon que je courais depuis toujours sans le savoir » (p. 135). Il s'est installé dans le récit une téléologie à laquelle a participé le journal : Paul, au terme de sa lecture et après la mort de Lucie, multiplie les « je sais », « j'ai compris » (p. 227).

Le sujet-auteur du journal est donc le plus souvent un sujet obscur, opaque ; mais, dans le récit toujours, le sujet-lecteur de ce journal va percer cette opacité et, en prime, se découvrir lui-même. Le fragment de journal sert ainsi, dans bien des cas, à combattre les forces centrifuges d'un sujet de départ, l'auteur du journal, lui-même disloqué ou mystérieux, pour conduire à deux sujets relativement unifiés, celui-là même qui a écrit le journal et, surtout, celui qui l'a lu. Voilà donc, au moyen d'une forme « nouvelle », le retour d'une problématique ancienne, celle de la cohésion du texte avec, de surcroît, l'image d'un sujet relativement unifié. Il est certain que, désormais, cette unité du sujet n'est plus dans le monde ou dans quelque structure cosmique dont l'individu ne serait qu'un rouage, mais plutôt en soi-même ; néanmoins, elle y est, chaque personnage ayant réussi à travers le journal d'autrui à épeler sa propre vérité.

BIBLIOGRAPHIE

BRAULT, Jacques (1985), *Agonie,* Montréal, Boréal Express.

CHARLES, Michel (1982), *Rhétorique de la lecture,* Paris, Éditions du Seuil.

CHAUVEAU, Pierre-Joseph-Olivier (1973 [1946]), *Charles Guérin,* précédé de « Fonctions et séquences dans *Charles Guérin* », par Yvon BOUCHER, Montréal, Marc-Aimé Guérin éditeur. (Coll. Classiques du Canada français.)

CONAN, Laure (1991 [1884]), *Angéline de Montbrun,* Montréal, Bibliothèque québécoise.

DIDIER, Béatrice (1976), *Le journal intime,* Paris, Les Presses universitaires de France.

FILION, Pierre (1989), *Lux,* Montréal, Leméac.

FORTHERGILL, Robert A. (1974), *Private Chronicles. A Study of English Diaries,* Londres, Oxford University Press.

FOURNIER, Roger (1989), *Chair Satan,* Montréal, Boréal.

GENETTE, Gérard (1972), *Figures III,* Paris, Éditions du Seuil.

GODBOUT, Jacques (1986), *Une histoire américaine,* Paris, Éditions du Seuil.

GRAVEL, François (1988), *L'effet Summerhill,* Montréal, Boréal.

GUSDORF, Georges (1991), *Les écritures du moi,* Paris, Éditions Odile Jacob.

HÉBERT, Pierre (1988), avec la collaboration de Marilyn BASZCZYNSKI, *Le journal intime au Québec. Structure – évolution – réception,* Montréal, Fides.

LAMY, Suzanne (1985), *La convention,* Montréal, VLB éditeur et Le Castor astral.

MARTY, Éric (1986), *L'écriture du jour,* Paris, Éditions du Seuil.

OUELLETTE, Fernand (1985), *Lucie ou un midi en novembre,* Montréal, Boréal Express.

PATERSON, Janet M. (1986), « Le roman « postmoderne » : mises au point et perspectives », *Revue canadienne de littérature comparée,* vol. XIII, n° 2 (juin), p. 238-255.

PATERSON, Janet M. (1990), *Moments postmodernes dans le roman québécois,* Ottawa, Les Presses de l'Université d'Ottawa.

PICARD, Michel (1984), « La lecture comme jeu », *Poétique,* n° 58, p. 253-263.

PINARD, Louise (1985), *Les beaux esprits,* Longueuil, Éditions du Préambule.

RAOUL, Valérie (1980), *The French Fictional Journal : Fictional Narcissism/Narcissistic Fiction,* Toronto, University of Toronto Press.

RIVARD, Yvon (1986), *Les silences du corbeau,* Montréal, Boréal.

ROUSSET, Jean (1968), « Les réalités formelles de l'œuvre », dans Georges POULET, *Les chemins actuels de la critique,* Paris, UGE, p. 59-71.

SAVOIE, Jacques (1984), *Les portes tournantes,* Montréal, Boréal Express.

SMART, Patricia (1988), *Écrire dans la maison du père : l'émergence du féminin dans la tradition littéraire du Québec,* Montréal, Québec/Amérique.

TADIÉ, Jean-Yves (1978), *Le récit poétique,* Paris, Les Presses universitaires de France.

TREMBLAY, Michel (1984), *Des nouvelles d'Édouard,* Montréal, Leméac.

TURCOTTE, Raymond (1969), « L'âpre conquête de la parole », *Voix et images du pays,* vol. II, p. 11-30.

WHITFIELD, Agnès (1987), *Le je(u) illocutoire. Forme et contestation dans le nouveau roman québécois,* Québec, Les Presses de l'Université Laval. (Coll. Vie des lettres québécoises, n° 25. Publication du Centre de recherche en littérature québécoise.)

YASUSUKE, Oura (1987), « Roman journal et mise en scène « éditoriale » », *Poétique,* n° 69 (février), p. 5-20.

Un champ narratologique : *Le premier jardin* d'Anne Hébert[1]

Jaap LINTVELT
Centre d'études canadiennes, Université de Groningue

La narratologie, conçue à l'origine pour l'analyse de textes narratifs, a pu servir également à l'investigation d'autres champs culturels, tels que le film et la peinture, renouvellement de l'objet d'étude qui a permis à son tour le renouvellement de la théorie narrative[2].

Forme et signification sont solidaires (Rousset, 1962 : X ; Lintvelt, 1989 : 181-184). Par conséquent, la technique narrative, faisant partie intégrante de l'ensemble d'un texte, revêt des significations liées à d'autres aspects de l'œuvre, révélés par d'autres méthodes d'analyse. Ainsi, l'analyse narratologique peut être combinée avec d'autres approches, telles que l'étude thématique (Rousset, 1962, 1973) et idéologique (Bal, 1986). S'inscrivant dans une situation de communication[3], la narration exerce une force illocutoire pragmatique (Whitfield, 1987), influant par ses effets narratifs sur la réception que le lecteur fait du texte dans son acte de lecture.

Je me propose d'illustrer cette approche narratologique dans une analyse du *Premier jardin* d'Anne Hébert. Après avoir donné un résumé succinct de ma typologie narrative, j'analyserai les techniques narratives du roman, en rapport avec la quête identitaire de Flora Fontanges.

---

1. Combinant la théorie narrative et son application à un roman d'Anne Hébert, cet article est complémentaire de Lintvelt (1991), dont je reprends une partie de l'introduction narratologique.
2. Voir : *Protée* (1988, 1991) ; Chatman (1980) ; Jost (1987) ; Gaudreault (1988) ; Gaudreault et Jost (1990).
3. Voir : Lintvelt (1989 : 13-33) ; Chatman (1980 : 147-151) ; Lansen (1981 : 108-148) ; Rimmon-Kenan (1983 : 86-89) ; Van den Heuvel (1985 : 88-95) ; Adam (1985 : 173-185).

Typologie narrative

À partir de la dichotomie fonctionnelle entre le narrateur (qui assume l'acte narratif du récit) et l'acteur (qui participe à l'histoire), on peut établir deux formes narratives de base : la narration hétérodiégétique (où le narrateur ne joue pas un rôle d'acteur dans l'histoire) et la narration homodiégétique (où un même personnage remplit une double fonction, comme personnage-narrateur et comme personnage-acteur) (Genette, 1972 : 252 ; Lintvelt, 1989 : 37-38).

Les types narratifs sont ensuite déduits du centre d'orientation du lecteur (indiqué par le signe + dans les tableaux 1 et 2), de sorte qu'ils influent sur la lecture. On peut distinguer trois types narratifs dans la narration hétérodiégétique (voir le tableau 1). Si le lecteur est guidé dans sa lecture par le narrateur, c'est le type narratif auctoriel (Genette, 1972, focalisation zéro par un narrateur omniscient ; voir le roman balzacien), alors qu'il est question du type narratif actoriel si un des acteurs fonctionne comme centre d'orientation (Genette, 1972 : 206-207, focalisation interne ; voir Emma dans *Madame Bovary* de Flaubert). Le type narratif est neutre s'il n'y a aucun centre d'orientation individualisé, de sorte que l'action semble enregistrée objectivement par une instance, désignée métaphoriquement par la caméra (Genette, 1972 : 206-207, focalisation externe ; voir *Moderato cantabile* de Marguerite Duras).

TABLEAU 1
TYPES NARRATIFS
DANS LA NARRATION HÉTÉRODIÉGÉTIQUE

Centre d'orientation / **Type narratif**	**Narrateur** *(auctor)*	**Acteur** *(actor)*
Auctoriel	+	–
Actoriel	–	+
Neutre	–	–

Dans la narration homodiégétique, il n'y a que deux centres d'orientation, le personnage-narrateur et ce même personnage en tant qu'acteur, correspondant aux types narratifs auctoriel et actoriel (voir le tableau 2). Comme ma typologie est basée sur le centre d'orientation du lecteur, je ne distingue pas un type narratif neutre[4]. Bien qu'un personnage, tel que Meursault dans *L'étranger,* puisse adopter une technique narrative « objective », l'enregistrement n'en est pas moins orienté soit par le personnage-narrateur, soit par le personnage-acteur.

TABLEAU 2
TYPES NARRATIFS
DANS LA NARRATION HOMODIÉGÉTIQUE

Centre d'orientation / Type narratif	Personnage-narrateur *(auctor)*	Personnage-acteur *(actor)*
Auctoriel	+	–
Actoriel	–	+

Les types narratifs sont caractérisés par des traits distinctifs (Lintvelt, 1989 : 101-109). Les tableaux 3 et 4 résument les principales caractéristiques des types narratifs dans la narration hétérodiégétique et dans la narration homodiégétique.

Alors que j'envisage le narrateur hétérodiégétique auctoriel comme une instance, dotée parfois de capacités suprahumaines telles que l'omniscience et l'omniprésence, j'ai une conception anthropomorphique du personnage-narrateur/acteur de la narration homodiégétique. Tout en convenant que les possibilités linguistiques de l'œuvre littéraire ne sont pas limitées par la vraisemblance psychologique (Genette, 1983 : 82-89 ; Whitfield, 1987 : 21), j'ai défini la narration homodiégétique par des critères anthropomorphiques non pour adopter une critique normative, mais afin de pouvoir repérer et interpréter les transgressions narratives (Lintvelt, 1989 : 182 et 185), que l'on trouve notamment dans l'œuvre d'Anne Hébert.

Le premier jardin d'Anne Hébert

La structure narrative complexe du *Premier jardin* pourrait être représentée par le tableau 5 (Genette, 1972 : 238-239 ; Lintvelt, 1989 : 209-214, niveaux narratifs).

4. Ma position est à l'opposé de celle de Stanzel (1984 : 232-236) et de Genette (1983 : 82-89).

TABLEAU 3
NARRATION HÉTÉRODIÉGÉTIQUE

	Type narratif / Critère narratif	Auctoriel	Actoriel	Neutre
Plan perceptif-psychique	Perspective narrative	narrateur	acteur	instance impersonnelle : caméra
	Profondeur de la perspective narrative	omniscience – externe – interne	non-omniscience – extrospection – introspection	non-omniscience – externe
Plan temporel	Ordre	– retours en arrière – anticipations certaines	– retours en arrière – anticipations incertaines	– retours en arrière – anticipations incertaines
Plan spatial	Position	narrateur	acteur	instance impersonnelle : caméra
	Mobilité	omniprésence	non-omniprésence	non-omniprésence
Plan verbal	Commentaires par le narrateur	oui	non	non

TABLEAU 4

NARRATION HOMODIÉGÉTIQUE

	Type narratif / Critère narratif	**Auctoriel**	**Actoriel**
Plan perceptif-psychique	Perspective narrative	personnage-narrateur	personnage-acteur
	Profondeur de la perspective narrative	non-omniscience – extrospection – introspection du personnage-narrateur	non-omniscience – extrospection – introspection du personnage-acteur
Plan temporel	Ordre	– retours en arrière – anticipations certaines jusqu'au moment de la narration	– retours en arrière – anticipations incertaines
Plan spatial	Position	personnage-narrateur	personnage-acteur
	Mobilité	non-omniprésence	non-omniprésence
Plan verbal	Commentaires par le personnage-narrateur	oui	non

TABLEAU 5
STRUCTURE NARRATIVE COMPLEXE DU *PREMIER JARDIN*

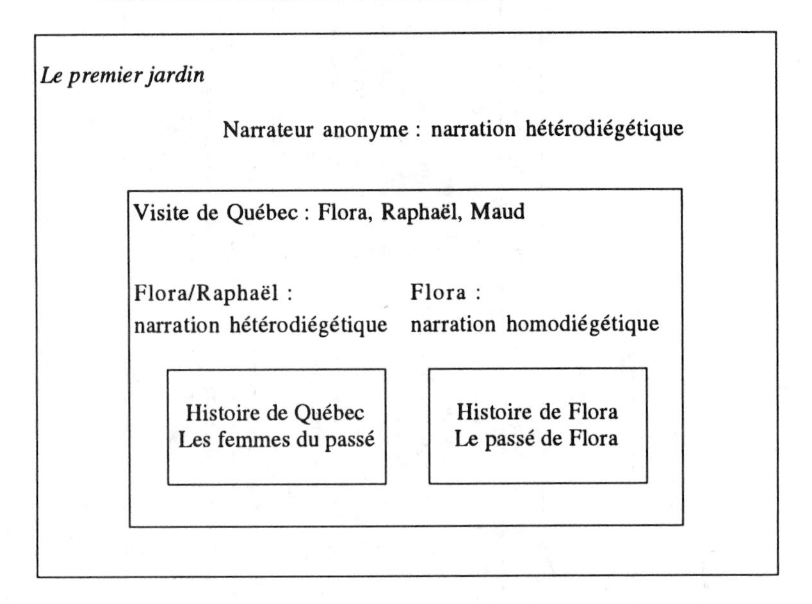

Le roman est composé de trois formes narratives différentes : la narration hétérodiégétique assumée par un narrateur anonyme, à l'intérieur de laquelle s'insèrent la narration hétérodiégétique assumée par Flora/Raphaël et la narration homodiégétique adoptée par Flora.

Narrateur anonyme : narration hétérodiégétique. Le narrateur anonyme raconte, dans un récit hétérodiégétique, le départ de Flora Fontanges de la Touraine pour « une ville du Nouveau Monde » (p. 9)[5], la ville de Québec qui n'est jamais mentionnée explicitement, où elle devra jouer le rôle de Winnie dans *Oh ! les beaux jours* de Beckett, et où elle retrouvera enfin sa fille Maud.

Flora/Raphaël : narration hétérodiégétique. Les acteurs Flora et Raphaël, l'ami de sa fille, se transforment en narrateurs, lorsqu'ils évoquent dans un récit hétérodiégétique la vie des femmes fondatrices de la Nouvelle-France.

5. Les pages indiquées entre parenthèses renvoient à Hébert (1988).

Flora : narration homodiégétique. Finalement, Flora Fontanges remplit le rôle de narratrice homodiégétique pour évoquer son enfance dramatique, marquée par l'incendie de l'hospice Saint-Louis.

Le tableau 5 suggère à tort que le récit de Flora/Raphaël et celui de Flora sont nettement délimités, comme des récits encadrés. En réalité, leurs récits sont toujours entrecoupés par le récit du narrateur anonyme. Bien que celui-ci reste donc présent tout au long du roman, il me semble possible de diviser le roman en cinq parties d'après la forme narrative prédominante. J'envisage une analyse de la technique narrative de ces parties en rapport avec la recherche identitaire de Flora Fontanges, dont l'évolution suit les cinq étapes du roman (Mésavage, 1990). L'analyse narratologique se combinera ainsi avec une analyse thématique, liée à son tour à certains aspects idéologiques.

1. *Narrateur anonyme : narration hétérodiégétique*

Dans la première partie du roman (p. 9-74), le narrateur anonyme utilise surtout les types narratifs auctoriel et actoriel. La narration auctorielle est employée dans l'ouverture du texte, quand le narrateur omniscient explique que « deux lettres venant d'une ville lointaine », l'une de sa fille et l'autre d'un directeur de théâtre, invitent la comédienne Flora Fontanges à retourner dans son « pays natal », où elle porta jadis le nom de Pierrette Paul (p. 9). Le narrateur la décrit physiquement (« Elle a relevé le col de son manteau de drap noir ») et psychologiquement (« Hors de scène, elle n'est personne. C'est une femme vieillissante »). Cette description inaugurale fournit un protocole de lecture (Dubois, 1973 : 496 ; Ricardou, 1971 : 124 ; Lintvelt, 1984 : 40 et 43), en esquissant par anticipation les thèmes du roman : le refus du passé de Pierrette Paul et la recherche d'une identité multiple à travers des rôles de théâtre.

Après la narration auctorielle de la page d'ouverture, le lecteur va partager la perception actorielle de Flora Fontanges, regardant le tableau des départs :

> Le nom de la ville de son enfance n'est pas affiché au tableau des départs. Le numéro du vol, la porte d'embarquement, le point d'atterrissage, tout y est, sauf... Depuis le temps qu'elle l'a quittée, d'ailleurs, peut-être la ville s'est-elle résorbée sur place comme une flaque d'eau au soleil ? (p. 10).

Sa perception paraît subjective à tel point que Flora ne semble pas voir le nom de la « ville interdite » de Québec, qui est supprimé ensuite par des points de suspension[6]. Sa pensée intérieure est rendue sous une forme mixte du monologue intérieur (emploi du présent et du parfait et question intérieure) et du discours indirect libre (emploi de la troisième personne). L'analyse de la perspective narrative de Flora Fontanges montre que la première étape de son évolution est caractérisée par le refus de son passé.

Ainsi que Nicolas Jones et Stevens Brown dans *Les fous de Bassan*, Flora essaie de conserver ses « distances » (p. 21), parce qu'elle « craint plus que toute autre chose de réveiller des fantômes et d'avoir à jouer un rôle parmi les spectres » (p. 22). Créant un effet de suspense, le narrateur auctoriel omniscient anticipe alors sur le déroulement ultérieur de l'histoire, en signalant à propos de Flora :

> Évite soigneusement de passer la porte Saint-Louis. Ne verra pas aujourd'hui les façades grises de l'Esplanade ni la haute demeure de sa fausse grand-mère qu'on a transformée en hôtel (p. 22).

Plus tard, elle se trouvera quand même devant la maison de sa « fausse grand-mère », dont elle ne voulait pas se souvenir (p. 13). Flora fonctionne alors comme centre d'orientation actoriel, de sorte que le lecteur connaît ses perceptions et ses pensées intérieures :

> Ce qui devait arriver arrive à l'instant même. Voici l'Esplanade, la façade grise, les fenêtres qu'on a peintes en bleu, du 45 de la rue d'Auteuil [...] Nulle grande, vieille femme en noir ne risque d'apparaître à la fenêtre et de soulever un rideau de guipure pour épier Flora Fontanges, la montrer du doigt. Nulle vieille voix sèche ne peut s'échapper de la fenêtre et prononcer l'arrêt de mort d'une petite fille rescapée de l'hospice Saint-Louis :
>
> – Vous n'en ferez jamais une lady (p. 30).

Selon le point de vue de Flora surgissent ensuite également des images de l'incendie de l'hospice Saint-Louis (mises en rapport avec son rôle de « Jeanne au bûcher » (p. 27)) :

> Soudain, Flora Fontanges n'est plus maîtresse des sons, des odeurs, des images qui se bousculent en elle. L'âcreté de la fumée, une enfant qui tousse et s'étouffe dans les ténèbres, le crépitement de l'enfer tout près, la chaleur suffocante, l'effroi dans sa pureté originelle (p. 31).

---

6. Voir Slott (1987 : 298-299) qui aborde la narration répressive par des ellipses dans *Les fous de Bassan*.

Quand Raphaël insiste pour lui faire visiter la ville, elle « fait ses conditions » et stipule qu'il y a « des lieux interdits où elle n'ira jamais » (p. 37). Cependant, elle ne peut empêcher que remonte une « image ancienne », décrite selon sa perspective narrative actorielle :

> Elle voit très nettement une poignée de porte en verre taillé qui brille étrangement dans la rue Plessis aux façades sombres [...] Il suffirait de la tourner dans sa main, avec précaution, cette poignée brillante, pour avoir accès à tout l'appartement de M. et Mme Éventurel qui ont adopté une petite fille rescapée de l'hospice Saint-Louis (p. 38).

En dépit de son refus psychologique de son enfance, « le passé surgit » alors et « envahit le présent » (p. 38).

2. *Flora et Raphaël : narration hétérodiégétique*

Ce ne sera que progressivement que Flora sera capable d'intégrer son passé dans sa quête identitaire. Ce processus sera favorisé dans la deuxième partie du roman (p. 75-121) par l'acte narratif qu'elle assume avec Raphaël, en évoquant, pendant leurs promenades dans le Vieux-Québec, la vie des fondatrices du pays. La narration hétérodiégétique par le narrateur anonyme se combine alors avec la narration hétérodiégétique par Raphaël et Flora.

Étudiant en histoire, Raphaël essaie de ressusciter le passé de Québec :

> Raphaël désire que Flora Fontanges l'accompagne dans ses recherches.
>
> – Je réveillerai le temps passé. J'en sortirai des personnages encore vivants, enfouis sous les décombres. Je vous les donnerai à voir et à entendre. J'écrirai des pièces historiques pour vous. Vous jouerez tous les rôles de femmes et vous serez passionnante comme jamais. Vous verrez (p. 75).

Effectivement « Flora Fontanges écoute les histoires de Raphaël, en tire des personnages et des rôles » (p. 83).

Raphaël commence par évoquer la fondation de Québec par les premiers colons, parmi lesquels Louis Hébert et Marie Rollet, les ancêtres d'Anne Hébert : « Le premier homme s'appelait Louis Hébert et la première femme, Marie Rollet. Ils ont semé le premier jardin avec des graines qui venaient de France » (p. 76-77). Flora se met à « jouer Marie Rollet » et ainsi le « passage se fait de sa vie d'aujourd'hui à une vie d'autrefois » (p. 78). De cette façon, la narration contribue à la quête identitaire de Flora, qui recherche son identité personnelle à travers la vie des femmes du passé. Dans une sorte de création commune, Raphaël et Flora imaginent l'histoire d'une religieuse, Guillemette Thibault, qui aurait « voulu devenir forgeron comme son père » (p. 86), refusa de se marier et dut enfin entrer au couvent, où elle perdit son nom. Pareillement Flora/Marie Éventurel a refusé le mariage, mais à l'opposé de Guillemette, elle a quitté la ville pour « faire du théâtre » (p. 162), « apprendre son métier, être soi-même, *tout entière en sa fleur* » (p. 163) et elle a choisi « son propre nom » Flora, qui « lui permettra toutes les métamorphoses nécessaires à sa vie » (p. 65).

Raphaël raconte ensuite qu'il « a bien fallu avoir recours à la Salpêtrière pour peupler la colonie », s'identifiant à tel point aux « garçons à marier » qu'il adopte la forme du « nous » pour décrire selon leur perspective narrative actorielle l'arrivée des filles du roi :

> Quand on a été privés de femmes pendant si longtemps, sauf quelques sauvagesses, c'est quand même plaisant de voir venir vers *nous* tout ce bel assemblage de jupons et de toile froissée. Il a été entendu, entre M. le Gouverneur, M. l'Intendant et *nous* garçons à marier, qu'on les prendrait comme elles sont, ces filles du Roi, fraîches et jeunes, sans passé, purifiées par la mer, au cours d'une longue et rude traversée sur un voilier (p. 96-97 ; l'italique est de moi).

Purifiées par l'eau lustrale (Émond, 1984 : 195-215), elles sont tirées de l'anonymat par Raphaël et Flora, qui « ont commencé à réciter les noms des filles du Roi, comme une litanie de saintes » (p. 99), car « il faudrait les nommer toutes [pour] leur rendre hommage » (p. 103). La narration commune de Raphaël et Flora remplit donc une fonction idéologique, féministe, par la réhabilitation des filles du roi (Milot, 1988 : 28 ; Saint-Martin, 1988 : 4 ; Lapointe, 1989 : 49).

Les femmes de jadis (« la première fleur ») sont mises en rapport avec Flora, en quête d'une identité multiple :

> En réalité, c'est d'elle seule qu'il s'agit, la reine aux mille noms, la première fleur, la première racine, Ève en personne (non plus seulement incarnée par Marie Rollet, épouse de Louis Hébert), mais fragmentée en mille frais visages, Ève dans toute sa verdeur multipliée, son ventre fécond, sa pauvreté intégrale, dotée par le Roi de France pour fonder un pays, et qu'on exhume et sort des entrailles de la terre (p. 99-100).

Il doit être question d'une remarque auctorielle par le narrateur anonyme, car, à ce stade, Flora est encore inconsciente de sa recherche identitaire par l'intermédiaire d'autrui. Le narrateur omniscient explique qu'elle imagine justement la vie d'autres femmes pour éviter de parler d'elle-même, refoulant son passé :

> Si Flora Fontanges se laisse à nouveau envahir par tant de personnages, c'est qu'elle a besoin qu'il y ait tout un va-et-vient dans sa tête. Tant qu'elle jouera un rôle, sa mémoire se tiendra tranquille et ses propres souvenirs de joie ou de peine ne serviront qu'à nourrir des vies étrangères. Ce n'est pas rien d'être une actrice et de refouler son enfance et sa jeunesse dans la ville comme des mauvaises pensées (p. 106).

Après avoir énoncé son nom de Pierrette Paul, elle préfère changer rapidement de sujet pour évoquer la vie tragique d'Aurore :

> Acceptera-t-elle jamais le poids de toute sa vie dans la nuit de sa chair ? Plutôt évoquer la Grande-Allée, du temps de sa splendeur, et la petite Aurore qui travaillait dans une de ces maisons, de l'autre côté de l'avenue (p. 117).

Cependant, le narrateur auctoriel signale que, pour la première fois, elle assume personnellement l'acte narratif, dissimulant ses propres souvenirs derrière l'histoire d'autrui :

> Cette fois, ce n'est pas l'étudiant en histoire qui évoque le passé, mais Flora Fontanges dont la mémoire est étrange et la concerne plus ou moins tant la peur de se compromettre lui fait puiser dans les souvenirs des autres, pêle-mêle, avec les siens propres afin qu'ils soient méconnaissables (p. 120).

Il lui arrive de se rapprocher à tel point d'Aurore qu'elle adopte la forme du « nous » (p. 118). Par l'évocation de la vie des femmes du passé, Flora finit par retrouver son propre passé.

3. *Narrateur anonyme : narration hétérodiégétique*

Dans la troisième partie (p. 123-134), le narrateur hétérodiégétique anonyme prédomine de nouveau, racontant une nouvelle étape de la quête identitaire de Flora. Après le départ de son « archange » Raphaël (p. 133), elle retourne « en esprit à la maison de l'Esplanade, comme s'il n'était plus en son pouvoir de n'y pas aller, appelée par son enfance vivace et têtue » (p. 123). Le narrateur adopte alors la perspective narrative actorielle de Flora, qui se rappelle « une petite fille rescapée de l'hospice Saint-Louis, en 1927 » (p. 124). Comme elle avait 11 ans lors de l'incendie (p. 129, 131), elle doit être née en 1916, de sorte que l'année de sa naissance correspond à celle d'Anne Hébert. Enfermée dans les ténèbres de sa chambre d'hôtel, Flora est livrée – comme

Élisabeth dans *Kamouraska* (Hébert, 1970 : 30) – aux horreurs de son passé :

> C'est dans la solitude et la nuit de la rue Sainte-Anne que de grands pans de mémoire cèdent alors qu'elle est couchée dans le noir, livrée, pieds et poings liés, aux images anciennes qui l'assaillent avec force (p. 127).
>
> Raphaël n'est plus là pour partager avec elle l'évocation des petites filles de l'hospice Saint-Louis. Maintenant qu'il s'agit de sa vie, elle est sans personne, ni pitié ni compassion (p. 128).

Surgissent alors ses souvenirs douloureux des « enfants brûlées vives » avec Rosa Gaudrault, et de son arrivée chez ses parents adoptifs, les Éventurel, où elle devra encore passer par le feu purificateur (Émond, 1984 : 217-229) de la fièvre scarlatine pour « faire peau neuve » (p. 130), sous un nouveau nom et avec une nouvelle identité. « Seule dans le noir de la chambre fermée », dans « la nuit », « peuplée de cauchemars et d'apparitions » (p. 133), Flora se décide finalement à « régler ses comptes avec la nuit, une fois pour toutes » :

> Débusquer tous les fantômes. Redevenir neuve et fraîche sur sa terre originelle, telle qu'au premier jour, sans mémoire. L'histoire qui vient est sans fil visible, apparemment décousue, vive et brillante, pareille au mercure qui se casse, se reforme et fuit (p. 134).

4. *Flora : narration homodiégétique*

À la narration hétérodiégétique, selon la perspective actorielle de Flora, succède alors dans la quatrième partie (p. 135-152) la narration homodiégétique, assumée par Flora ; le personnage se met à évoquer personnellement son adoption par les Éventurel, qui l'ont choisie parmi trois petites filles échappées à l'incendie de l'hospice Saint-Louis :

> La plus grande n'avait plus de larmes. Elle regardait droit devant elle avec des yeux sans regard pareils à ceux des statues. Ses lèvres étaient blanches comme ses joues. Drapée dans un plaid qu'elle refusait de quitter, frissonnant par à-coups violemment comme si on la secouait de la tête aux pieds, sa dignité était extrême (p. 135).

Comme Flora, personnage-narrateur, parle d'elle-même en tant que personnage-acteur, il s'agit de la narration homodiégétique. Afin de se distancier de son passé dramatique, le « détachement de Flora Fontanges est extrême » (p. 145), à tel point qu'elle n'emploie pas la première personne pour parler d'elle-même, mais la troisième, comme s'il était question d'une autre. Ainsi que Nicolas Jones dans *Les fous de Bassan* (Hébert, 1982 : 46 et 49 ; Lintvelt, 1991 : 41), elle marque son aliénation par l'emploi de la troisième personne. Cette technique narrative impersonnelle pourrait exprimer en outre sa perte d'identité à cette époque de sa vie, où « elle n'existait plus du tout, ni Pierrette Paul, ni Marie Éventurel » (p. 139). Flora adopte donc une forme particulière de la narration homodiégétique par l'emploi de la troisième personne, caractéristique de la narration hétérodiégétique. Le fragment cité montre en outre que Flora transgresse la profondeur de la perspective narrative de la narration homodiégétique[7], en dépassant son savoir limité. Elle adopte au fond la perspective narrative des Éventurel, pour se décrire elle-même selon leurs perceptions et pensées subjectives (voir la notion de narration hétérodiégétique, du type narratif actoriel).

À la narration hétérodiégétique, Flora semble emprunter également son omniscience :

> Elle se tourne contre le mur. Ferme les yeux. Reprend le fil de son histoire. Retrouve dans le noir les époux Éventurel qui font semblant d'avoir une fille bien à eux (p. 143).

Elle se comporte de nouveau comme un narrateur auctoriel omniscient, lorsqu'elle raconte les pensées intérieures des Éventurel, évoque les cris qu'elle a poussés inconsciemment et corrige enfin la fausse explication qu'elle en avait donnée autrefois :

> Couchés dans leur grand lit de cuivre, sous l'édredon rose, gonflé de plumes choisies, M. et Mme Éventurel, souvent, le soir, font leur examen de conscience. Ils se demandent s'ils ont bien fait tout ce qu'il faut faire pour rendre leur fille adoptive douce et malléable, digne de cette place qu'ils lui destinent dans la société.
>
> Tandis que dans la petite chambre aux murs pleins de fleurs et d'oiseaux, du sommeil de Marie Éventurel s'échappent parfois des cris dont elle n'a pas souvenir au réveil.
>
> – J'ai dû rêver au loup, dit-elle, le matin, en haussant les épaules, lorsqu'on lui rappelle ses cauchemars de la nuit. En réalité, ce sont des petites filles qui passent dans ses songes et qu'on allume comme des torches (p. 143-144).

Ces transgressions narratives permettent une présentation subjective et complexe de son passé, éclairé d'optiques variées, sans que le

7. Pour les transgressions narratives dans *Les fous de Bassan*, voir Lintvelt (1991 : 42-43).

lecteur puisse distinguer avec certitude le réel de l'onirique, parce que ces codes sont souvent entremêlés dans les romans d'Anne Hébert (Paterson, 1985 : 159-160).

Après avoir évoqué ainsi son enfance, Flora est prête pour la cinquième étape de son évolution identitaire.

5. *Narrateur anonyme : narration hétérodiégétique*

Le narrateur anonyme reprend enfin la narration hétérodiégétique dans la dernière partie du roman (p. 153-189) pour constater : « Et voilà qu'elle est vieille maintenant. De retour dans sa ville originelle. La boucle est bouclée » (p. 153). « Son dernier rôle est devant elle », celui de Winnie dans *Oh ! les beaux jours* de Beckett (p. 153). Dans cette dernière étape, elle devra accepter tant son enfance que sa vieillesse.

Flora se propose alors de « visiter la ville, de fond en comble, sans rien en elle qui se garde et se refuse » (p. 155). Elle retourne « côte de la Couronne », où « autrefois se dressait l'hospice Saint-Louis » (p. 166). « Voici que des images surgissent », de l'incendie tragique du « quatorze décembre 1927 » (p. 167). Après avoir visité « la ville interdite » (p. 188), elle réussit enfin à intégrer son enfance traumatisante.

Le rôle qu'elle devra jouer dans la pièce de Beckett est associé à l'incendie : « Déjà, elle se nomme Winnie. L'épreuve du feu à nouveau » (p. 171). Ayant joué Winnie durant un mois, elle paraît accepter également sa vieillesse.

Sur le plan narratif comme sur le plan thématique, le roman semble présenter une structure cyclique. Le narrateur anonyme raconte les parties 1-3-5 (début-milieu-fin), en alternance avec Raphaël/Flora (partie 2) et Flora (partie 4). Au moment de la clôture du roman, le narrateur auctoriel signale que Flora a reçu une lettre de Paris, dans laquelle on lui propose de jouer le rôle de Mme Frola (anagramme de Flora) dans *Chacun sa vérité* de Pirandello. Ainsi que dans l'ouverture le déplacement de Flora est donc déclenché par une lettre et, bien qu'elle ait retrouvé enfin sa fille, elle « est seule de nouveau » (p. 188), comme au début. Ce mouvement cyclique n'empêche pourtant pas une évolution identitaire de Flora au cours des cinq parties du roman :

1. Narrateur anonyme : narration hétérodiégétique de son refus du passé, de son enfance ;

2. Flora/Raphaël : narration hétérodiégétique de sa recherche d'identité par l'intermédiaire des fondatrices du pays ;
3. Narrateur anonyme : narration hétérodiégétique de son passé revécu dans son imagination ;
4. Flora : narration homodiégétique, évocation personnelle de son enfance ;
5. Narrateur anonyme : narration hétérodiégétique de sa visite de la « ville interdite » et de son rôle de Winnie.

Ainsi, Flora finit par accepter son enfance (Merler, 1989 : 231) et sa vieillesse, « l'absurdité de toute vie vouée au vieillissement et à la mort » (Émond, 1988 : 80). Son nouveau rôle dans *Chacun sa vérité* pourrait suggérer par le thème de cette pièce qu'elle a finalement trouvé sa vérité personnelle, basée sur une relativité toute subjective. L'étude narrative des cinq parties du roman permet donc d'analyser la recherche identitaire de Flora Fontanges.

Élisabeth, dans *Kamouraska*, aimerait avoir non seulement « une double vie », mais « quatre ou cinq existences secrètes » (Hébert, 1970 : 75). Selon Barbara Godard (1989 : 16-17) et Karen Gould (1986 : 924), ce désir de multiplicité serait typique de l'identité féminine[8]. Flora Fontanges revêt déjà trois identités différentes (Fortin, 1988 : 503), représentées par trois noms distincts (Pierrette Paul – Marie Éventurel – Flora Fontanges), correspondant à trois étapes de sa vie. Toute jeune, elle était déjà angoissée par l'idée d'être enfermée dans une seule et même identité : « N'être que soi toute la vie, sans jamais pouvoir changer, être Pierrette Paul toujours, sans s'échapper jamais, enfermée dans la même peau, rivée au même cœur, sans espérance de changement, comme ça, tout doucement jusqu'à la vieillesse et la mort » (p. 63). Elle avait « envie très fort de devenir quelqu'un d'autre », « d'habiter ailleurs qu'en elle-même » (p. 63), et rêvait d'éclater « en dix, cent, mille fragments vivaces », d'être « dix, cent, mille personnes nouvelles et vivaces » (p. 64). Flora a toujours gardé ce même désir : « Il faudrait avoir neuf vies. Les essayer toutes à tour de rôle. Se multiplier neuf fois. Neuf fois neuf fois » (p. 113).

---

8. Anne Hébert déclarait dans une entrevue accordée à André Vanasse : « Peut-être que l'être humain est un être plein de contradictions. Il y a des gens qui réussissent à faire l'unité en eux. Moi, je n'ai pas fait d'unité en moi. Heureusement, car cela signifierait la mort de beaucoup de mes personnages » (Vanasse, 1982 : 44).

Maurice Émond fait remarquer à propos de la lignée de femmes, qui surgissent comme des « femmes gigognes », s'emboîtant comme des poupées russes à partir de Julie dans *Les enfants du sabbat* (Hébert, 1975 : 103) :

> Ces emboîtements et redoublements sont l'illustration de l'éternelle jeunesse, de la renaissance perpétuelle, de la fécondité surdéterminée, en un mot de l'immortalité (Émond, 1984 : 148).

Cet « étrange pouvoir des métamorphoses », Flora le trouve dans l'évocation des femmes du passé et en particulier dans le théâtre, jugé « le plus beau métier du monde » (p. 114).

BIBLIOGRAPHIE

ADAM, J.-M. (1985), *Le texte narratif. Traité d'analyse textuelle des récits,* Paris, Nathan.

BAL, Mieke (1986), *Femmes imaginaires. L'ancien testament au risque d'une narratologie critique,* Utrecht et Paris, HES et Nizet.

CHATMAN, Seymour (1980), *Story and Discourse. Narrative Structure in Fiction and Film,* Ithaca et Londres, Cornell University Press.

DUBOIS, Jacques (1973), « Surcodage et protocole de lecture dans le roman naturaliste », *Poétique,* n° 16, p. 491-498.

ÉMOND, Maurice (1984), *La femme à la fenêtre. L'univers symbolique dans* Les chambres de bois, Kamouraska *et* Les enfants du sabbat, Québec, Les Presses de l'Université Laval. (Coll. Vie des lettres québécoises, n° 22. Publication du Centre de recherche en littérature québécoise.)

ÉMOND, Maurice (1988), « Un retour désabusé ou *Le premier jardin* d'Anne Hébert », *Québec français,* n° 71, p. 80.

FORTIN, Marcel (1988), « Cette ville qui fut l'Eden », *Voix et images,* n° 39, p. 503-506.

GAUDREAULT, André (1988), *Du littéraire au filmique. Système du récit,* Québec et Paris, Les Presses de l'Université Laval et Méridiens Klincksieck.

GAUDREAULT, André et François JOST (1990), *Le récit cinématographique,* Paris, Nathan.

GENETTE, Gérard (1972), *Figures III,* Paris, Éditions du Seuil.

GENETTE, Gérard (1983), *Nouveau discours du récit,* Paris, Éditions du Seuil.

GODARD, Barbara (1989), « My (m) Other, My Self : Strategies for Subversion in Atwood and Hébert », *Essays on Canadian Writing,* n° 26, p. 13-44.

GOULD, Karen (1986), « Absence and Meaning in Anne Hébert's *Les fous de Bassan* », *The French Review,* vol. LIX, n° 6, p. 921-930.

HÉBERT, Anne (1970), *Kamouraska,* Paris, Éditions du Seuil.

HÉBERT, Anne (1975), *Les enfants du sabbat,* Paris, Éditions du Seuil.

HÉBERT, Anne (1982), *Les fous de Bassan,* Paris, Éditions du Seuil.

HÉBERT, Anne (1988), *Le premier jardin,* Paris, Éditions du Seuil.

JOST, François (1987), *L'œil-caméra. Entre film et roman,* Lyon, Les Presses universitaires de Lyon.

LANSEN, Susan Sniader (1981), *The Narrative Act. Point of View in Prose Fiction,* Princeton, Princeton University Press.

LAPOINTE, Jeanne (1989), « Notes sur *Le premier jardin* d'Anne Hébert », *Écrits du Canada français,* n° 65, p. 47-50.

LINTVELT, Jaap (1984), « L'ouverture du roman : procédures d'analyse », dans C. GRIVEL et F. RUTTEN [édit.], *Recherche sur le roman, II,* CRIN, n° 11, p. 40-48.

LINTVELT, Jaap (1989 [1981]), *Essai de typologie narrative. Le « point de vue ». Théorie et analyse,* Paris, Corti.

LINTVELT, Jaap (1991), « Une approche typologique : le discours transgressif dans *Les fous de Bassan* d'Anne Hébert », *Protée,* vol. XIX, n° 1, p. 39-44.

MERLER, Grazia (1989), « Hébert sonore », *Canadian Literature,* n° 120 (printemps), p. 230-233.

MÉSAVAGE, Ruth M. (1990), « L'archéologie d'un mythe : *Le premier jardin* d'Anne Hébert », *Quebec Studies,* n° 10, p. 69-78.

MILOT, Louise (1988), « Un demi-retour au passé », *Lettres québécoises,* n° 50, p. 27-28.

PATERSON, Janet M. (1985), *Anne Hébert : architexture romanesque,* Ottawa, Éditions de l'Université d'Ottawa.

Protée (Le point de vue fait signe) (1988), vol. 16, n°s 1-2.

Protée (Narratologies. États des lieux) (1991), vol. 19, n° 1.

RICARDOU, Jean (1971), *Pour une théorie du nouveau roman,* Paris, Éditions du Seuil.

RIMMON-KENAN, Shlomith (1983), *Narrative Fiction : Contemporary Poetics,* Londres et New York, Methuen.

ROUSSET, Jean (1962), *Forme et signification,* Paris, Corti.

ROUSSET, Jean (1973), *Narcisse romancier. Essai sur la première personne dans le roman,* Paris, Corti.

SAINT-MARTIN, Lori (1988), « Côté jardin », *Spirale,* n° 80, p. 4.

SLOTT, Kathryn (1987), « Repression, Obsession and Re-emergence in Hébert's *Les fous de Bassan* », *American Review of Canadian Studies,* vol. XVII, n° 3, p. 297-307.

STANZEL, F. K. (1984), *A Theory of Narrative,* Cambridge, Londres, New York, New Rochelle, Melbourne et Sydney, Cambridge University Press.

VANASSE, André (1982), « L'écriture et l'ambivalence, entrevue avec Anne Hébert », *Voix et images,* vol. VII, n° 3, p. 441-448.

VAN DEN HEUVEL, Pierre (1985), *Parole, mot, silence. Pour une poétique de l'énonciation,* Paris, Corti.

WHITFIELD, Agnès (1987), *Le je(u) illocutoire. Forme et contestation dans le nouveau roman québécois,* Québec, Les Presses de l'Université Laval. (Coll. Vie des lettres québécoises, n° 25. Publication du Centre de recherche en littérature québécoise.)

Altérité et identité : tensions narratives dans *Ces enfants de ma vie* de Gabrielle Roy

Agnès WHITFIELD
Université York

Riche et touchante, la série autobiographique de Gabrielle Roy, dont *Ces enfants de ma vie* constitue une des œuvres les plus denses, se prête à différentes lectures, selon que l'on cherche à expliciter, par exemple, les thèmes privilégiés par l'auteure, la réception des œuvres ou divers aspects de leur facture. Se donnant pour but d'éclairer les tensions narratives dans *Ces enfants de ma vie* et leur rapport avec la problématique particulière de l'autobiographie féminine, la lecture que je propose se fonde tout naturellement sur des concepts provenant à la fois de la narratologie et de la critique féministe.

Mais de quelle narratologie, de quelle critique féministe s'agit-il ? Chacun de ces termes recouvre toute une gamme de réflexions et de positions complexes, souvent incompatibles, qui, de surcroît, ne cessent d'évoluer pour changer tantôt le regard porté sur les textes, tantôt la constitution des corpus eux-mêmes. En narratologie, Mieke Bal souligne ainsi la tendance à passer « de la construction de structures généralisables à la fondation de modèles heuristiquement utiles » (1985 : 34) et Louise Milot « l'urgence de permettre à l'analyse discursive de combler un retard pris [...] par rapport à l'analyse narrative » (1987 : 49). Quant à la critique féministe, elle se distingue par son pluralisme, son respect pour l'hétérogénéité, tant dans ses efforts pour redécouvrir et pour revaloriser un héritage littéraire féminin que dans son exploration de nouvelles façons de conceptualiser la différence sexuelle.

Au lieu de parler de méthodologie, ce qui imposerait une clôture sur le devenir dynamique de ces deux champs d'analyse, j'aimerais donc remettre en question d'une façon plutôt générale quelques-unes des tensions engendrées par leur mise en rapport, dans l'espoir de gagner en pertinence ce que je perdrai sans doute en rigueur. Évidemment, ces tensions découlent en partie du positionnement critique, c'est-à-dire contestataire, du féminisme. Dans le domaine du roman québécois, par exemple, l'excellente analyse féministe de Patricia Smart, *Écrire dans la maison du père* (1988), montre clairement l'enjeu des contraintes culturelles qui pèsent sur la narration et la lecture de son « histoire à elle » (1988 : 14), contraintes qui rendent problématique le statut narratif du sujet féminin, appelé à s'inscrire dans un discours littéraire et social qui le marginalise. Incontestablement, de telles analyses mettent en question certains acquis de la narratologie classique, tant en ce qui a trait à l'universalité des modèles qu'elle avance que sur le plan de son fonctionnement en tant que démarche heuristique.

Toutefois, l'effet de cette rencontre n'est pas nécessairement négatif sur la narratologie. Comme le constate Mieke Bal, si la narratologie « est dans une impasse, [c'est] dans la mesure où elle n'a pas réussi à s'établir comme *instrument,* c'est-à-dire [...] à se mettre au service de quelque pratique critique » (1985 : 246). Pour Bal, la difficulté tient non pas au manque de potentiel heuristique de la narratologie, mais au fait que, « appliquée en soi et pour soi, [elle] a manqué de pertinence » (1985 : 247). La solution serait donc à trouver dans la formulation d'une « narratologie critique » (1985 : 63) qui accorderait « une place centrale au concept du sujet » (1985 : 247). Reformulée ainsi pour mieux pouvoir « relier une interprétation spécifique aux stratégies sémiotiques particulières d'un texte » (1985 : 34), la narratologie retrouverait à la fois son efficacité et sa pertinence pour l'étude de la littérature.

L'intérêt de cette hypothèse de travail est particulièrement bien illustré par l'analyse de l'autobiographie féminine dans ses rapports avec les conventions classiques, c'est-à-dire essentiellement masculines, du genre. Or, la prolifération, depuis une dizaine d'années environ, des études sur l'autobiographie (masculine et féminine) témoigne éloquemment de l'envergure des questions théoriques et critiques qu'elle soulève. Mon intention ici n'est pas de réduire indûment la complexité de cette réalité générale, aux frontières très mouvantes, mais plutôt d'aborder un problème plus limité, à savoir les conditions particulières du statut problématique de l'autobiographie féminine.

Dans cette perspective, acceptons de simplifier les choses et d'entendre par conventions classiques quelques-unes des caractéristiques souvent associées aux textes masculins qui ont constitué pendant longtemps les « lignes de crête du paysage autobiographique », pour reprendre en l'adaptant la métaphore de Philippe Lejeune (1984 : 231). À cet égard, Janice Morgan souligne combien l'analyse de l'autobiographie masculine tend à privilégier « une vision unitaire, monumentale du moi posé comme étant extraordinairement unique (à la Rousseau) ou fondamentalement exemplaire (à la Henry Adams) » (1991 : 8)[1]. Tenace, cette notion de la « construction d'une histoire individuelle [...] parvenue à un palier temporaire où l'on pourrait faire halte » (Brochier, 1983 : 179) se retrouve même dans des études autobiographiques d'inspiration psychanalytique. Philippe Lejeune souligne encore d'autres caractéristiques souvent attribuées à l'autobiographie, lorsqu'il regroupe sous cette rubrique des récits « présentés comme directement référentiels (ce qui exclut les romans), et portant sur une vie entière ou sur l'essentiel d'une vie (ce qui exclut à la fois les souvenirs d'enfance, les récits détachés d'épisodes de la vie adulte, et les journaux intimes) » (1984 : 227).

Dans la mesure où de telles caractéristiques correspondent à une certaine conception du genre, la pratique féminine de l'autobiographie paraît en effet marginale. Souvent fragmentée, recourant à plusieurs formes d'écriture, y compris à ce que Molly Hite appelle « *fictional* self-writing » (1991 : XV), c'est-à-dire des « récits de vie » (Lejeune, 1986 : 17) fictifs, l'autobiographie féminine se distinguerait justement, selon Estelle Jelinek, par sa « résistance à la catégorisation » (1980 : 17). Moins préoccupée par l'histoire chronologique, moins dominée par « l'instinct du chroniqueur » (Brochier, 1983 : 179) de la vie publique, l'autobiographie féminine tendrait aussi à définir « l'essentiel d'une vie » selon des critères qui témoignent du caractère problématique du sujet féminin dans la culture patriarcale[2]. L'accent est pourtant sur la construction du sujet, à la différence de cette tendance « à la déconstruction massive de la subjectivité » (Miller, 1988 : 103) caractéristique de bon nombre d'autobiographies masculines contemporaines. Enfin, l'identité féminine étant « intimement reliée [...] à la présence réelle et à la reconnaissance d'un autre moi », comme le dit Mary Mason (1988 : 22), l'autobiographie féminine offre, à la place d'une « vision monumentale » du sujet masculin, ou de son double négatif de sujet rejeté, l'image d'un processus dynamique par lequel « l'identité évolue et se définit par le biais de l'altérité » (1988 : 41).

---

1. J'ai fait la traduction des citations tirées d'articles ou d'ouvrages en anglais.
2. Voir à ce sujet : Jelinek (1980) ; Brodzki et Schenck (1988) ; Smith (1987) ; Hall et Morgan (1991).

Par rapport à la problématique narratologique qui nous retient ici, l'intérêt de l'autobiographie féminine est donc double. D'une part, en assouplissant la définition du faire narratif, de cet « essentiel » du récit, et en repositionnant le sujet dans un rapport dynamique d'identité et d'altérité, elle reprend, toutes proportions gardées, quelques-unes des critiques avancées par le féminisme à l'égard de la narratologie classique. Rappelons, à cet égard, comme l'observe Herman Parret, que « la théorie actantielle [...] est basée sur une conception « polémologique » de la relation intersubjective : l'origine de toute relation entre sujets est conflictuel, et c'est par pacification que deux sujets sont amenés au contrat » (1988 : 116). D'autre part, en tant que corpus transgressif, qui formule ses propres enjeux sous la forme d'abord d'une résistance aux structures culturelles et textuelles dominantes, l'autobiographie féminine offre souvent des problèmes de décodage. Problèmes qui découlent à la fois, comme le remarque Shirley Foster, de l'importance accordée aux procédés textuels implicites qui « expriment cette résistance sans rejeter ouvertement les conventions littéraires ou sociales » (1986 : 154) et de la présence de tensions ou d'ambiguïtés liées à la « prise de conscience du caractère complexe et souvent contradictoire des aspirations féminines » (1986 : 154).

D'un côté, mise en cause de la narratologie, de l'autre, besoin d'outils analytiques, tel est le double jeu qu'il s'agit maintenant d'explorer d'une façon plus concrète, en examinant quelques tensions narratives dans *Ces enfants de ma vie* de Gabrielle Roy.

Publié en 1977, *Ces enfants de ma vie* raconte les premières années d'enseignement de l'auteure au Manitoba, à la fin des années vingt. Or, en dépit de l'humanisme traditionnel habituellement attribué à Gabrielle Roy, *Ces enfants de ma vie* s'inscrit, d'entrée de jeu, dans une pratique résolument féminine de l'autobiographie. D'une part, par ses ambiguïtés formelles, car c'est un texte présenté à la fois comme fictif et comme autobiographique. D'autre part, par la dynamique de l'identité et de l'altérité instaurée dès le titre, l'auteure insistant à la fois sur *sa* vie et sur *ces autres* qui l'ont partagée avec elle.

Il n'est donc guère étonnant que, bien qu'elle soit, dans l'ensemble, élogieuse (Réjean Robidoux qualifie l'œuvre de « remarquable réussite » (1978 : 21) ; selon Gilles Marcotte, « Gabrielle Roy n'a jamais rien écrit d'aussi passionné, d'aussi troublant » (1977 : 17)), la critique n'en ait pas moins éprouvé de la difficulté à situer cette œuvre dans un cadre générique. Pour certains, il s'agit d'un « livre d'histoires d'enfants » (Riddick, 1977 : 20) ou d'une « série de souvenirs fictionnalisés » (Keywan, 1979 : 73) mais guère d'un « roman, comme le prétend l'éditeur » (Abley, 1979 : 56). Pour d'autres, les liens thématiques entre chapitres et le recours à la narration en « je » assurent l'unité esthétique nécessaire à la forme romanesque, à condition toutefois que l'on renie le caractère autobiographique de l'ouvrage. « Si, en première instance, la signature du livre et l'emploi de la première personne permettent d'identifier l'institutrice avec telle personne réelle qui se nomme Gabrielle Roy, observe Gilles Marcotte, la lecture nous convainc rapidement du peu de pertinence de cette association. La narratrice, ici, est un personnage de plein droit » (Marcotte, 1977 : 17). Résumant bien l'embarras général, M. G. Hesse déclare tout simplement que *Ces enfants de ma vie* se situe dans un « *no man's land* formel » (1984 : 82)[3].

Or, à la première lecture, l'ouvrage *Ces enfants de ma vie* se présente effectivement comme une série de portraits de jeunes garçons, impression que renforce l'extrême rareté des allusions au présent de la narratrice, entièrement absorbée, semble-t-il, par ses souvenirs d'autrui. Le livre se divise en six segments, portant chacun un titre différent. Au niveau du programme narratif, chaque segment met en vedette un jeune garçon qui passe d'un état dysphorique à un état euphorique, grâce à la réalisation d'un don artistique ou émotif.

Intitulé « Vincento », le segment initial décrit la première journée d'école d'un petit Italien qui, en parvenant à dessiner sa maison au tableau, se réconcilie avec son sort douloureux. Dans « L'enfant de Noël », Clair souffre en silence jusqu'à ce qu'il trouve le moyen d'offrir un cadeau de Noël à son institutrice, pour lui exprimer son amour. Dans « L'alouette », Nil ne s'épanouit que lorsqu'il comprend que sa belle voix peut adoucir la vie des personnes âgées. « Demetrioff » raconte la transformation heureuse du dernier rejeton peu éveillé d'une famille russe, qui parvient à s'intégrer à l'école, grâce à son talent prodigieux pour la calligraphie. Avec l'aide de l'institutrice, André, le héros de « La maison gardée », parvient à réconcilier son désir d'aller à l'école et son amour pour sa mère qui, obligée par une grossesse difficile de garder le lit, a besoin de son aide. Enfin, dans le dernier portrait du livre, de loin le plus complexe, Médéric, un jeune adolescent rebelle, apprend à

3. François Ricard (1984) souligne la tendance générale de la critique à sous-estimer les œuvres autobiographiques de Gabrielle Roy.

transcender les exigences contradictoires de la nature et de la culture pour affirmer sa propre créativité.

Explicitement, donc, le livre décrit une expérience formatrice dans la vie de six garçons qui, en découvrant un talent artistique ou affectif, avancent tous sur le chemin de la connaissance et de l'épanouissement de soi. À ce programme narratif correspond également une thématique de l'identité masculine, que souligne la narratrice par de nombreuses allusions et comparaisons. « J'avais la classe des tout-petits » précise-t-elle dans le portrait initial. « C'était leur premier pas dans un monde inconnu » (p. 7)[4]. La réaction émotive du jeune Clair est comparée à celle de l'homme adulte : « J'apprenais qu'il peut être plus difficile de faire changer d'idée un enfant aimant qu'un homme armé de toute sa force » (p. 19). La famille nombreuse des Demetrioff, constituée uniquement de garçons sortis tous du même « moule originel » (p. 64), illustre, à elle seule, chacune des étapes du parcours masculin : « Mettez l'un des petits à côté [de deux ou trois grands] et c'est le même visage exactement en juste un peu moins coriace » (p. 64). De Médéric, la narratrice déclare : « Jamais encore je n'avais vu pareillement enchaînés, jusqu'à ce que l'un l'emporte sur l'autre, l'homme et l'enfant » (p. 198).

Nulle part, ne serait-ce que par le ton de tels commentaires, la narratrice ne semble douter de la nature de l'identité masculine. Si le caractère « coriace » du clan des Demetrioff est subtilement critiqué, il n'est pas présenté comme déviant. Nulle part non plus ne croit-elle nécessaire de préciser à l'égard de son narrataire ce qu'elle entend par ces images de l'homme. À ce niveau d'interprétation, *Ces enfants de ma vie* se présente en effet non pas comme une autobiographie de femme, mais comme un *Bildungsroman* ou plutôt un *Kunstlerroman* masculin, chaque segment retraçant une des étapes du développement de l'enfant mâle en vue de son épanouissement en tant qu'artiste. Car, tout en se suivant selon l'âge des garçons, du plus jeune au plus âgé, chacun de ces portraits, souligne Réjean Robidoux, « peut et doit aussi être lu comme un discours symbolique sur l'écriture » (1978 : 21).

Mais que devient alors le sujet féminin de l'œuvre autobiographique, cette narratrice qui revient sur son passé de jeune institutrice pour décrire « ces enfants de sa vie » ? Serait-elle simplement la témoin, ou tout au plus, l'adjuvant discret d'un faire narratif masculin

4. Les pages indiquées entre parenthèses renvoient à Roy (1977).

explicite ? La quête d'identité de la narratrice en tant que femme et écrivaine, ce « portrait de l'artiste en jeune femme », n'existerait-elle que sous la forme d'un « anti-programme », présent seulement par son absence ?

Or, le décodage d'autres structures textuelles offre une image beaucoup plus complexe du jeu, comme des enjeux, des rapports entre identité et altérité dans ce texte. D'une part, les attributs du don artistique découvert par chaque garçon tendent à valoriser une vision féminine de la créativité. D'autre part, certaines tensions narratives découlant du positionnement de la narratrice à l'égard du programme narratif des personnages masculins permettent de faire ressortir à la fois la quête féminine implicite du texte, celle de l'artiste en jeune femme, et les raisons de son statut problématique.

La validation d'une vision féminine de la créativité passe essentiellement par des énoncés descriptifs qui précisent la source et les caractéristiques du talent artistique de chaque garçon. Significative ici est l'importance de l'héritage maternel. Aussi Nil chante-t-il « le doux pays perdu de sa mère qu'elle lui avait donné à garder » (p. 56). L'affection que Clair éprouve à l'égard de l'institutrice et qui constitue le moteur de sa transformation est construite à même l'amour de sa mère pour lui. En assumant son sacrifice, André aussi s'identifie avec sa mère par la « fierté intense, presque de joie maternelle » (p. 112) qu'il découvre. Enfin, c'est de sa mère indienne que Médéric hérite à la fois ses yeux, « d'un violet ombreux plein de rêve triste sous les longs cils sombres » (p. 173), et l'amour passionné de la nature qui sert de fondement à sa créativité.

Encore plus révélateur est le genre même de l'acte artistique ou affectif réalisé par chaque garçon. La narratrice parle elle-même de « don » (p. 80), insistant ainsi à la fois sur la notion de vocation ou talent *donné* et sur ce que ce talent permet de donner à son tour. Car chaque garçon ne réalise son plein épanouissement qu'en faisant lui-même un acte de donation. « Outre son brillant talent », Nil, par exemple, « possédait celui de paraître en donner aux autres » (p. 41). Qui plus est, ce don s'inscrit toujours dans un rapport de communication affective frappante par sa réciprocité. Évoquant par son talent « une stupeur émerveillée » (p. 88) chez son père brutal, le petit Demetrioff connaît alors un moment de communication privilégiée : « de haut en bas, de bas en haut, passa un sourire si bref, si maladroit, si tâtonnant, que ce parut être le premier à passer entre ces deux visages » (p. 89). Dans un geste à la fois d'amour et de reconnaissance, où l'art puise sa force dans la nature, Médéric offre à la narratrice un « énorme bouquet des champs, léger pourtant tel un papillon, à peine se tenant ensemble dans sa grâce éparpillée » (p. 211).

Trouvant ses sources dans l'héritage maternel, se réalisant dans un contexte de communication réciproque qui établit un rapport d'équivalence dynamique entre l'artistique et l'affectif, le parcours créateur de nos jeunes garçons ressemble assez peu à la conquête prométhéenne qui sous-tend bon nombre de *Kunstlerromane* masculins. Reflet plutôt du caractère relationnel de l'identité féminine, selon Nancy Chodorow, l'acte créateur se définit non pas comme recherche et affirmation de l'autonomie mais comme « offrande » (p. 211). Cependant, cette validation du féminin ne comble que partiellement l'apparente absence d'une quête d'identité féminine dans ce texte. La réalisation artistique racontée ici demeure celle d'autrui. On dirait que c'est seulement par l'intermédiaire, littéralement, de l'Autre, que la narratrice parvient à exprimer sa propre quête d'identité, au prix donc de son effacement du texte en tant que personnage.

Pour mieux comprendre l'ambiguïté d'un tel portrait de l'artiste en jeune femme, ainsi que les limites de la portée féministe du texte de Gabrielle Roy, il faudrait revenir maintenant au positionnement de la narratrice à l'égard du programme narratif de ses personnages masculins. Or, comme l'a si bien remarqué André Brochu, sans pour autant en tirer toutes les conclusions qui s'imposent, du point de vue de la narratrice, les six segments du livre « s'ordonnent selon une progression chronologique *à l'envers,* équivalent d'une véritable remontée dans le temps, doublée d'une progression (positive, celle-là) dans l'intensité des sentiments et des problèmes mis en jeu » (1977 : 40). Seulement, si l'institutrice rajeunit en effet d'un segment à l'autre, cette régression dans le temps finit par s'inscrire dans un mouvement circulaire, car l'école de garçons vers laquelle elle se dirige à la fin de l'ouvrage est précisément celle-là même que nous retrouvons dans les premiers segments.

Sans doute l'effet le plus frappant de cette reconstruction du vécu de l'auteure est-il de renforcer le développement linéaire du garçon. « Aux visages nombreux [...] change[ant] de race et de nom, d'un récit à l'autre » (Robidoux, 1978 : 21), celui-ci passe ainsi en ligne directe du stade du petit enfant (Vincento) à celui de l'adolescent (Médéric). Du même coup, la trajectoire féminine est présentée implicitement comme régressive et circulaire, la narratrice étant inlassablement ramenée au dernier segment du livre, c'est-à-dire à ses souvenirs les plus lointains, ceux de Médéric. Outre sa subtile juxtaposition des trajectoires masculine et féminine, cette même reconstruction a donc également pour effet de souligner l'importance, pour l'identité féminine, du dernier segment du livre. C'est là où les deux trajectoires masculine et féminine se rencontrent, dans les rapports ambigus entre l'institutrice de 18 ans et l'adolescent de 14 ans, que se situe la clé de voûte du statut problématique de l'identité de l'artiste en jeune femme.

La critique souligne habituellement l'importance de deux scènes, celle des truites, qui donne son nom au titre du segment, et celle de la « berline romantique » (Poulin, 1977 : 8) qui ramène Médéric et l'institutrice au village, après leur visite chez le père de l'élève. Selon l'interprétation usuelle, ces deux scènes se recoupent pour souligner l'impossibilité soit d'un rapport d'amour entre l'institutrice et son élève, sinon « purifié de toutes contingences » (Marcotte, 1977 : 17), soit d'un retour à « l'éternelle jeunesse » (Robidoux, 1978 : 21). Dans un cas comme dans l'autre, ces « deux êtres jeunes, intacts, [sont] déjà irrémédiablement séparés par la distance infinie d'une sombre épée » (Poulin, 1977 : 8). Postulée comme inévitable, la séparation permet ensuite de lire cette aventure romantique comme un discours symbolique sur la réalisation de l'artiste, forcément autonome. Dans l'œuvre de Roy, affirme François Ricard, « l'artiste est avant tout celui [*sic*] qui se sépare continuellement des hommes » (1975 : 108).

Or, si de telles interprétations reflètent avec justesse le dénouement explicite du segment, Médéric se réalisant en tant qu'adulte et l'institutrice quittant le village pour un nouveau poste en ville, elles ne rendent pas compte des structures implicites du texte. De nouveau, c'est par un jeu subtil de commentaires et d'énoncés descriptifs que la narratrice parvient à inscrire sa propre quête d'identité dans ce texte, pour faire valoir une autre vision, féminine et subversive, du devenir de l'artiste.

Sans réduire la complexité de ce jeu textuel complexe, signalons d'abord, à titre d'exemple, la juxtaposition, dans la partie initiale du segment, de deux discours sur la différence sexuelle. Le premier, assez conforme aux stéréotypes, souligne le dynamisme et l'autorité sexuelle du « jeune cavalier » aux « gestes emportés » (p. 132) ainsi que la passivité et l'incertitude de l'institutrice : « Et je laissai faire, car que faire ! [...] Il me dépassait aisément d'une tête et sans doute davantage dans bien des choses de la vie » (p. 134). À ce discours conventionnel, toutefois, se substitue progressivement un autre, plus subversif, qui remplace cette dynamique de domination et de soumission par l'image d'une guerre « bien plus complexe [...] mystérieuse », précise la narratrice, « où nous nous sommes affrontés pour ainsi dire sans armes, également démunis tous deux » (p. 131).

Ce souci d'égalité et de réciprocité revient dans maints détails descriptifs qui portent souvent sur le positionnement physique des protagonistes l'un par rapport à l'autre, comme dans le passage suivant :

> Inconsciemment, j'avais dû noter que, debout près de cet adolescent élancé, je paraissais petite, menue, m'imaginant que j'en perdais à ses yeux du prestige, de l'autorité. Par ailleurs, si je le faisais venir près de moi assise à mon pupitre, c'est lui, mince et gauche, plié pour suivre la leçon, qui diminuait en grâce (p. 141).

Dans la scène éponyme du dernier segment, où les deux jeunes caressent les « truites dans l'eau glacée », cette réciprocité aboutit à une profonde complicité, présentée sur un mode platonique mais frétillante de sensualité :

> De part en part de la source, les yeux dans les yeux, nous échangions des impressions si ressemblantes qu'elles amenaient sur nos lèvres un même sourire pareillement heureux.
>
> – Vous en avez une, mamzelle ?
>
> – Oui... je pense !
>
> – Elle reste ? Elle se laisse flatter ?
>
> – Mais oui, c'est vrai !
>
> – Laissez-la un peu aller... pour voir si elle va revenir... Est-ce qu'elle revient ?
>
> – Elle revient... mais est-ce la même ? (p. 160).

« Les yeux dans les yeux », l'institutrice et Médéric expriment leur plaisir, transcendant ainsi la différence (« mais est-ce la même ? ») dans une jouissance à la fois réciproque et « pareille », grâce à « l'abandon inexplicable » (p. 162) des truites.

Très riche sur le plan symbolique, cette scène présente une vision profondément féminine de l'amour, vu non pas comme conquête et exploitation, mais comme affirmation et reconnaissance de l'autre. Cependant, comme nous le savons, cette vision d'une identité confirmée par l'altérité ne s'inscrit que dans les marges du déroulement manifeste du récit. Dans la scène de la berline, au retour justement de sa visite chez le père de Médéric, qui réinterprète l'amour des jeunes en termes de possession et de domination, la narratrice semble rendre les armes. Perçue maintenant au second degré, dans une réflexion saisie lorsqu'elle feint le sommeil et qu'embrouille encore davantage la neige, son expérience de fusion affective et sexuelle réintègre le registre du fantasme :

> Alors, tout à côté du mien, vint s'inscrire le visage de Médéric qui s'était rapproché sans se rendre compte que le verre captait aussi son image. Il se pencha vers moi [...] Les yeux mi-clos, je le surveillai dans la face réfléchissante de la lanterne où passaient, emportés sur des courants de neige, nos deux visages brouillés comme en d'anciennes photos de noces (p. 183).

Pourtant, le bouquet de fleurs offert par Médéric à l'institutrice à la fin du chapitre, cette « offrande » à laquelle ne manque pas « la moindre fleur de la tendre saison » (p. 211), atténue l'impossibilité de cet amour, pour souligner non pas la rupture entre les deux jeunes, mais plutôt leur solidarité dans une nouvelle vision de l'acte créateur. Ne s'exprimant d'abord que par *l'intermédiaire* de l'autre, le sujet autobiographique se situe finalement *à côté* de l'autre, pour définir autrement l'enjeu de son portrait *à elle* de l'artiste en jeune femme. Inscrite toujours dans les marges du texte, cette quête demeure néanmoins implicite, tributaire du caractère problématique de l'inscription sexuelle du sujet féminin dans le discours patriarcal.

Quelques dernières observations en guise de conclusion. D'abord, sur le plan méthodologique, l'analyse démontre l'intérêt d'une narratologie moins réductrice, plus soucieuse de respecter les tensions d'un texte, comme le positionnement des divers « sujets » qui l'habitent. C'est seulement en respectant les ambiguïtés narratives de *Ces enfants de ma vie* qu'il est possible de faire ressortir à la fois la quête féminine implicite du texte et les raisons de son statut problématique. Enfin, sur le plan critique, une approche narratologique assouplie permet en même temps de renouveler l'interprétation d'une œuvre devenue classique, mais dont nous sommes loin encore d'avoir cerné la complexité.

BIBLIOGRAPHIE

ABLEY, M. (1979), « Less is More », *Maclean's,* 12 mars, p. 56.

BAL, M. (1985), *Femmes imaginaires,* Montréal, Hurtubise HMH.

BAL, M. (1988), *Murder and Difference,* Bloomington, Indiana University Press.

BENSTOCK, S. [édit.] (1988), *The Private Self : Women's Autobiographical Writing,* Chapel Hill, University of North Carolina.

BOURBONNAIS, N. (1988), « Gabrielle Roy : la représentation du corps féminin », *Voix et images,* n° 40, p. 72-89.

BROCHIER, H. (1983), « Psychanalyse et désir d'autobiographie », dans C. DELHEZ-SARLET et M. CATANI [édit.], *Individualisme et autobiographie en Occident,* Bruxelles, Éditions de l'Université de Bruxelles, p. 177-185.

BROCHU, A. (1977), « *Ces enfants de ma vie* », *Livres et auteurs québécois 1977,* p. 40.

BRODZKI, B. et C. SCHENCK [édit.] (1988), *Life/Lines Theorizing Women's Autobiography,* Ithaca et Londres, Cornell University Press.

DE LAURETIS, T. (1984), *Alice Doesn't : Feminism, Semiotics, Cinema,* Bloomington, Indiana University Press.

DELHEZ-SARLET, C. et M. CATANI [édit.] (1983), *Individualisme et autobiographie en Occident,* Bruxelles, Éditions de l'Université de Bruxelles.

DELORME, J. [édit.] (1987), *Parole – figure – parabole,* Lyon, Les Presses de l'Université de Lyon.

FOSTER, S. (1986), « The Open Cage : Freedom, Marriage and the Heroine in Early Twentieth-Century American Women's Novels », dans M. MONTEITH [édit.], *Women's Writing. A Challenge to Theory,* Sussex et New York, Harvester Press et St. Martin's Press, p. 154-174.

GRACE, S. E. (1984), « Urban/Rural Codes in Roy, Laurence, and Atwood », dans S. M. SQUIER [édit.], *Women Writers and the City,* Knoxville, University of Tennessee Press, p. 193-209.

HALL, C. et J. MORGAN (1991), *Redefining Autobiography in Twentieth-Century Women's Fiction,* New York et Londres, Garland Publishing.

HESSE, M. G. (1984), *Gabrielle Roy,* Boston, Twayne.

HITE, M. (1991), « Foreword », dans C. HALL et J. MORGAN [édit.], *Redefining Autobiography in Twentieth-Century Women's Fiction,* New York et Londres, Garland Publishing, p. XIII-XVI.

JELINEK, E. [édit.] (1980), *Women's Autobiography, Essays in Criticism,* Bloomington, Indiana University Press.

KEYWAN, Z. (1979), « Straight from the Heart », *The Gazette,* 10 mars, p. 73.

LEJEUNE, P. (1975), *Le pacte autobiographique,* Paris, Éditions du Seuil.

LEJEUNE, P. (1984), « La cote Ln 27. Pour un répertoire des autobiographies écrites en France au XIXe siècle », *Études littéraires,* vol. XVII, n° 2 (automne), p. 213-237.

LEJEUNE, P. (1986), *Moi aussi,* Paris, Éditions du Seuil.

LEWIS, P. G. (1984), *The Literary Vision of Gabrielle Roy : An Analysis of Her Works,* Birmingham, Alabama et Lawrence, Summa Publications.

LEWIS, P. G. (1985), « Trois générations de femmes : le reflet fille-mère dans quelques nouvelles de Gabrielle Roy », *Voix et images,* vol. X, n° 3, p. 165-176.

MARCOTTE, G. (1977), « Gabrielle Roy et l'institutrice passionnée », *Le Devoir,* 24 septembre, p. 17.

MASON, M. G. (1988), « The Other Voice : Autobiographies of Women Writers », dans B. BRODZKI et C. SCHENCK [édit.], *Life/Lines Theorizing Women's Autobiography,* Ithaca et Londres, Cornell University Press, p. 19-44.

MILLER, N. (1988), *Subject to Change : Reading Feminist Writing,* New York, Columbia University Press.

MILOT, L. (1987), « La dimension polémique de la performance : le cas des paraboles », dans J. DELORME [édit.], *Parole – figure – parabole,* Lyon, Les Presses universitaires de Lyon, p. 49-60.

MISCH, G. (1969), *Geschichte der Autobiographie,* Francfort, Schulte.

MORGAN, J. (1991), « Subject to Subject/Voice to Voice : Twentieth Century Autobiographical Fiction by Women Writers », dans C. HALL et J. MORGAN [édit.], *Redefining Autobiography in Twentieth-Century Women's Fiction,* New York et Londres, Garland Publishing, p. 3-23.

OLNEY, J. (1972), *Metaphors of Self : The Meaning of Autobiography,* Princeton, Princeton University Press.

OLNEY, J. [édit.] (1980), *Autobiography Essays Theoretical and Critical,* Princeton, Princeton University Press.

PARRET, H. (1988), *Le sublime du quotidien,* Paris, Amsterdam et Philadelphie, Hadès-Benjamins.

PASCAL, G. (1980), « La femme dans l'œuvre de Gabrielle Roy », *Revue de l'Université d'Ottawa,* vol. L, n° 1, p. 55-61.

POULIN, G. (1977), « Une merveilleuse histoire d'amour, *Ces enfants de ma vie* de Gabrielle Roy », *Lettres québécoises,* n° 8, p. 8.

RICARD, F. (1975), *Gabrielle Roy,* Montréal, Fides.

RICARD, F. (1984), « « La métamorphose » d'un écrivain. Essai biographique », *Études littéraires,* vol. XVII, n° 3, p. 441-456.

RIDDICK, T. V. (1977), « Gabrielle Roy dans la plénitude de son art », *Le Devoir,* 27 octobre, p. 20.

ROBIDOUX, R. (1974), « Le roman et la recherche du sens de la vie. Vocation : écrivain », dans P. SAVARD [édit.], *Mélanges de civilisation canadienne-française offerts au professeur Paul Wyczynski*, Ottawa, Éditions de l'Université d'Ottawa, p. 225-235.

ROBIDOUX, R. (1978), « Gabrielle Roy. La merveille du retour à la source », *Le Droit*, 20 mai, p. 21.

ROY, G. (1977), *Ces enfants de ma vie*, Montréal, Stanké.

SMART, P. (1988), *Écrire dans la maison du père : l'émergence du féminin dans la tradition littéraire du Québec*, Montréal, Québec/Amérique.

SMITH, P. (1988), *Discerning the Subject*, Minneapolis, University of Minnesota Press.

SMITH, S. (1987), *A Poetics of Women's Autobiography*, Bloomington, Indiana University Press.

SPENGEMANN, W. (1980), *The Forms of Autobiography : Episodes in the History of a Literary Genre*, New Haven, Yale University Press.

STANTON, D. C. [édit.] (1987), *The Female Autograph : Theory and Practice of Autobiography from the Tenth to the Twentieth Century*, Chicago, University of Chicago Press.

Le vieux Chagrin, une histoire de chats ? Ou comment déconstruire le postmoderne

Janet M. PATERSON
Université de Toronto

Qu'est-ce que la déconstruction ? Une lecture philosophique inspirée par les écrits de Derrida ? Une démarche critique qui privilégie la dimension rhétorique du texte ? Une remise en question des institutions, des pratiques de légitimation et, par là même, des pratiques d'exclusion ? Donnant lieu à des divergences considérables dans les domaines de la théorie et de l'analyse, la notion de déconstruction demande à être précisée. Aussi vais-je commencer mon exposé en examinant la déconstruction au sens large du terme pour alors passer à la méthode critique. Je tenterai ensuite de déconstruire *Le vieux Chagrin* de Jacques Poulin, tout en signalant la difficulté qu'entraîne la déconstruction d'un texte déjà déconstruit, un texte que l'on peut appeler « postmoderne ».

Le champ vaste de la déconstruction est lié, entre autres, au poststructuralisme, au postmodernisme, au féminisme et à un courant de l'historiographie. En effet, ces domaines hétérogènes ont en commun une pensée qui remet en question – ou qui déconstruit – certains présupposés philosophiques, en particulier les concepts à la base des critères d'identité, d'unité et de vérité. Le mot déconstruction – dé-construction – est ainsi à prendre au pied de la lettre : il implique une tendance générale à démonter, souvent dans le but de dénoncer, un champ épistémologique ou une pratique de lecture. Les exemples de ce genre de déconstruction sont nombreux. Derrida, dont la pensée philosophique a inspiré la déconstruction, s'attaque dans ses écrits aux fondements de la métaphysique traditionnelle[1] ; Jean-François Lyotard (1979), un des porte-parole du postmodernisme, s'attache à la notion de crise de légitimation pour souligner que les grands récits ont perdu leur valeur de coalescence ; Paul Veyne (1979) se tourne du côté de l'Histoire pour remettre en question la légitimation d'un domaine longtemps perçu comme étant

1. Voir la bibliographie.

scientifique et objectif, alors que les théories féministes visent dans leur questionnement les fondements du discours patriarcal.

Qu'en est-il du domaine littéraire ? Pour comprendre la critique déconstructrice, il faut en premier lieu la situer par rapport au New Criticism. La déconstruction se pose effectivement en réaction à cette importante école qui a monopolisé le territoire critique aux États-Unis pendant les années trente et quarante. Elle s'oppose notamment aux notions prônées par les New Critics d'unité textuelle, de cohérence, de clôture et de résolution de sens contradictoires. En d'autres termes, elle récuse une idéologie organiciste qui implique une mystification du texte littéraire. La déconstruction est pratiquée aux États-Unis depuis les années soixante notamment par les membres de l'école de Yale (Paul De Man, Harold Bloom, Geoffrey Hartman, Hillis Miller et Jacques Derrida). Son influence dans ce pays a été retentissante, débordant le cadre des universités pour s'installer dans les milieux artistiques. Bien connue en Angleterre, et tout autant au Canada anglais, la lecture déconstructrice a renouvelé, selon l'avis de nombreux théoriciens, la critique et la théorie littéraire contemporaines. Par contre, dans le domaine de la critique québécoise, l'influence de la déconstruction reste discrète, partielle, se manifestant surtout par une pensée qui cherche à déconstruire plutôt que par la méthode critique[2].

Comment se caractérise la lecture déconstructrice ? Elle insiste, en premier lieu, sur l'acte de lecture ou plus précisément sur l'acte de relecture, le *close reading* comme disent les Américains. L'impératif de cette relecture provient du fait que la première lecture est perçue comme étant mimétique, naïve et même aveugle, pour reprendre l'expression de Paul De Man (1971). Elle est aveugle parce qu'elle a tendance à écarter les éléments d'un texte qui font problème. Or, la déconstruction cherche précisément à dégager les contradictions textuelles. Sceptique, interrogative, méfiante, elle s'attarde aux lieux discursifs où le texte grince, où les mots se contredisent. D'où la terminologie qui caractérise les analyses déconstructrices : impossibilité, irrésolution, indétermination, aporie, déconstitution, etc. Loin d'être innocents, ces mots signalent une prise de position, voire un pavillon épistémique. Refusant la notion de réconciliation esthétique, la déconstruction cherche les lieux de noncoïncidence entre le sens énoncé et le sens interprété ; les lieux qui mettent en évidence l'ambiguïté inhérente au langage.

---

2. Du côté de la critique littéraire, deux ouvrages récents ont été influencés par la pensée déconstructrice : Smart (1988) et Robert (1989).

Si la déconstruction littéraire n'est pas une méthode au sens rigoureux du terme, elle propose toutefois un programme de lecture. En premier lieu, il faut tenir compte des interprétations préalables du texte afin d'en dégager les lieux communs ; ceux-ci sont alors examinés en fonction de l'idéologie qui les gouverne. Commence ensuite l'analyse immanente du texte, la quête patiente de ses moments aporétiques. Sont privilégiées dans cette recherche minutieuse les figures de style (qui peuvent mettre en branle une stratégie rhétorique complexe) et les fragmentations, comme un mot, une lettre ou un titre. S'écartant des paradigmes textuels évidents, l'analyse se concentre sur les éléments marginaux et excentriques du texte. Elle s'attarde, par exemple, aux jeux de mots parce qu'ils impliquent un nouveau rapport entre les signes ; ou encore, elle relève les traces occultées d'un intertexte pour faire éclater la clôture du texte. Fille rebelle du structuralisme, la lecture déconstructrice repère les oppositions binaires afin de montrer comment elles sont détruites et renversées par le texte. Quel que soit son parcours, elle cherche ce qui résiste au sens, le moment aporétique qui ouvrira la voie à une nouvelle interprétation.

Après avoir dépisté un problème textuel, l'analyse examine ce problème à l'intérieur de la thématique qui l'englobe. En même temps, elle décèle les polarités qui sous-tendent la construction du thème. Dans une étape ultérieure est étudiée la valeur paradigmatique de l'aporie (et des oppositions qui la sous-tendent) afin de voir comment la complication initiale se laisse transformer tout au long du texte. Mais ce n'est pas tout, car la lecture déconstructrice examine aussi ce que le texte nous dit au sujet de la lecture. Abolissant la dichotomie traditionnelle entre le discours romanesque et le discours critique, elle utilise souvent le métalangage du texte pour en faire l'analyse.

Formelle, rigoureuse, inventive, parfois extravagante, la critique déconstructrice n'a pas uniquement pour but de démonter un fonctionnement textuel. Au contraire, elle s'oriente résolument vers l'interprétation, vers le sens nouveau qui se dégage de l'analyse. Mais à l'encontre de nombreuses études structuralistes, elle perçoit ce sens et cette lecture comme étant partiels, provisoires et ouverts à de nouvelles déconstructions. S'inscrivant ainsi dans un processus infini qui dit l'impossibilité de toute lecture véridique et qui récuse tout positivisme, la déconstruction nous invite à une relecture de sa lecture.

Déconstruire le postmoderne

La déconstruction d'un roman postmoderne semble *a priori* poser un problème dans la mesure où ce genre de roman est lui-même déconstruit. Si *Le vieux Chagrin* de Poulin est nettement moins éclaté au niveau de la forme que d'autres textes postmodernes (tels que *Trou de mémoire* de Hubert Aquin ou *Le désert mauve* de Nicole Brossard), il est néanmoins marqué par plusieurs caractéristiques de l'esthétique postmoderne[3]. Postmoderne, *Le vieux Chagrin* l'est incontestablement : par l'entremise de nombreuses stratégies discursives, il remet en question la notion d'originalité littéraire ; s'opposant à une mimésis de la représentation, il met en évidence son aspect textuel (mises en abyme, représentation explicite de l'acte d'écriture et de la lecture, intertextualité foisonnante). De plus, ce roman déconstruit plusieurs oppositions traditionnelles : féminin/masculin (par la figure de l'androgyne), fiction/réalité ou encore représentation/autoreprésentation. Mais la question de savoir si on peut déconstruire ce genre de roman se révèle en fin de compte un faux problème dans la mesure où tout texte, même le plus éclaté, contiendra vraisemblablement une structure ou une interprétation susceptible d'être déconstruite.

Avant de passer à l'analyse, examinons rapidement quelques lectures du *Vieux Chagrin.* Que nous apportent les premiers regards sur ce roman ? Puisque la question des chats dans ce texte sera examinée, il faut remarquer que le numéro 93 de la revue *Spirale* (1989-1990), qui fait honneur à Poulin, attire l'attention sur le motif du chat au moyen d'une illustration sur la couverture. En outre, le compte rendu du roman rappelle que l'intratextualité poulinienne est amplement dotée de chats (Chassay, 1989-1990 : 3). Par ailleurs, le commentateur met en relief ce qui représente une constante dans la critique poulinienne, la thématique de la tendresse :

> Il faut beaucoup de travail et infiniment de doigté pour écrire sans cesse sur la douceur, la tendresse, et ne jamais tomber dans la sensiblerie et la mièvrerie (1989-1990 : 3).

De même, Anne Marie Miraglia fait ressortir la notion de tendresse pour proposer une interprétation du roman :

> Ensemble, Jim et la Petite arrivent à satisfaire leur besoin de tendresse, de chaleur humaine et cela grâce à Bungalow,

---

3. Pour une discussion des traits de l'esthétique postmoderne, voir Paterson (1990 : 9-24).

> femme forte et douce, qui leur apprend à mieux s'aimer (1990 : 172).

Quant au paratexte, il mentionne le chat « Vieux Chagrin » tout en signalant des notions corollaires à la tendresse, celles de refuge et de réconfort.

Ces lectures ainsi que les analyses d'autres romans de Poulin mettent au jour ce que l'on pourrait appeler la séduction de la tendresse dans l'œuvre entière. Ces interprètes n'ont certainement pas tort. Dans *Le vieux Chagrin,* la tendresse découle autant du projet d'écriture, « vouloir écrire une histoire d'amour » (p. 24)[4], que de la représentation d'un monde familier, monde domestique où la place accordée aux chats, à la préparation des repas et aux petites histoires est considérable. Mais une lecture attentive révèle que cette thématique ne représente qu'un niveau de sens, un niveau où la séduction d'une trop grande douceur a pour effet d'occulter plusieurs éléments problématiques.

Pour démonter la transparence apparente de ce texte, pour en démasquer l'innocence, on pourrait certes privilégier plusieurs éléments. Pour ma part, je me propose de relire le roman en suivant les traces du titre *Le vieux Chagrin.* Si je m'arrête sur le titre, c'est qu'il pose plusieurs problèmes d'interprétation. Pourquoi le roman s'appelle-t-il *Le vieux Chagrin* ? Ce titre est problématique à l'intérieur de la logique du récit dans la mesure où le chat ne participe à aucune transformation narrative. En effet, s'il est magistralement présent au niveau du discours – il encadre le récit et y figure en moyenne une fois par page –, il est curieusement inopérant au niveau de la diégèse. Par ailleurs, n'est-il pas étonnant que le substantif « vieux » qualifie un chat dont les ébats joyeux et fructueux avec la chatte Vitamine démentent le sens de l'épithète ? Allons plus loin : qu'est-ce qui justifie le nom « Chagrin » étant donné que dans aucun contexte le chat n'est triste ? Enfin, soulignons un curieux effet textuel, une redondance doublement articulée : d'un point de vue phonétique, il y a répétition dans les mots « chat/chagrin », répétition qui est corroborée sur le plan étymologique puisque le mot « chagrin » est formé à partir de « chat » et « grigner »[5].

---

4. Les pages indiquées entre parenthèses renvoient à Poulin (1989). Tous les italiques sont de moi, sauf indication contraire.

5. Voir *Petit Robert 1* : chagrin, ine, adj. (fin XIVe ; peut-être de *chat* et *grigner*) ; chagrin, n. m. (1530 ; du précédent).

Si le titre nous invite à entreprendre une lecture interrogative du texte, il faut souligner que celui-ci insiste également sur la nécessité d'un décodage attentif en nous demandant de faire « attention aux signes » (p. 150) – aux « traces » disséminées tout au long du récit. Suivons donc les traces du chat dans le discours en axant notre parcours sur l'énoncé suivant :

> Les mots sont indépendants comme les chats et ils ne font pas ce que vous voulez. Vous avez beau les aimer, les flatter, leur parler doucement, ils s'échappent et partent à l'aventure (p. 29).

Les aventures du chat Chagrin

À l'intérieur de la logique du texte, le chat nous mène concurremment à suivre deux pistes de lecture. Mais pour la clarté de la démonstration, je vais les examiner l'une après l'autre. Dans une certaine mesure, le texte garde une allure innocente et transparente jusqu'à ce que le narrateur Jim fasse la connaissance de la Petite. À ce moment-là s'opère un déplacement rhétorique qui sera lourd de conséquences. En observant la Petite, le narrateur affirme qu'elle lui « faisait penser aux chats perdus qui entraient par le soupirail de la cave et partageaient la nourriture de Chagrin » (p. 41). Dorénavant, le texte ne fera qu'amplifier cette jonction entre la Petite et le chat, ce qui se produira par le truchement de plusieurs procédés : la proximité physique, « Quand elle marchait sur la grève, tous les chats la suivaient » (p. 41) et « Elle prit le chat dans ses bras » (p. 59) ; la comparaison, « Elle me faisait penser à un animal traqué » (p. 55) ; la description des traits physiques de la Petite, son visage « doux et sauvage » (p. 43) ; l'attribution de caractéristiques félines au personnage, « j'entendis alors une sorte de ronronnement » (p. 90), « elle lui murmura alors quelques mots incompréhensibles qui avaient les inflexions caressantes du langage des chats » (p. 112), « assise par terre dans un coin ou bien roulée en boule comme un chat » (p. 86).

Pourquoi le texte insiste-t-il tant sur la jonction entre le chat et la Petite, sur le va-et-vient de l'un à l'autre, sur le passage dans certains cas du littéral au figuré ? Pour répondre à ces questions, signalons d'abord qu'en associant la Petite au vieux Chagrin le texte établit implicitement une opposition entre les notions « vieux » et « jeune », car ce sont les sémèmes de jeunesse et non pas de petitesse qui caractérisent l'adolescente. Or, opposer jeune à vieux dans ce texte et ensuite suivre le paradigme jusqu'à la fin du récit, c'est aborder de plain-pied la question de l'inceste. Qui plus est, c'est l'aborder non seulement en fonction du père adoptif de la Petite mais également en fonction du narrateur.

Pour s'en convaincre, signalons qu'il y a deux chapitres où l'agglutination du chat à la Petite est maximale au niveau de la diégèse et du discours : celui où elle raconte l'histoire de l'inceste avec son père adoptif (p. 55-60) et, dans le dernier chapitre, lorsque Jim accepte de l'adopter (p. 149-156). Que nous suggère le texte en insistant sur la présence du chat dans ces deux moments discursifs ? Vers quel déplacement nous mène-t-il ? Dans la logique non linéaire du texte, il nous engage incontestablement à juxtaposer ces deux scènes, juxtaposition qui ne fera qu'entériner un processus textuel. En effet, les parallèles entre le père adoptif de la Petite et Jim sont trop nombreux pour ne pas être significatifs, notamment la notion dans les deux cas de père adoptif, celle de l'âge de Jim, « moi qui étais un homme et qui avais certainement l'âge de son père adoptif » (p. 56), et enfin celle du désir sexuel : les sens aiguisés par un rêve, Jim avoue : « Je frémissais lorsque la Petite ou Bungalow, en passant près de moi dans la maison, m'effleuraient le coude » (p. 133). Mais voilà qu'un autre élément entre en jeu : lorsque la Petite demande à Jim de l'adopter, elle se trouve non seulement dans un grand lit mais elle fait figure de jeune femme, « elle paraissait plus âgée et je n'arrivais pas à voir si c'était à cause de la chemise de nuit » (p. 154). Notons enfin que le discours au sujet de l'adoption est fortement marqué par l'ambiguïté, l'indécision :

> – Adopte-moi, reprit-elle. Je voudrais rester ici avec toi et les animaux...
>
> [...]
>
> – Tu ne veux pas ? demanda-t-elle.
>
> – Bien sûr que je veux, dis-je d'une voix aussi résolue que possible (p. 155).

Qu'est-ce à dire ? Que l'intrigue se résout par une adoption qui a tous les contours d'une relation incestueuse ? Que le discours exprime ce refoulé par la répétition paradigmatique du chat ? Que métaphore, métonymie et comparé de la Petite, le chat signifie en réalité le désir interdit ? Que, pour aller plus loin, le chat donne libre expression à une énergie libidinale qui s'investit dans un tabou ? Ambigu, indéterminé, sournois même, le texte n'apporte aucune réponse définitive à ces questions. Or, si le problème de l'inceste demeure irrésolu quant à Jim et à la Petite, c'est parce que le texte lui-même désamorce la thématique qu'il engendre. Pour le démontrer, réexaminons la dernière scène. Comme on l'a déjà mentionné, la Petite se trouve dans un grand lit en compagnie de plusieurs chats. Mais en plus, il est précisé qu'elle est « bien à l'abri [...] derrière un rempart de livres » (p. 153). Tout se passe comme si le discours voulait glisser du lit au livre, de lit à lit, si l'on veut. Qui plus est, il faut remarquer que l'adoption se fait au grenier, le lieu de l'écriture, dans un geste qui indique le passage à une fiction :

> La Petite et les chats entrèrent et se mirent autour de moi pendant que je sortais de la boîte à pain un stylo et le bloc de feuilles quadrillées sur lequel j'avais l'habitude de noter des idées pour mon *histoire* (p. 156).

Quelle est alors la signification du chat ? Ne fait-il qu'incarner la sexualité ? N'est-il que métaphore du désir ? Pour ne pas tomber dans le piège d'une lecture réductrice, il faut rappeler que le chat s'appelle « Chagrin ». Or, dans un contexte où l'acte d'écrire est privilégié, la deuxième étymologie du mot est réactivée : « chagrin » renvoie à l'écriture, c'est-à-dire au livre relié en peau de chagrin[6]. Loin de produire une cohérence thématique axée sur le littéraire, ce sens vient brouiller l'opposition entre le fictif et le réel. Car, au bout du compte, quelles sont les frontières du fictif à l'intérieur du roman ? Dans quelle mesure la Petite est-elle plus réelle que l'évanescente Marika ? N'est-il pas significatif, à cet égard, que son père adoptif lui ait dit qu'ils vivaient « une belle *histoire* d'amour, une *histoire* comme celle de Tristan et Iseut » (p. 56) ? Désarmorçant le système référentiel du texte, déconstruisant l'opposition entre le littéral et le figuré, dotant le discours d'un sens symbolique, le chat, signe du désir interdit et de l'écriture, met en déroute une lecture naïve et univoque du roman.

Le parcours du chah

La piste du littéraire qui vient clore le récit est amorcée en réalité par d'autres traces inscrites au début du texte. Encore une fois, on peut y arriver en suivant le chat. Pour ce faire, rappelons le début de l'intrigue. Jim et le vieux Chagrin suivent des traces de pas aperçues dans le sable. En fait, le texte précise que le chat est particulièrement attentif à ces signes : « La queue relevée en point d'interrogation, le museau dans le sable, le vieux chat flairait les empreintes » (p. 9). Vers quoi nous

---

6. Voir *Petit Robert 1* : chagrin, n. m. *(Sagrin,* 1606 ; turc *sâgri).* Cuir grenu, fait de peau de mouton, de chèvre, d'âne. *Livre relié en plein chagrin.*

conduit cette première visite ? À la deuxième lecture, on sait que les traces qui vont à la caverne ne mèneront jamais à Marika. Non, les traces mènent plutôt à deux éléments particulièrement significatifs : le recueil de contes *Les mille et une nuits* et la transformation du nom, inscrit dans le livre, de Marie K. à Marika. Or que permet le texte en effectuant cette transformation, ce jeu autour d'un signe, sinon le glissement homonymique de « chat » à « chah » – le roi de Perse ? Arbitraire dans tout autre contexte, ce glissement est surdéterminé dans le roman. Il est surdéterminé d'abord parce que l'une des origines du recueil de contes est indo-persan, ensuite parce que les contes mettent en place le roi de Perse et, enfin, parce que ce roi s'appelle « Sharijan » et la conteuse non pas « Schéhérazade » mais « Shahrazad ». Encore une fois, le mot « chat » franchit la frontière qui sépare le fictif du réel, le littéral du figuré. Le geste n'est pas osé en réalité puisqu'il répète essentiellement la stratégie de la conteuse des *Mille et une nuits*. Je n'insisterai pas sur la mise en évidence de la dimension littéraire du roman par la mise en abyme que représente *Les mille et une nuits,* sauf pour signaler l'emboîtement d'un texte à l'autre du thème de raconter. Mais si le chah, la caverne, la conteuse et les récits en abyme corroborent incontestablement l'autoréférence textuelle et, par là même, la signification littéraire de chagrin, ils fonctionnent également à l'intérieur d'une autre structure thématique.

La réaction de Jim lorsqu'il se trouve à l'intérieur de la caverne est pour tout dire étonnante. Plusieurs fois, il a l'impression d'avoir commis une indiscrétion : « je ressentais encore cette impression d'avoir été indiscret et même d'avoir violé l'intimité de quelqu'un » (p. 11). Curieux, ce choix des mots « violé l'intimité », curieux à moins de remarquer que Jim entre dans la caverne en se faufilant par une brèche. Il affirme par ailleurs : « C'est comme si je me trouvais dans la chambre de quelqu'un. Je veux dire » (p. 10). Pourquoi l'autocensure ? Est-ce à cause de l'image sexuelle de la brèche et de la caverne que la crainte happe le narrateur chaque fois qu'il essaie de trouver Marika ? Redondant, le texte déconstruit la thématique de l'écrit pour faire intervenir de nouveau une dimension sexuelle dans le discours. Si l'on n'est pas convaincu que la brèche et la caverne signifient autant la sexualité que l'écriture (puisque la caverne renvoie à celle d'Ali Baba dans les contes arabes), on n'a qu'à relire un autre passage du roman, car c'est en se répétant que le texte surdétermine le sens. Voici comment est décrit le départ de la femme du narrateur avec son amant Superman :

> [...] une femme encore jeune, qui allait partir avec un autre, enlevait ses livres d'une bibliothèque, laissant partout sur les

rayons des vides qui ressemblaient à des *brèches*[7] dans un mur de brique (p. 33).

Si, pour échapper au refoulé du texte, on néglige la signification sexuelle de la brèche et de la caverne en se cantonnant, à la manière du narrateur, dans le littéraire, on débouchera quand même sur la problématique qui se dessine autour de « chat » et « chah ». Il faut remarquer en effet que, dans le premier conte lu par Jim et intitulé « Histoire du jeune roi des îles Noires », une seule phrase attire son attention : « Il n'était homme que depuis la tête jusqu'à la ceinture [...] et l'autre moitié de son corps était de marbre noir » (p. 31). Dans un mouvement qui fait éclater la linéarité du texte, le thème de l'impuissance sexuelle, ici inscrit, s'agglutine à la problématique de l'inceste figurée par la jonction entre le chat et la Petite.

La dissolution du texte innocent

Examinons, pour conclure, les chemins parcourus. Que nous livre au bout du compte une analyse du roman par l'intermédiaire du chat Chagrin ? Pour toute lecture référentielle et naïve, le vieux Chagrin restera le chat de Jim, élément qui apprivoise à la fois le texte et sa lecture, qui l'innocente en le simplifiant. Les amateurs de Poulin sont sans doute heureux de voir réapparaître de roman en roman la figure du chat, référent quotidien qui incarne merveilleusement la simplicité et la tendresse de l'écriture poulinienne. Mais si on veut bien suivre le programme de lecture inscrit dans le texte, on s'aperçoit que la redondance des mots « chat » et « Chagrin » dans le discours a pour fonction de marquer le passage du littéral au figuré et, ce faisant, de problématiser le sens. Le chat Chagrin devient thématiquement motivé pour exprimer l'impasse du désir, ses manifestations ambiguës, refoulées. Loin d'assurer une structure binaire selon laquelle le littéral s'opposerait au figuré, le mot « chagrin » vient déconstruire l'opposition en réactivant la notion du livre. Et le processus de se défaire, de disséminer l'ambiguïté dans le texte puisque l'adoption de la Petite par Jim se concrétise dans le cahier d'histoires. Par ailleurs, le chah persan, signe éclatant du littéraire s'il en est un, a beau vouloir thématiser le célèbre « raconter pour ne pas mourir », il n'échappe pas, lui non plus, au dis-

7. Le mot « brèche » ou « ébréché » figure également dans les deux autres passages qui mentionnent le départ de la femme de Jim (p. 49 et 92). Il faut noter que la signification sexuelle du mot est renforcée par le nom de l'amant de la femme de Jim, Superman.

cours de l'interdit charnel ; discours qui met en abyme, par la voie du conte, l'abyme de l'écriture et le spectre de l'impuissance sexuelle.

Est-ce tout dire ? *Le vieux Chagrin*, c'est pourtant en premier et en dernier lieu le titre du roman et tout vraisemblablement du roman enchâssé que Jim est en train d'écrire. *Le vieux Chagrin*, c'est donc le livre que l'on a entre les mains, et peut-être un autre qu'il faut imaginer ; c'est ainsi l'indétermination du sens, la subversion de la référence, la mise en œuvre du potentiel du signe et la mise à mort de la lecture innocente. Dans un dernier geste allégorique, *Le vieux Chagrin* dit l'impossibilité d'une représentation ou d'un langage innocents. S'agit-il en fin de compte d'une histoire de chats ? Peut-être, si l'on en croit la fin du récit. Chagrin, une chatte et trois chatons s'installent sur le *lit* de la Petite au milieu des *livres* : reproduction libidinale et scriptible qui mime la production du langage dans le contexte de la littérature.

BIBLIOGRAPHIE

BLOOM, Harold (1977), *Wallace Stevens : The Poems of Our Climate,* Ithaca, Cornell University Press.

BLOOM, Harold (1982), *The Breaking of the Vessels,* Chicago, University of Chicago Press.

CHASSAY, Jean-François (1989-1990), « Éloge de la lenteur », *Spirale,* n° 93 (décembre-janvier), p. 3.

CULLER, Jonathan (1981), *The Pursuit of Signs : Semiotics, Literature, Deconstruction,* Ithaca et Londres, Cornell University Press et Routledge and Kegan Paul.

CULLER, Jonathan (1982), *On Deconstruction : Theory and Criticism after Structuralism,* Ithaca, Cornell University Press.

DE MAN, Paul (1971), *Blindness and Insight : Essays in the Rhetoric of Contemporary Criticism,* New York, Oxford University Press.

DE MAN, Paul (1984), *The Rhetoric of Romanticism,* New York, Columbia University Press.

DE MAN, Paul (1986), *The Resistance to Theory,* Minneapolis, University of Minnesota Press.

DE MAN, Paul (1989), *Allégories de la lecture,* traduit de l'anglais par Thomas Trezise, Paris, Galilée.

DERRIDA, Jacques (1972), *La dissémination,* Paris, Éditions du Seuil.

DERRIDA, Jacques (1972), *Marges de la philosophie,* Paris, Éditions de Minuit.

DERRIDA, Jacques (1974), *Glas,* Paris, Galilée.

DERRIDA, Jacques (1978), *La vérité en peinture,* Paris, Flammarion.

DERRIDA, Jacques (1980), *La carte postale de Socrate à Freud et au-delà,* Paris, Aubier-Flammarion.

DERRIDA, Jacques (1988), *Mémoires,* Paris, Galilée.

FELMAN, Shoshana (1978), *La folie et la chose littéraire,* Paris, Éditions du Seuil.

FREDETTE, Nathalie (1990), « Modèle réduit », *Spirale,* n° 100 (octobre), p. 4.

HARTMAN, Geoffrey (1980), *Criticism in the Wilderness,* New Haven, Yale University Press.

HARTMAN, Geoffrey (1981), *Saving the Text : Literature/Derrida/ Philosophy,* Baltimore, Johns Hopkins University Press.

HÉTU, Pierre (1990), « *Le vieux Chagrin* », *Nuit blanche,* n° 39 (avril-mai), p. 16-17.

JOHNSON, Barbara (1979), *Défigurations du langage poétique,* Paris, Flammarion.

JOHNSON, Barbara (1981), *The Critical Difference : Essays in the Contemporary Rhetoric of Reading,* Baltimore, Johns Hopkins University Press.

LYOTARD, Jean-François (1979), *La condition postmoderne,* Paris, Éditions de Minuit.

MARCOTTE, Gilles (1990), « Les vieux chagrins de Jacques Poulin », *L'Actualité,* mars, p. 102.

MARTEL, Réginald (1989), « Jacques Poulin et *Le vieux Chagrin* », *La Presse,* 18 novembre, p. K-3.

MILLER, J. Hillis (1982), *Fiction and Repetition : Seven English Novels,* Cambridge, Harvard University Press.

MIRAGLIA, Anne Marie (1990), « *Le vieux Chagrin* de Jacques Poulin », *Voix et images,* n° 46, p. 170-172.

NORRIS, Christopher (1982), *Deconstruction : Theory and Practice,* Londres, Methuen.

PATERSON, Janet M. (1990), *Moments postmodernes dans le roman québécois,* Ottawa, Les Presses de l'Université d'Ottawa.

POULIN, Jacques (1989), *Le vieux Chagrin,* Montréal et Arles, Leméac et Actes Sud.

ROBERT, Lucie (1989), *L'institution du littéraire au Québec,* Québec, Les Presses de l'Université Laval. (Coll. Vie des lettres québécoises, n° 28. Publication du Centre de recherche en littérature québécoise.)

ROYER, Jean (1989), « Jacques Poulin, romancier de la tendresse », *Le Devoir,* 25 novembre, p. D-2.

SMART, Patricia (1988), *Écrire dans la maison du père : l'émergence du féminin dans la tradition littéraire du Québec,* Montréal, Québec/Amérique.

Spirale (1989-1990), n° 93 (décembre-janvier).

VEYNE, Paul (1979), *Comment on écrit l'histoire,* Paris, Éditions du Seuil.

Féminisme, postmodernité, esthétique de lecture : *Le désert mauve* de Nicole Brossard

Karen GOULD
Bowling Green State University (Ohio)

Méthode d'approche

Le désert mauve de Nicole Brossard est un des rares textes québécois qui put, dès sa parution en 1987, attirer l'attention des critiques aussi bien féministes que déconstructionnistes, ceux-ci s'intéressant plutôt à ses aspects postmodernes qu'à ses perspectives idéologiques. Mais la réception positive dont jouit ce roman parmi des critiques d'approches différentes, sinon complémentaires, n'a rien d'étonnant puisque c'est au carrefour des discours féministes et postmodernes que Brossard place, en fait, son texte. Mon propos dans la présente étude sera donc d'examiner la fonction de cette double optique féministe et postmoderne, faisant des liens par la suite, et là où c'est possible, avec ce que Brossard propose comme une nouvelle esthétique de lecture dans le geste de la *traduction*. Car le projet de traduction qui se trouve au cœur même du *Désert mauve* aura non seulement un pouvoir génératif très fort en ce qui a trait à la narrativité et à la construction du texte, mais aussi une valeur symbolique extrêmement riche pour ce qui est de la réflexion et de l'imaginaire.

L'approche critique que j'adopte ici est multiple et résiste, autant que cela est possible, à une interprétation totalisante. Elle s'inspire plutôt d'une série de réflexions critiques sur la portée féministe du *Désert mauve,* d'une part – que l'on trouve signalée à travers des structures, des stratégies et des perspectives marquées par le féminin et par une conscience féministe –, et s'interroge sur une sensibilité postmoderne qui semble s'exprimer par certains procédés narratifs, par une notion de l'écriture comme lecture et déplacement du sens, par sa délégitimation du métarécit de la science et par son discours sur l'histoire, d'autre part.

Il faut d'abord affirmer que dans la critique féministe d'aujourd'hui on ne parle plus de « féminisme », mais plutôt de féminismes *aux pluri-elles* – nuance non insignifiante puisqu'elle met l'accent sur la pluralité de voix féministes dans la culture, sur les différences de classe, de race, d'ethnicité et d'orientation sexuelle qui souvent séparent, sinon divisent, les femmes et sur la variété de positions critiques s'adressant à l'écriture des femmes de même qu'à la représentation littéraire et culturelle du genre. Ainsi, comme le signale Barbara Godard (1989-1990 : 139), le féminisme est devenu « un espace hétérogène de pratiques discursives en concurrence qui se groupent de manière décousue autour d'une préoccupation partagée, qui est la place du genre dans la construction du savoir[1] ». Pour ma part, j'ajouterais que ces pratiques discursives variées révèlent une deuxième préoccupation, non moins importante pour les féministes, qui est la place réelle qu'occupent les femmes dans la culture et dans l'histoire.

La remarque de Godard, qui souligne l'hétérogénéité des discours féministes, est utile, me semble-t-il, pour une autre raison puisqu'elle suggère en même temps un rapprochement substantiel entre le féminisme poststructuraliste – tel qu'il est pratiqué au Québec dans des textes de Nicole Brossard, de France Théoret et de Louky Bersianik, par exemple – et la pensée postmoderne. Ce terrain d'entente, entre des féminismes poststructuralistes que l'on retrouve dans les *écritures au féminin* et une philosophie dite « postmoderne », s'établit d'abord sur une *incrédulité* doublement partagée : le doute de l'autorité et le refus de tout métarécit, aspects de la déconstruction et du postmoderne déjà signalés par Derrida, Lyotard, Jardine, Huyssen, et bien d'autres. Il est certain, d'ailleurs, que beaucoup de féministes québécoises, canadiennes et américaines ont déjà subi l'influence de cette critique postmoderne qui renonce à une historicité cohérente et à toute vision totalisante du savoir, de même qu'à toute pratique du discours unifié.

Pourtant, Brossard se tient à distance d'une postmodernité « des hommes » lorsqu'elle affirme en 1988, et de façon ironique, que « le féminisme contemporain, tout en prenant en charge la promotion des femmes et l'extension de leurs droits est aussi et *surtout* devenu une pensée, une morale, une éthique. Ceci, curieux hasard, au moment même où philosophes et penseurs masculins coiffent leurs livres de titres tels que *Défaite de la pensée, L'ère du vide, L'avenir d'une négation, L'empire de l'éphémère, La mort du genre,* comme si ayant fait le

---

1. C'est moi qui traduis.

tour d'un jardin délimité et cultivé par eux, ils en constataient maintenant la désolation et l'infertilité » (1988 : 14).

Si « mort » il y a dans cette nouvelle ère postmoderne – mort de l'Homme [*sic*], de l'Histoire, de la métaphysique, de l'homogène, de l'unité et d'une identité stable –, l'éthique féministe, telle que Brossard la conçoit, cherche à transformer cette délégitimation des savoirs et cette dévastation des pratiques patriarcales en un renouvellement de la langue et une reconstruction éventuelle de la culture. L'anglophone Gail Scott note encore plus succinctement que l'époque postmoderne est un moment historique « où les hommes voient partout la mort, alors que les femmes voient seulement la mort du patriarcat » (1988 : 64). Louise Dupré, de son côté, souligne les liens entre la philosophie postmoderne et ce qu'elle appelle « la pensée au féminin », liens qui résident dans leur refus mutuel de « toute vision figée, fermée et linéaire que nous propose l'Histoire » et dans leur valorisation apparente d'« une philosophie de la différence procédant par multiplication plutôt que par division » (1989 : 21). Mais tout comme Brossard et Scott, Dupré ne néglige pas d'insister sur la distinction fondamentale entre des philosophies postmodernes et féministes : le fait que la délégitimation des valeurs patriarcales ne peut être entreprise ni vécue de la même façon, selon que l'on est homme ou femme :

> Alors que beaucoup d'hommes vivent la dissolution des valeurs patriarcales dans un profond désarroi, la plupart des femmes voient la postmodernité comme une période où la fiction peut venir contrer la réalité, une période où le langage, échappant à la clôture symbolique, offre de nouvelles possibilités (1989 : 21).

Depuis plus de quinze ans, l'attaque que Brossard lance contre le discours patriarcal va du déconditionnement linguistique à l'ouverture aux sens, sans perdre de vue *le sens politique* de sa dé- et re-construction de la langue. Dans *L'amèr ou le chapitre effrité,* par exemple, une adolescente aux traits brossardiens vomit les mensonges du patriarcat dans un acte de *déconditionnement* linguistique et politique qui signifie une rupture radicale avec toutes les contraintes discursives et sociales qui empêchent les femmes de s'affirmer :

> Prendre des risques en dedans, avec le doigt dans la gorge pour faire vomir la muse endormie. De voir surgir. En même temps, les mythes foisonnants, la faune oscillante. Le creux des poitrines. La fille les regarde au loin les femmes : mirage. Pour en arriver là en personne, contemporaine (Brossard, 1977 : 82).

Se créer des syntaxes qui ne reflètent plus « la vieille ordre téléologique » (Irigaray, 1977 : 76), se forger « une grammaire de l'utopie », comme le désigne Lorraine Weir (1986), deviennent des méthodes qu'emploie Brossard pour nier la logique patriarcale, hétérosexiste et linéaire, pour dénoncer l'immobilisme du sens ainsi que toute violence qui contraint les femmes, pour répandre des sens polysémiques dans son écriture et pour suggérer un rapport différent entre *sexe* et *texte*. Par conséquent, la rupture qui s'effectue dans des textes publiés depuis *French Kiss* (1974) engendre une nouvelle mouvance intime qui s'adresse particulièrement aux femmes et qui est inévitablement politisée. Ainsi Brossard peut-elle écrire dans *Amantes* :

> quelque part toujours un énoncé, la peau concentrée à l'inverse du système
>
> attentive aux circonstances amoureuses, ce texte à l'œil : juin suscité par l'audace
>
> lèvres précises ou cet attrait du clitoris
>
> sa pensée inédite qui rend au corps son intelligence (1980 : 10).

Plus qu'une prise de position idéologique, *écrire au féminin* est devenu pour Brossard une pratique d'écriture qui tente d'agir sur le langage – tout en étant inspiré d'un objectif féministe de faire surgir le sujet féminin dans des ouvrages comme dans la vie sociale. Car, « [c]'est en cherchant ses mots, dit Brossard, – et nulle part ailleurs que dans l'écriture cherche-t-on autant ses mots – qu'une femme s'initie à l'image positive qui la fait exister comme sujet » (1985b : 136). S'opérant au niveau de la langue et de l'énonciation, « [é]crire au féminin voudrait peut-être alors dire, explique-t-elle, qu'il faut travailler son histoire et son espoir là et seulement là où ils peuvent prendre forme, là où il y a *matière à texte* » (1985b : 54). Établir une approche féministe du *Désert mauve* m'oblige donc à tenir compte d'une vision et d'une pratique de l'écriture que Brossard développe depuis bien des années afin de déplacer la pensée patriarcale, de refuser sa politique de domination « virile » et de dénouer ce qu'elle considère comme « l'énigme de la femme qui nous fait mal : la fictive incarnée du masculin » (1985b : 9).

Analyse du texte

Œuvre aussi bien de synthèse que d'innovation, *Le désert mauve* reprend plusieurs des thèmes, des émotions, des situations et des stratégies textuelles déjà explorés dans d'autres œuvres brossardiennes. Nous reconnaissons, par exemple, la même vitalité de jeunes en mouvement déjà remarquée dans *French Kiss* (1974), la même concentration appliquée à l'acte d'écrire que l'on retrouve dans *Un livre* (1970) et *Picture Theory* (1982) et, enfin, la même intensité de désir lesbien que l'on note dans *Amantes* (1980) et *La lettre aérienne* (1985b) où on peut dire que l'amour entre femmes fournit non seulement *le sens* de l'écriture mais aussi sa source d'inspiration envoûtante et utopique. L'accouplement dans *Amantes* de deux écrivaines, dont chacune est devenue la lectrice passionnée de l'autre, préfigure en effet la fascination, voire l'obsession, que la lectrice fictive du *Désert mauve,* Maude Laures, témoignera elle aussi pour le texte d'une autre femme : « je cherche en te lisant à me déplacer constamment dans tes mots, pour les voir sous tous leurs angles, pour trouver des zones d'accueil : *m'y lover, my love* » (Brossard, 1980 : 18).

De même, *Le désert mauve* aborde de nouveau la problématique des genres littéraires par son mélange de genres et de discours divers – récit, journal de lecture, dialogues fictifs, éléments autobiographiques, traduction – ainsi que par l'inclusion du matériau visuel. Forçant les limites du genre romanesque, cette *interdiscursivité au féminin* et le hors-texte-devenu-texte à l'aide d'une série de photos de « l'homme long » aussi bien que des fragments extratextuels de documentation historique assurent que le quotidien, le poétique, le théorique et l'historique circulent presque sans restriction.

Situé dans le Sud-Ouest américain, *Le désert mauve* évoque cependant un nouvel espace pour l'imaginaire brossardien. Lieu de fascination ardente ainsi que de contrastes et de contradictions déconcertantes, lieu « indescriptible » comme l'annonce la première phrase du roman, ce vaste désert coloré de mauve, blanc, rouge, et de « lumière crue », sera à tour de rôle un espace de refuge, de vulnérabilité, de passion, de violence, de mort et d'espoir inédit. Espace hétérogène et « impur », selon Scarpetta[2], où des éléments disparates – tels que des autoroutes, des motels, des piscines, des bars, ainsi que des objets abandonnés – gardent encore leurs différentes traces d'humanité, le désert est aussi l'endroit où « la présence soupçonnée de l'humain » (p. 73-74)[3]

2. C'est Scarpetta (1985) qui, dans son étude de l'impureté, compare l'époque postmoderne à un spectacle hétérogène de valeurs contradictoires, de codes multiples et de gestes individuels au lieu de mouvements collectifs.

3. Les pages indiquées entre parenthèses renvoient à Brossard (1987).

transforme parfois des mirages en récit. Malgré ces vestiges de vie humaine, le désert de l'Arizona et du Nouveau-Mexique représente un monde en décomposition à « [l']atmosphère torride, un monde en disparition, brièvement fossile, [qui donne] un sentiment d'hyperréalité traversé par la sensation du sens vacillé » (p. 71). Géographie posthistorique et postmoderne à bien des égards, ce désert *en mauve* marque en même temps le lieu d'une résistance à la pensée patriarcale et à la disparition, voire la *désertification* de la vie humaine. Car, ce « monde en disparition » que nous décrit la lectrice-traductrice Maude Laures ne pourrait-il pas signaler également la lente autodestruction d'une civilisation sanglante qui ne tolère ni la différence ni la femme ?

En effet, la peur du désastre habite cet espace avant même que l'inévitable meurtre d'une femme arrive, puisque ce désert américain a aussi été le théâtre de l'élaboration de la bombe atomique et des premiers essais nucléaires, faits historiques qui glissent dans le texte à plusieurs reprises et sur lesquels je reviendrai. Pays aride et d'une beauté inattendue, qui a pourtant donné naissance à des armes inimaginablement dévastatrices, le désert du Sud-Ouest américain devient rapidement le terrain d'un conflit de valeurs et de perspectives culturelles : conflit entre l'amour lesbien et la violence télévisée quotidiennement, entre la passion d'une adolescente à la recherche d'elle-même et la peur d'une mère qui veut la protéger contre les menaces de la vie, entre une auteure qui constate l'agressivité d'une culture masculine vouée à la transformation de formules scientifiques en explosions de plus en plus destructives (Laure *Angst-elle*) et une lectrice qui croit encore à la possibilité d'une civilisation qui ne nuirait pas à l'humanité (Maude Laures : *Mots-de-Laure*).

Mais tout d'abord, *Le désert mauve* de Nicole Brossard est l'histoire d'un ouvrage publié en Arizona par une écrivaine fictive, Laure Angstelle, et dont le titre est aussi *Le désert mauve.* Ce dédoublement du titre initial fait partie de toute une série de structures et de procédés narratifs marquant l'importance de l'autoreprésentation dans *Le désert mauve* et contribuant ainsi à son air « postmoderne ». Retrouvé dans une librairie d'occasion, le texte inconnu – et donc non canonique – de Laure Angstelle constitue la première section du roman de Brossard ; il nous fait connaître les personnages, gestes et perspectives qui seront par la suite contemplés, considérés sous d'autres *angles*[4] de vue, et

---

4. Le mot « angle » est un mot clé dans ce roman et s'emploie dans plusieurs contextes ; le plus frappant est sans doute son usage dans le

éventuellement réécrits dans le récit « traduit » de Maude Laures. L'histoire du *Désert mauve* de Laure Angstelle, c'est donc l'histoire de sa présentation matérielle, de son trajet mental et émotif dans la pensée d'une lectrice fictive, Maude Laures, et de sa transformation finale dans la traduction effectuée par Maude Laures qui compose la troisième partie du roman et qui s'intitule *Mauve, l'horizon.*

Le petit ouvrage de Laure Angstelle est construit d'une série de chapitres-fragments présentés par la narratrice-protagoniste Mélanie *(Mais-la-nuit).* Dans sa narration, Mélanie remonte à l'année de ses 15 ans, à sa jeune impatience et à son désir fragile, ainsi qu'à l'événement désastreux qui l'empêchera par la suite de s'approcher des autres : la mort insensée et inexplicable d'une femme, Angela Parkins, qui dansait fiévreusement dans ses bras. Bien que cet acte meurtrier n'ait lieu qu'à la fin de sa narration, la violence potentielle de la culture patriarcale s'annonce régulièrement et à maintes reprises à travers le récit d'Angstelle. Tous les chapitres de son texte commencent d'ailleurs par une brève description (d'un paragraphe seulement) de « l'homme long », présence masculine troublante et dangereuse, qui hante la mémoire de Mélanie et dérange le déroulement de sa narration.

L'homme long est toujours décrit à la troisième personne pour souligner la distance qui le sépare de l'auteure, de Mélanie, des autres femmes du texte et des lectrices réelles du *Désert mauve.* Chaque chapitre révèle ensuite les gestes, les réflexions et les émotions de Mélanie, jeune révoltée qui raconte son histoire à la première personne et qui vit tant bien que mal avec sa mère et la compagne de sa mère, Lorna, au Red Arrow Motel, dans le désert de l'Arizona. Cette alternance entre des descriptions froides de l'homme long et la voix intime de Mélanie, qui cherche à s'affirmer comme sujet de sa propre histoire et de sa jeune vie, nous fait comprendre que le danger reste imminent dans le récit d'Angstelle et que la violence se prépare toujours quelque part lorsqu'une culture se fonde sur la loi et le pouvoir du plus fort.

Violence du désir/Désir de la violence

Sous ses multiples formes d'expression culturelle et politique, le féminisme nord-américain des vingt dernières années a entrepris une critique sévère de la violence faite aux femmes dans la société

---

nom donné à l'éditeur de la traduction de Maude Laures : Éditions de l'Angle.

contemporaine comme par le passé. Aux États-Unis, des théoriciennes telles que Andrea Dworkin, Catherine Mackinnon et Susan Griffin ont examiné le caractère systématique de cette violence, souvent légitimisée par des structures sociales de l'État, par l'industrie pornographique et, plus généralement, par la misogynie et la hiérarchie des sexes dans la pensée patriarcale. Des actes de violence contre « le deuxième sexe » peuvent être également liés à l'impérialisme et à l'assujettissement des peuples plus pauvres et des groupes ethniques minoritaires. Selon cette optique souvent développée par des féministes socialistes, la politique internationale des pays dominants, tout comme la politique qui s'opère dans la vie privée du couple hétérosexuel, encouragerait non seulement l'expression d'une sensibilité « macho » préconisée chez les hommes, mais aussi l'exploitation du plus faible. Enfin, d'autres féministes telles Adrienne Rich, Mary Daly, Dale Spender et même Hélène Cixous voient des rapports fondamentaux entre les actes de violence contre les femmes, la place de la femme dans la symbolique des hommes et le refoulement du désir féminin dans la culture. La richesse des perspectives apportées au thème de la violence dans *Le désert mauve,* ainsi que les contextes multiples de ses manifestations, reflète la variété de théories féministes sur ce sujet.

Tout comme *Les fous de Bassan* d'Anne Hébert – roman que Brossard admire beaucoup et qui a déjà suscité une reconnaissance féministe considérable[5] –, *Le désert mauve* prépare dès son début à l'acte de violence ultime qui nous sera révélé à la fin du récit originaire et sur lequel il faudra sans cesse revenir. Dans le récit générateur d'Angstelle, la mort brutale d'Angela Parkins sera donc anticipée par la présence d'un « gars armé », d'une « baraque incendiée », d'un revolver dans la voiture de Mélanie et des armes que toutes les adolescentes apprennent à tenir dans le désert, selon Mélanie. De même, il y a des images violentes « télévisées [...] comme un viol, un meurtre, un accès de folie » (p. 24) qui font peur à la mère de Mélanie. À cela, il faudrait ajouter le bruit de « l'explosion » mystérieuse dans la tête de l'homme long, ainsi que plusieurs références aux essais nucléaires dans le désert et « au[x] tremblement[s] de terre » (p. 18) qui en résultent. Et, en tout dernier lieu, il y a ce temps narratif tranchant qui glisse entre les jambes d'Angela Parkins et de Mélanie « comme un scalpel » (p. 40) pour couper court à leur danse sensuelle et à leur amour-transgression et pour mettre fin littéralement à la narration. Devant l'horreur du meurtre et la

5. Voir, par exemple : Bishop (1984) ; Gould (1986) ; Lintvelt (1991) ; Slott (1986) ; Smart (1988).

confusion générale qui en résulte, l'homme long contemple la scène du désastre, la scène éternellement répétée d'une femme tuée, avec un « regard impassible » (p. 40).

Patricia Smart a déjà noté que « [l]e meurtre d'Angela Parkins par « l'homme long/oblong » [...] reproduit tous les meurtres de femmes qui parsèment les textes littéraires québécois depuis le dix-neuvième siècle, mais en plus terrifiant, parce que devenu anonyme, abstrait, portrait d'une civilisation postmoderne devenue pure technologie » (1988 : 335). Aussi faut-il constater que, même si le texte de Brossard ne tourne plus inévitablement autour du couple hétérosexuel, la violence reste le lieu privilégié de leur rencontre.

Le meurtre d'Angela Parkins n'entraîne ni quête policière narrée ni errance textuelle à la recherche d'un criminel qui arrive toujours à s'esquiver, intrigues que l'on peut facilement rapprocher de certains romans postmodernes des années soixante et soixante-dix portant des signatures masculines[6]. Procédant à cet égard comme *Les fous de Bassan, Le désert mauve* introduit le meurtre d'une femme dans la première partie du roman, et de façon énigmatique, pour que la brutalité de l'acte puisse être interrogée, interprétée et redécrite différemment. Cette *autre vision* sera proposée par la lectrice-devenue-traductrice, Maude Laures. Bien qu'il y ait une certaine ambiguïté dans le geste meurtrier qui termine la vie d'Angela Parkins (on ne voit pas l'homme long tirer sur Angela Parkins tout comme on ne voit ni le viol ni les meurtres commis par Stevens Brown avant sa confession à la fin du récit d'Hébert), tout dans le texte implique l'homme long. Cependant, la question à laquelle il faut répondre dans *Le désert mauve* n'est pas qui a tué la femme – car la responsabilité est en fin de compte collective, on l'a facilement compris – mais pourquoi l'a-t-on tuée. Comme *Les fous de Bassan, Le désert mauve* demande donc une réflexion sur les raisons sociale, politique et idéologique de cet acte de violence qui semble si inintelligible, si impossible à narrer au début. L'originalité du *Désert mauve,* c'est que toute réflexion sur la violence masculine se fait entièrement entre femmes – l'assassin misogyne n'a littéralement plus de voix.

---

6. Signé du nom d'une femme, *Meurtres à blanc* de Yolande Villemaire ferait exception à cette tendance virilisante et violente dans la fiction québécoise des années soixante et soixante-dix, mais c'est parce que Villemaire entreprend une parodie et une réécriture de *Prochain épisode* d'Hubert Aquin.

Par conséquent, bien que la peur télévisée au Red Arrow Motel soit diffuse, que l'explosion dans la tête de l'homme long soit mystérieuse et énervante et que le meurtre à la fin du récit de Laure Angstelle *ouvre* au lieu de *fermer* le discours unitaire dans le roman de Brossard, cette violence insensée et dépourvue de motifs apparents aurait tout de même des sources que l'on peut retracer et que l'on doit reconsidérer avec Maude Laures dans son exploration et sa réécriture éventuelle du récit originaire. Malgré toute la réflexion que cette lectrice fictive donne à l'événement, cependant, c'est « la fin brutale d'Angela Parkins », plus que toute autre chose, que Maude Laures voudrait « éviter d'affronter » (p. 175). En fait, elle voudrait éliminer le meurtre en l'effaçant entièrement de son texte à elle, mais se rend compte qu'un tel effacement serait plus qu'un geste de traduction ou d'interprétation : ce serait fausser les faits et mentir sur l'histoire. Au lieu donc de faire disparaître ce drame de la violence, elle entreprend de le réécrire de son *angle de vue,* et de publier son texte aux Éditions de l'Angle, pour dominer sa peur du désastre et pour empêcher la répétition de la violence par l'humanité. Ainsi traduit-elle avec compréhension les pensées de Mélanie sur l'acte d'écrire :

> J'écrirais tout l'avant-midi [...] J'aurais l'impression de tout comprendre, la nuit, Grazie, ma mère, Lorna et toutes les autres qui vivaient en moi. Je glisserais profondément dans cette chose qui en réalité fait loi sur tout. Ma main serait lente. L'humanité ne pourrait pas se répéter. J'inventerais. Je serais vigilante. La langue bien pendue, j'aurais de bons réflexes (p. 212).

Pour des théoriciennes féministes écrivant sous le signe de la postmodernité, telle l'Américaine Jane Flax, l'Histoire n'est plus le récit unifié et rationnel auquel la tradition occidentale dominante nous a encouragés tous et toutes de croire. De même, la notion de « progrès » historique (progrès pour *qui* et aux dépens de qui ?) a certainement été remise en question par des féministes et postmodernistes également. Pour reprendre une remarque importante de Janet M. Paterson, qui sert à mon propos, « [p]enser à l'Histoire, se penser dans l'Histoire, repenser l'Histoire ou même se situer historiquement pour s'interroger comme sujet écrivant » (1990 : 54) sont des constantes qui s'appliquent tout aussi bien à certaines *écritures au féminin* qu'à des romans historiques postmodernes. Par conséquent, on ne devrait pas s'étonner de voir que des traces indiquant la violence de l'Histoire ont fourni une matière essentielle à la construction du *Désert mauve* ainsi qu'aux significations qui y circulent.

L'homme long

C'est à travers l'homme long, comme je l'ai déjà signalé, que Laure Angstelle introduit et fait avancer la trame de son histoire violente. Mais c'est aussi à l'aide de la présence énigmatique de cet homme inconnu que des liens se forment dans le texte avec d'autres signes de brutalité dans la culture contemporaine. De prime abord, ce personnage est un homme dépouillé de nom et d'identité fixe. Trouvé par des équations mathématiques, obsédé par des explosions qu'il imagine et qu'il essaie ensuite d'oublier ou de refouler, incapable enfin de dormir, l'homme long de Laure Angstelle n'est, à première vue, qu'une présence mal définie et brumeuse. Pourtant, l'auteure fictive nous a laissé de brefs indices d'une identité plus imposante et, du point de vue de l'histoire, plus révélatrice :

> Il allume une cigarette. Il joue avec le rebord de son chapeau en feutre qu'il ne quitte presque jamais. Il pense à l'explosion. Il récite pour le plaisir des sons quelques phrases en sanscrit, les mêmes qui tantôt ont ravi son entourage. Il marche de long en large dans la chambre. La fumée de sa cigarette le suit comme une présence spectrale. L'homme long connaît la valeur magique des formules. Il pense à l'explosion. La moindre erreur pouvait avoir des conséquences catastrophiques. L'homme long s'allonge avec des visions blanches puis orange puis le sol sous ses pieds se transforme en jade – *I/am/become/Death* – maintenant nous sommes tous des fils de chiennes. L'homme long appuie sa tête sur l'équation (p. 17).

Dans ce court paragraphe, Angstelle, qui écrit sous la plume de Brossard, construit une thématique surdéterminée de la violence de l'ère atomique et nucléaire en relevant de nombreux éléments-fragments associés à un physicien en particulier, Robert Oppenheimer, et à un projet historique précis, « The Manhattan Project » – programme entrepris en 1942 par le gouvernement américain afin de produire une bombe atomique qui pourrait assurer une victoire militaire et mettre fin à la guerre. Les meilleurs physiciens de l'atome travaillaient sous Oppenheimer (de 1942 à 1945) à Los Alamos, au Nouveau-Mexique, endroit qui correspond parfaitement au cadre du *Désert mauve*. Dans le passage qui vient d'être cité, on reconnaît Oppenheimer comme figure d'inspiration par sa cigarette, son fameux chapeau en feutre, son corps long et mince, son caractère merveilleux et sa démarche maladroite, son plaisir à lire le sanscrit et à discuter de philosophie hindoue, et surtout, bien entendu, par la citation maintenant célèbre du *Bhagavad-Gītā,* qu'il prononçait au moment de la première explosion de la bombe atomique et qui résume sa peur devant cette vision apocalyptique : « I/am/become/Death ». Brossard lie cette remarque sur le désastre potentiel de l'ère atomique à la réplique de Kenneth Bainbridge, qui dirigeait les préparatifs du lieu de cette première explosion atomique. « Maintenant nous sommes tous des fils de chiennes [Now we are all sons of bitches] », avouait Bainbridge, remarque qu'Oppenheimer avait particulièrement appréciée, paraît-il, et qui englobait toute la communauté scientifique de l'époque[7].

D'autres éléments fictifs et photographiques renforcent ces allusions historiques. Il y a, par exemple, l'image ailleurs répétée de la « chambre solarisée » de l'homme long (p. 33 et 43) qui suggère la brillance aveuglante et aveugle de l'explosion atomique. Cette image de blancheur éclatante sera exploitée visuellement dans une photo de l'homme long au visage « solarisé » qui se trouve dans un album de photos que Maude Laures a préparé sur ce personnage énigmatique. En fait, des références plus ou moins obliques à Oppenheimer, au projet de Los Alamos et aux explosions atomiques dans le désert du Sud-Ouest se trouvent dans toutes les descriptions consacrées à l'homme long.

Selon le peu d'indications données dans la première partie du texte (qui est le récit d'Angstelle), l'homme long, tout comme Oppenheimer, aurait voulu que cette explosion, dont il se croit responsable, soit « comme un espoir de beauté » ; il se rend compte trop tard qu'elle ne peut mener qu'à la destruction de la civilisation (p. 35). Oppenheimer éprouvait cette même nostalgie de la beauté ordonnée du langage mathématique à l'époque de sa propre désillusion concernant la bombe nucléaire. Chez l'homme long, le doute et l'incrédulité postmodernes remplacent, pour ainsi dire, l'autorité de la science atomique et nucléaire qui lui avait servi de métarécit du progrès humain. C'est pour cette raison, sans doute, que son visage, tout comme son identité masculine-virile, s'éclate dans la photo à l'intérieur du dossier tenu par Maude Laures ; c'est pour cela également que l'homme long sera renommé « l'hom'oblong » *(l'homme-au-blanc)* dans sa traduction du texte.

---

7. Voir l'étude remarquable de Rhodes (1986 : 675-676). Cet ouvrage fut publié un an avant *Le désert mauve* et peu de temps après une série d'émissions télévisées très réussies sur Oppenheimer qui furent diffusées sur la chaîne publique américaine.

Enquête de l'écriture

Dans la deuxième partie du roman, qui s'avère de loin la plus longue et la plus hétérogène du point de vue de la forme, la lectrice fictive, Maude Laures, explore les raisons de son identification avec le récit de Laure Angstelle et de la résistance qu'elle y oppose. Des notes de lecture, des réflexions autobiographiques et des dialogues imaginés entre les personnages et l'auteure fictive l'aident dans cette tâche. Les méditations de Maude Laures sur le meurtre d'Angela Parkins et sur la violence grandissante de la culture nord-américaine sont au cœur même de cette entreprise d'expansion, d'interprétation et de réécriture.

En accordant une place importante à la lectrice-traductrice du *Désert mauve* au beau milieu du roman, Brossard met en relief le rôle essentiel de Maude Laures dans la construction et la circulation du sens textuel. C'est ainsi que Brossard nous fait penser non seulement à l'acte d'écrire, mais aussi aux procédés de toute lecture intime et aux émotions qu'elle peut provoquer. Chez Maude Laures, il s'agit en fait du désarroi personnel et de la confusion morale éprouvée devant la violence potentielle de l'homme ainsi que devant la passion brutale qu'elle ressent pour le texte d'une autre femme.

Dans son désir de comprendre ce récit qui vit en elle depuis deux ans et auquel elle retourne sans cesse, Maude Laures mène une enquête sur la place de la violence dans la civilisation contemporaine. Elle écrira donc un chapitre intitulé « Le revolver » dans lequel elle imagine des revolvers dispersés un peu partout dans ce désert américain. Cette prolifération des revolvers ne s'effectue pas pour nous confondre sur l'identité de l'assassin, mais plutôt pour signaler la prolifération de la violence potentielle dans une société nord-américaine aux tendances agressivement « macho » ou « cowboy ». Dans un dialogue qu'elle invente entre Angela Parkins et Mélanie, Maude Laures établit le rapport fondamental entre l'assassinat d'Angela Parkins et la violence historique des hommes au désert :

> – Le désert est un espace. Un jour des hommes y sont venus et ils ont affirmé que cet espace était enfin conquis. Ils ont dit souffrir de leur conquête. Ils ont souffert car le désert ne permet aucune erreur. Mais les hommes ont confondu l'erreur et la souffrance. Ils ont conclu que leur souffrance pouvait corriger l'erreur de la nature, la nature même de l'erreur. Ils se sont ainsi abouchés à la mort (p. 136-137).

À travers son carnet de lecture, Maude Laures pose ainsi des questions investigatrices aux personnages d'Angstelle et y répond de son mieux à travers leurs voix telles qu'elle les imagine. Enfin, la concentration dont Maude Laures fait preuve lorsqu'elle entre en dialogues multiples avec les personnages féminins du *Désert mauve* démontre sa volonté de résister à des interprétations toutes faites sur le récit d'Angstelle et, plus généralement encore, sur la vie des femmes. La recherche sérieuse de Maude Laures est aussi sa façon de reconnaître les féminismes dans le féminisme, de faire place à une pluralité de voix féminines dans le texte.

Il reste à faire une dernière remarque sur une des scènes inventées par Maude Laures – scène à travers laquelle Brossard aborde la problématique de la violence masculine de façon frappante et originale. Car, vers la fin de son carnet de lecture, Maude Laures construit une conversation imaginaire et de haute portée avec l'auteure fictive, Laure Angstelle. La conversation se complique, cependant, pour arriver rapidement à l'essentiel lorsque Maude Laures adopte l'identité d'Angela Parkins afin de poser brutalement la question : « Pourquoi m'as-tu mise à mort ? » (p. 41). En redonnant ainsi la parole interrogative à Angela Parkins, brièvement ressuscitée pour protester contre son sort, cette scène nous ramène une dernière fois à une réflexion sur la violence et la scène de mort que Maude Laures voudrait décoder. Anne Hébert s'était servie d'une technique narrative similaire lorsqu'elle avait fait momentanément revenir Olivia du fond des mers dans *Les fous de Bassan*[8].

Dans *Le désert mauve,* la réponse de l'auteure fictive à son personnage féminin est directe et tranchante : « Tu es morte parce que tu as oublié de regarder autour de toi [...] Je ne t'ai point tuée. Cet homme t'a tuée. » Dans l'imaginaire de la lectrice fictive, Angstelle justifie donc la mort textuelle d'Angela Parkins par le poids de la *réalité,* puisque dans la vie réelle, hors-le-texte, des hommes existent qui oppriment et parfois tuent des femmes. Parkins, tout comme la lectrice Maude Laures, aurait voulu que la réalité s'inscrive autrement pour sauver sa vie, bien entendu, et pour protéger le monde. Mais la traductrice du *Désert mauve* se rendra compte qu'il y a ce que Brossard appelle « un écart sémantique, un décalage qui blesse » entre l'humanité et la civilisation, entre l'amour et la conquête, entre l'espoir et la réalité. Par conséquent, bien qu'elle s'affirme de plus en plus interprète et créatrice de signes dans sa version traduite *(Mauve l'horizon),* Maude Laures

---

8. Voir ma discussion de la voix ressuscitée d'Olivia (Gould, 1986 : 928-930).

ne pourra laisser Angela Parkins en vie. Et l'homme long – devenu l'hom'oblong – sera réinscrit comme l'Image menaçante autour de laquelle tout le pessimisme de l'époque contemporaine gravite, « un seul homme armé d'un imaginaire millénaire », comme le dit Brossard de l'assassin des quatorze étudiantes à l'École polytechnique, le 6 décembre 1989[9].

Les lieux de la traduction

Comme toute traduction, le texte remanié et renouvelé de Maude Laures enlève et ajoute au récit originel en même temps qu'il le transforme. Malgré le fait qu'au début de *Mauve l'horizon* les changements au texte semblent à peine visibles, une différence subtile s'y installe dès les premières pages – différence qui glisse dans les mots et les phrases sans presque que l'on s'en aperçoive. Pourtant, certaines de ces différences sont frappantes, par exemple la façon plus directe qu'a Maude Laures de faire des liens irrécusables entre le goût de la pornographie chez l'hom'oblong, son désir à peine refoulé de la violence (de « l'explosion ») et sa terreur devant la réalité de sa propre destruction. Dans sa version, l'humanisme de l'hom'oblong cède explicitement la place à une pulsion mortelle :

> L'hom'oblong était terrorisé. L'ombre se multipliait, aberrante et intouchable. Il rêvait de poèmes et de sanskrit mais déjà la cendre, déjà le sang entraient dans la bouche ouverte et silencieuse qui obstruait dans son cerveau la belle image aux mille cristaux qu'il avait inventée. Puis l'hom'oblong traça des chiffres sur le mur. Traça compulsivement la mort. Son corps s'épuisa contre le mur. Son ombre. L'explosion était parfaite dans le jade (p. 199).

Les nouveaux choix de mots, ainsi que les transpositions de sens les plus marquantes, modifient en fin de compte la scène de mort d'Angela Parkins, scène qui servira de nouvel événement ultime. Dans *Le désert mauve* de Laure Angstelle, Mélanie-l'adolescente-témoin semblait détruite par cette perte brutale et inattendue ; elle ne voyait sur la route et au désert qu'un « profil sanglant » qui dominait l'horizon. Par

---

9. Voir son analyse perspicace de la signification sociale, symbolique et politique de cet acte misogyne dans son article, « Le tueur n'était pas un jeune homme », d'abord paru dans *La Presse*, 21 décembre 1989, et repris dans Louise MALETTE et Marie CHALOUH, *Polytechnique, 6 décembre*, Montréal, Éditions du Remue-ménage, 1990, p. 29-30.

contre, le dernier passage de Maude Laures nous fait suivre les yeux de Mélanie, qui se détournent du désastre qui l'entoure à l'horizon – déplacement significatif à couleur surdéterminée, pour le regard et l'imaginaire brossardiens : « Puis ce fut le profil menaçant de toute chose. Puis l'aube, le désert et mauve, l'horizon » (p. 220). À vrai dire, Maude Laures voudrait croire, semble-t-il, que l'histoire de Laure Angstelle puisse se transformer en espoir. Car, comme l'affirme Brossard dans *La lettre aérienne,* « [l]es mots que nous remarquons [...] sont révélations, énigmes et adresses. Nous les transformons selon une méthode d'approche qui échappe à notre conscience et pourtant notre conscience s'en trouve éclairée. Lectrices, nous devenons l'allusion et la tendance d'un texte » (1985b : 153).

Du *Désert mauve* au *Mauve l'horizon,* du texte d'origine au texte traduit, de Laure Angstelle à Maude Laures, se produit donc un lieu de rencontre privilégiée entre deux « Laure », deux endroits en mauve et deux perspectives sur la mort d'une femme. C'est ainsi qu'une dialectique s'établit entre lecture et réécriture, car comme les théories féministes récentes de la traduction l'ont déjà révélé, cette dialectique se fait « entre deux textes et deux langues (entre le texte et la langue de départ [et] le texte et la langue d'arrivée) ; la traduction [ainsi conçue] devient un acte combiné de lecture et d'écriture puisque la traductrice est à la fois lectrice (et interprète du texte du départ) et auteure (du texte d'arrivée) » (Mezei, 1985 : 29).

Espace littéraire d'interrogation, de réduplication et de changement, la traduction de Maude Laures est le résultat d'une lente mise en œuvre de lecture intime, d'un « corps à corps avec le livre », dit-elle. Dans *Le désert mauve,* ce processus de différenciation et de répétition transformatrice s'effectue dans l'espoir de « faire pencher la réalité un peu plus du côté de la lumière » – sans pour autant oublier le poids de l'*évidence.* Interprète culturelle donc, qui affirme l'importance de nouvelles lectures, Maude Laures fonctionne comme médiatrice entre le mot-signe et le monde. Pour elle, ainsi que pour Brossard, lire, c'est s'engager dans une transformation du réel par le désir d'une justice de vivre qui serait *autre* et que Brossard ne cesse d'explorer dans son écriture :

> Lorsque cette ferveur s'empare de nous, nous disons être captivées par notre lecture et nous avançons lentement/précipitamment vers notre destin... En pleine lecture, nous reconnaissons (être) la cause et l'origine des visages et des

paysages qui nous entourent car nous leur faisons allusion comme à une enfance, un désir, une tendance. En pleine lecture, nous entendons notre voix qui cherche son horizon (Brossard, 1985a : 38-39).

BIBLIOGRAPHIE

BISHOP, Neil B. (1984), « Distance, point de vue, voix et idéologie dans *Les fous de Bassan* d'Anne Hébert », *Voix et images*, vol. IX, n° 2 (hiver), p. 113-129.

BROSSARD, Nicole (1970), *Un livre*, Montréal, Le Jour.

BROSSARD, Nicole (1974), *French Kiss*, Montréal, Le Jour.

BROSSARD, Nicole (1977), *L'amèr ou le chapitre effrité*, Montréal, Quinze.

BROSSARD, Nicole (1980), *Amantes*, Montréal, Quinze.

BROSSARD, Nicole (1982), *Picture Theory*, Montréal, Nouvelle Optique.

BROSSARD, Nicole (1985a), « Certains mots », *La Nouvelle Barre du jour*, numéro spécial intitulé *Tessera : l'écriture comme lecture*, n° 157 (septembre), p. 37-43.

BROSSARD, Nicole (1985b), *La lettre aérienne*, Montréal, Éditions du Remue-ménage.

BROSSARD, Nicole (1987), *Le désert mauve*, Montréal, Éditions de l'Hexagone.

BROSSARD, Nicole (1988), « L'angle tramé du désir », dans Louky BERSIANIK *et al.*, *La théorie, un dimanche*, Montréal, Éditions du Remue-ménage, p. 11-26.

DUPRÉ, Louise (1989), *Stratégies du vertige. Trois poètes : Nicole Brossard, Madeleine Gagnon, France Théoret*, Montréal, Éditions du Remue-ménage.

DWORKIN, Andrea (1981), *Pornography : Men Possessing Women*, Londres, The Women's Press.

FLAX, Jane (1990), *Thinking Fragments : Psychoanalysis, Feminism, and Postmodernism in the Contemporary West*, Berkeley, Los Angeles et Oxford, University of California Press.

GODARD, Barbara (1989-1990), « Re-post », *Quebec Studies*, numéro intitulé *Symposium : Feminism and Postmodernism in Quebec : The Politics of the Alliance*, n° 9 (automne-hiver), p. 131-143.

GOULD, Karen (1986), « Absence and Meaning in *Les fous de Bassan* », *The French Review*, vol. LIX, n° 6 (mai), p. 921-930.

GOULD, Karen (1990), « A Revolution in Literary Theory : Recent Texts by Nicole Brossard and France Théoret », *Canadian Issues/Thèmes canadiens*, numéro spécial intitulé *Traditions and Revolutions/ Traditions et révolutions*, vol. XII, p. 159-171.

GOULD, Karen (1990), *Writing in the Feminine : Feminism and Experimental Writing in Quebec*, Carbondale, Southern Illinois University Press.

GRIFFIN, Susan (1982), *Pornography and Silence : Culture's Revenge Against Nature,* New York, Harper and Row.

HUTCHEON, Linda (1988), *A Poetics of Postmodernism : History, Theory, Fiction,* Londres et New York, Routledge.

HUTCHEON, Linda (1989), *The Politics of Postmodernism,* Londres et New York, Routledge.

IRIGARAY, Luce (1974), *Speculum de l'autre femme,* Paris, Éditions de Minuit.

IRIGARAY, Luce (1977), *Ce sexe qui n'en est pas un,* Paris, Éditions de Minuit.

LINTVELT, Jaap (1991), « Une approche typologique : le discours transgressif dans *Les fous de Bassan* d'Anne Hébert », *Protée,* vol. XIX, n° 1 (hiver), p. 39-44.

LYOTARD, Jean-François (1979), *La condition postmoderne : rapport sur le savoir,* Paris, Éditions de Minuit.

MEZEI, Kathy (1985), « La lecture comme écriture/L'écriture comme lecture ; le lecteur et le déclin de l'auteur/ou grandeur et décadence du trait oblique », *La Nouvelle Barre du jour,* numéro spécial intitulé *Tessera : l'écriture comme lecture,* n° 157 (septembre), p. 26-30.

NICHOLSON, Linda J. [édit.] (1990), *Feminism/Postmodernism,* New York et Londres, Routledge et Chapman and Hall.

PARKER, Alice (1990), « The Mauve Horizon of Nicole Brossard », *Quebec Studies,* n° 10 (printemps-été), p. 107-119.

PATERSON, Janet M. (1990), *Moments postmodernes dans le roman québécois,* Ottawa, Les Presses de l'Université d'Ottawa.

RHODES, Richard (1986), *The Making of the Atomic Bomb,* New York, Simon and Schuster.

SCARPETTA, Guy (1985), *L'impureté,* Paris, Grasset.

SCOTT, Gail (1988), « Une féministe au carnaval », dans Louky BERSIANIK *et al., La théorie, un dimanche,* Montréal, Éditions du Remue-ménage, p. 37-66.

SLOTT, Kathryn (1986), « Submersion and Resurgence of the Female Other in Anne Hébert's *Les fous de Bassan* », *Quebec Studies,* n° 4, p. 158-169.

SMART, Patricia (1988), *Écrire dans la maison du père : l'émergence du féminin dans la tradition littéraire du Québec,* Montréal, Québec/Amérique.

WEEDON, Chris (1987), *Feminist Practice and Poststructuralist Theory,* Oxford et New York, Basil Blackwell.

WEIR, Lorraine (1986), « From Picture to Hologram : Nicole Brossard's Grammar of Utopia », dans Shirley NEUMAN et Smaro KAMBOURELI [édit.], *A Mazing Space : Writing Canadian Women Writing,* Edmonton, Longspoon et NeWest Press, p. 345-352.

Les romans d'Hubert Aquin : une lecture au féminin

Patricia SMART
Université Carleton

Dans *L'antiphonaire* d'Hubert Aquin (1969), à mesure que la vie de la narratrice, Christine Forestier, se désintègre, la forme du « roman » qu'elle est en train d'écrire tombe en morceaux elle aussi, se transformant en une série de fragments de plus en plus incohérents avant de sombrer avec sa créatrice dans le vide. De mon texte sur Aquin aujourd'hui je voudrais faire une sorte de « reflet au féminin » de cette écriture fragmentée : non pas des fragments érigés contre le vide, mais plutôt quelque chose comme une série de retailles, où je tenterai de tisser ensemble des éléments trop souvent disparates : la vie et l'écriture (les miennes et celles d'Aquin), la certitude féministe et le questionnement inhérent au processus critique. Le discours critique nous oblige nécessairement à une série d'exclusions ; pour une fois, je voudrais laisser entrer dans mon texte ce que d'habitude je relègue aux marges. Car si je devais définir mon idéal de critique féministe, je dirais que c'est une écriture de vie.

Comment faire pour que la critique soit autre chose qu'une lutte contre le texte, la création de catégories ou de modèles idéologiques ou formels qui emprisonnent l'œuvre et l'empêchent de respirer ? Dans les premières années de la critique féministe au Québec, vers la fin des années soixante-dix, on rêvait de la possibilité d'une critique « amoureuse », une critique de jouissance partagée, où l'échange et non pas la rivalité entre auteur ou auteure et critique donnerait lieu à de nouvelles lectures critiques. Échange de vie et d'espérance, nous disions-nous, qui serait en même temps l'expression de notre réalité, de nos réalités de femmes auparavant enfouies dans le silence. Cette critique nouvelle, croyions-nous, aurait l'effet de transformer peu à peu le paysage littéraire, le terrain du langage et la géographie des rapports humains. Car les femmes étaient en train d'accéder pour la première fois, nous en étions convaincues, à un véritable statut de sujets dans le langage et le réel, et les conséquences – nous le savions grâce à nos lectures assidues de Luce Irigaray et d'Hélène Cixous, entre autres – étaient énormes et explosives.

Aujourd'hui, quatorze ou quinze ans plus tard, je crois encore à la portée révolutionnaire du féminisme et de la critique féministe, qui continuent de faire leur petit chemin pas toujours remarqué dans le monde alentour, malgré les affirmations de quelques-uns selon lesquels nous serions entrés dans l'ère « postféministe ». Et je rêve encore d'un langage critique qui abolirait le cloisonnement étanche entre la vie et l'œuvre, le critique et l'écrivain, la théorie et la lecture de l'œuvre.

Et pourtant, assise à ma table d'écriture, devant une page blanche portant le titre « Les romans d'Hubert Aquin : une lecture au féminin », je me rends à l'évidence qu'un tel dialogue avec l'œuvre ne va pas de soi, surtout lorsqu'il s'agit d'œuvres qui semblent exclure la femme ou la réduire à un état d'objet. Comment parler d'Hubert Aquin sans lui rendre son agressivité, en quelque sorte ? Les romans d'Hubert Aquin nous jettent au visage des vérités qu'il serait plus confortable de ne pas affronter, et la réaction qu'ils éveillent chez le lecteur correspond souvent à une défense de son propre territoire et de ses acquis culturels. Je décide sur-le-champ de me donner une nouvelle permission en écrivant ce texte, celle de parler de moi-même et de ma propre réalité de lectrice, espérant ainsi faire entrer un peu de la complexité du réel entre les grilles de ma lecture féministe. De plus, en posant des questions à l'œuvre plutôt qu'en prétendant en offrir une analyse définitive, j'arriverai peut-être à entamer un dialogue avec cette œuvre ambiguë et violente, qui ne cesse de me déranger depuis le jour où j'ai ouvert *Prochain épisode* (1965), il y a plus de vingt-cinq ans.

Mes premiers ébats avec l'œuvre d'Aquin se plaçaient sous le signe de la séduction, il faut bien le dire. Non pas la séduction d'une femme par l'œuvre d'un homme (du moins, pas consciemment), car, à cette époque, comme presque toutes mes consœurs, je revêtais pour lire et écrire le masque du lecteur « universel », c'est-à-dire que je lisais comme un homme.

Volontairement aveugle devant la violence déchaînée contre la femme dans ces romans, la série de viols et de meurtres de femmes qui, à mesure que les romans se succédaient, prenaient de plus en plus de place sur la scène romanesque, je suis tombée en amour avec le contenu nationaliste de l'œuvre. Engagée moi-même à l'époque dans la lutte de la gauche nationaliste au Canada anglais, je découvrais dans *Prochain épisode* et dans *Trou de mémoire* (1968) un reflet désespéré et passionné de nos propres luttes pour bâtir un pays impossible. Et quelques années plus tard – malgré une première réaction d'horreur devant la violence de son intrigue –, je suis tombée sous l'emprise de *Neige noire* (1974), ce dernier roman d'Aquin qu'un critique de l'époque a qualifié de « roman désespéré qui fait penser à ce que devrait être le dernier livre de tous les temps » (Bonenfant, 1975 : 22). Parmi les quatre romans d'Aquin, il n'y en a qu'un qui n'a pas réussi à me séduire, qui m'a même rebutée sans que je sache trop pourquoi : c'est *L'antiphonaire*, le seul des romans d'Aquin présenté par une narratrice féminine. Sans pouvoir formuler mon insatisfaction de façon plus précise, je me souviens d'avoir dit un jour à Aquin que je détestais Christine Forestier et que je n'aimais pas le roman. Et dans mes analyses critiques de l'œuvre d'Aquin, je me suis toujours arrangée pour ne pas avoir à écrire sur *L'antiphonaire*.

Mais – malgré ce que j'ai dit plus haut sur le caractère amoureux de la critique – c'est peut-être avant tout la lutte avec un texte qui nous résiste qui rend l'expérience de la critique intéressante. C'est donc *L'antiphonaire*, et non pas les autres romans d'Aquin, que j'ai apporté avec moi à la campagne, où j'entre lentement et de biais dans ce texte que je dois écrire... Et la question à laquelle je dois trouver une réponse en écrivant, je le vois maintenant, c'est « pourquoi ai-je toujours détesté Christine Forestier ? » Pour la réflexion, j'ai apporté deux recueils de textes féministes – *Entre raison et déraison* (1987) de France Théoret et *La main tranchante du symbole* (1990) de Louky Bersianik – et, pour la distraction, quelques romans policiers, écrits bien entendu par des femmes ! De ces éléments, et de la sérénité du paysage de la Gatineau que je vois par ma fenêtre, je voudrais tisser une réflexion sur la critique féministe, sur quelques auteurs québécois que j'aime et sur l'œuvre d'Aquin.

J'écris donc à la campagne, dans la lumière déclinante d'un jour de février. À la radio, comme il arrive si souvent dans cette année bicentenaire, on joue un concerto pour flûte de Mozart ; devant moi, un paysage de neige dans lequel les bouleaux se découpent sur un ciel strié de rose me rappelle des vers du poète Saint-Denys Garneau, qui a vécu les dernières années de sa courte vie angoissée devant un paysage semblable au mien : « Les grands [arbres] chantent/ Mêlés au ciel/ Et leurs feuillages sont des eaux vives/ Dans le ciel... » (1949 : 56). Tout à l'heure à la radio, c'était l'annonce de l'envahissement du Koweit et de l'Irak par les forces alliées, qui s'étonnent, rapporte-t-on, du peu de résistance manifestée par le peuple et les soldats iraquiens. Si je me laisse aller à la rêverie devant ce paysage de splendeur, je peux même imaginer que quelque part dans le cosmos étalé devant moi circule ce qui reste d'Hubert Aquin – lui dont les derniers mots publiés ont été : « Dieu seul est devant et autour... c'est pourquoi j'y reste... en attendant la fin d'une fuite sans fin » (1977 : 272).

Univers de paix, donc, troublé par de lointaines rumeurs de la guerre la plus anonyme et la plus technocratique à laquelle l'humanité s'est livrée jusqu'ici. Et je pense au beau roman de Nicole Brossard, *Le désert mauve* (1987), sur lequel plane l'ombre de l'homme long/oblong, celui qui est habité par l'amour des équations et qui a fait sienne la phrase de Robert Oppenheimer, l'inventeur de la bombe atomique : « I/am/become/Death. » Technologie pure, abstraction enroulée sur elle-même, l'homme long s'infiltre dans l'univers qui s'ouvre devant l'adolescente Mélanie, tuant par le seul pouvoir de son regard froid et distancié le personnage féminin qui, dans le roman, porte et symbolise cette possibilité et cette ouverture : « La pupille grand œuvre du désir se fane, écrit Brossard. Le ravage est grand... Mélanie, fille de la nuit, que s'est-il donc passé ? » (1987 : 220). Relisant ces mots, je pense encore une fois à Saint-Denys Garneau et à la question irrésolue vers laquelle s'achemine toute son œuvre : « Quand est-ce que nous avons mangé notre joie ? » (1949 : 187). Lamentations, questionnement, appels à la lucidité de la part d'un écrivain et d'une écrivaine dont les œuvres, comme tant d'autres dans le corpus québécois, posent avec urgence les questions éthiques qui traversent notre existence sociale.

À mon avis, c'est une telle exigence éthique, alliée à un refus de séparer la vie, l'écriture et la théorie, qui confère une certaine unité aux multiples variantes de la critique féministe. Aux États-Unis, au Canada et en Angleterre, cette critique – maintenant vieille de vingt-cinq ans – a franchi plusieurs étapes, allant de la critique thématique (les images de la femme dans la littérature) à la découverte et à la revalorisation d'écrivaines négligées (Kate Chopin), ensuite à un examen du caractère sexué et paternaliste de l'institution littéraire, à des analyses textuelles parfois remarquables des écrits de femmes et, plus récemment, à l'exploration des rapports entre les influences de race, de classe ou d'origine nationale, d'un côté, et celles de la différence sexuelle, de l'autre. Aux États-Unis surtout, cette évolution a été marquée par une tension fructueuse entre l'acceptation ou la crédibilité universitaire et l'engagement politique qui était à l'origine du mouvement féministe. Au Québec, la croissance de la critique féministe me semble avoir été plus tardive, car l'influence de la théorie féministe française s'est fait sentir d'abord dans des textes de fiction, donnant lieu à un genre nouveau : la « théorie/fiction » féministe. Par ailleurs, la relative rareté d'analyses critiques féministes de la littérature québécoise avant la fin des années quatre-vingt s'explique par une raison institutionnelle très simple : ce n'est que dans les sept dernières années que les départements d'études littéraires ont commencé à engager des spécialistes en théorie et en critique féministes. Il y a eu bien sûr des pionnières : la grande et généreuse Suzanne Lamy ainsi que la très structuraliste Janine Baynard-Frot, dont l'ouvrage *Un matriarcat en procès. Analyse systématique de romans canadiens-français, 1860-1960* (1982) contient une mine de renseignements sur le roman du terroir, vu comme un reflet non médiatisé de l'idéologie paternaliste de l'époque. Depuis quatre ou cinq ans, la qualité et la présence de la critique féministe au Québec ne font plus de doute. Je donne quelques exemples au hasard : l'article de Nicole Bourbonnais sur la représentation du corps féminin dans l'œuvre de Gabrielle Roy, paru dans *Voix et images* en 1988 ; la chronique de Lori Saint-Martin dans *Spirale* et quelques-uns des articles de celle-ci ; les thèses produites à l'Université de Sherbrooke sur les écrivaines des années vingt et trente ; les dossiers de la revue *Voix et images* consacrés à France Théoret, à Jovette Marchessault et à Louky Bersianik ; le projet de recherche sous la direction de Chantal Théry à l'Université Laval sur les femmes de la Nouvelle-France ; mon propre ouvrage, *Écrire dans la maison du père* (1988) ; *Stratégies du vertige* (1989) de Louise Dupré ; *Writing in the Feminine* (1990) de Karen Gould.

Je reviens d'une promenade au bord du lac, suffisamment renouvelée pour me remettre devant l'ordinateur. Sur le chemin du retour, mon ombre bleue sur la neige me parlait de lenteur : « Rien ne presse... Tu arriveras à temps... » Dans les romans d'Aquin, les personnages ne marchent jamais (et surtout pas dans la nature). Au contraire, ils courent, se précipitent, de préférence en autos de course qui leur donnent l'illusion de la puissance. Puissance sur quoi ? Sur qui ? Et pourquoi cette nécessité de vitesse ? Cette proie qui semble toujours leur échapper, et ces rivaux œdipiens qui semblent toujours surgir dès qu'ils s'approchent du but de leur course, serait-ce au fond – avant toute configuration psychanalytique que l'on pourrait leur prêter – des images de l'ombre de l'auteur, qui en a assez de courir ? « J'allais presque recréer le monde », écrivait-il déjà à l'âge de 20 ans, « mais je me suis arrêté, car la concurrence de Dieu le Père me contrariait. C'est entendu qu'il sera toujours le plus fort, et je suis mauvais perdant » (Aquin, 1977 : 31). Et je ne peux m'empêcher de penser à la biographie récemment parue d'un autre Canadien français célèbre, contemporain et rival d'Hubert

Aquin, Pierre Elliott Trudeau (Clarkson et McCall, 1990). Selon ses biographes Stephen Clarkson et Christina McCall, Trudeau aussi aura été poussé par une rivalité jamais résolue : dans son cas à lui, avec son propre père, un Québécois « pure laine » qui insistait pour que son fils chétif excelle dans tous les sports et triomphe dans les batailles de rue, père qui deviendra le symbole du Québec et de ce *lousy French* que Trudeau aura passé sa vie à essayer de dompter. Je sens que je suis près de tomber dans le psychologisme facile ; et pourtant ces deux exemples si semblables malgré leurs différences me semblent illustrer la façon dont les idéologies et le moment historique peuvent agir de concert avec les schémas familiaux et les comportements obligatoires associés à la différence sexuelle (rivalité et besoin de conquête pour les fils ; passivité et besoin de plaire pour les filles). Un des défis de la critique féministe est de naviguer à travers ces relations mouvantes de l'individuel et du collectif, de l'idéologique et du psychologique, cherchant un langage qui puisse mettre au jour la présence de la différence sexuelle, sans tomber dans un « biologisme » ou un « essentialisme » qui prétendrait que toutes les femmes, ou tous les hommes (et leurs écrits), sont semblables.

Pourquoi ai-je toujours détesté Christine Forestier ? Ma grille d'analyse féministe me donne-t-elle des outils pour répondre à cette question mieux qu'à l'époque où je lisais *L'antiphonaire* pour la première fois ? M'ouvre-t-elle de nouvelles dimensions du roman et de l'œuvre d'Aquin ? Pour l'instant, je ne vois qu'un amas de contradictions, qui pourraient se résumer ainsi : *L'antiphonaire* peut se lire à la fois comme un roman féministe et comme un des romans les plus misogynes de son époque. Regardons-y de plus près. Christine Forestier, la narratrice et protagoniste du roman, se définit elle-même à plusieurs reprises comme « féministe ». Bien qu'elle « adore les mots sans équivalent féminin », elle est amèrement convaincue de « la secondarité substantielle et éternelle de la femme depuis le XVIeme siècle jusqu'à nos jours » (p. 57)[1] et elle va même jusqu'à tout mettre sur le dos des hommes à mesure que sa propre vie se détériore : « Dans un monde masculin, les femmes libres sont vite traitées de putain ; elles n'ont pas droit au bénéfice du doute, ni même à une sentence suspendue ! Rien à faire, l'homme ne juge pas [...] il condamne... C'est tellement plus facile, tellement plus commode, tellement plus sécurisant ! Le mal, la souillure sont immanquablement portés au compte des femmes... » (p. 162-163). Dans ses choix existentiels, Christine partage certains des

1. Les pages indiquées entre parenthèses renvoient à Aquin (1969).

partis pris féministes de l'époque de la composition du roman. C'est la femme qui veut tout – épanouissement intellectuel, professionnel et physique –, une femme qui est déjà médecin (bien qu'elle ne pratique plus) et qui rédige une thèse qui la passionne sur la science médicale du XVIe siècle. Mais serait-ce que la femme doit être punie d'une ambition si démesurée ? Très vite, le lecteur apprend que si Christine a quitté la pratique de la médecine, c'est à la suite d'un épisode de chantage lié à un avortement qu'elle a subi, et qu'elle est battue par son mari Jean-William au cours des crises d'épilepsie de celui-ci. Et tout à coup, je me souviens que mon malaise devant le roman à l'époque de ma première lecture contenait un élément de peur : je ne voulais pas me reconnaître dans le miroir de ce personnage qui n'arrivait plus à jouer le jeu exigeant auquel s'astreignaient les femmes de l'époque – jouer tous les rôles avec perfection, être aussi compétentes et même plus compétentes que les hommes, réussir dans les professions, les études, les relations personnelles, ne pas succomber à la passivité et au besoin d'être protégée que l'on nous avait inculqués depuis l'enfance. Bien des femmes de cette première génération féministe ont été brisées par ces demandes contradictoires, par cette nouvelle identité de femmes autonomes qu'elles s'étaient créée de toutes pièces, avec peu de modèles, et peu d'appui dans le monde environnant... Si Christine tombe dans le vide, c'est parce qu'elle ne sait pas qui elle est en dehors de ses dépendances et qu'elle se mesure encore à un modèle de beauté et de plénitude féminines inventé par les hommes, comme dans ces textes médiévaux sur la femme qu'elle lit avec un sentiment de plus en plus désespéré de sa propre indignité : « Moi, je ne suis ni belle dans la chair, ni belle en secret, ni belle dans le corps, ni belle par la chasteté : toutes les connotations cisterciennes de la beauté de la femme me sont refusées... » (p. 148). Dans ma lutte avec le texte, c'est donc l'auteur qui a gagné le premier tour : car, dans la passivité, la dépression et le désarroi progressif de Christine, je reconnais une certaine vérité qu'il tend devant le lecteur et la lectrice comme une image d'époque.

Et pourtant, je ne me reconnais pas dans Christine. Plus j'explore le personnage, plus je me rends à l'évidence que *L'antiphonaire* est un exemple dramatique de cette volonté de dégradation de la femme dont Christine elle-même accuse tous les hommes : ce n'est pas seulement la société qui punit Christine, c'est son créateur. Dans *L'antiphonaire,* il pousse la distanciation du lecteur beaucoup plus loin que dans ses autres romans, rendant sa narratrice si haïssable qu'elle-même finit par conseiller au lecteur de décrocher : « Si cela devient irritant (à la lecture), aussi bien me laisser tomber, car – vous devez me croire – je n'ai pas fini de vous décevoir [...] Oui, je reconnais que ce livre (le mien) peut provoquer une certaine irritation, agacer par son trop-plein de références historiques invérifiables. Je sais, d'ailleurs, que ma prose détraquée ne contient aucun ingrédient de plaisir pour le lecteur » (p. 207). La dégradation de la femme est rendue d'autant plus insidieuse par le fait que dans ce roman c'est elle-même qui nous révèle sa propre corruption, sa traîtrise et sa culpabilité. Christine couche à droite et à gauche, trompant son mari avec son amant et son amant avec le médecin qui le soigne quand il gît blessé à l'hôpital. Elle se conforme exactement au stéréotype de la « femme qui a provoqué le viol », encore invoqué par certains juges dans les procès pour viol ou inceste et bien résumé par le slogan scandaleux affiché dans les résidences masculines d'une certaine université canadienne en 1990 : « No means yes. » « Je ferais des bassesses pour qu'il vienne encore en moi, écrit-elle, pour qu'il me déshabille sans crainte de déchirer mes vêtements, sans égard [...] me pren[ant] [...] une dernière fois avant de me tuer » (p. 241). Toute la violence sexuelle étalée au cours du roman se trouve justifiée par l'assurance que nous donne Christine elle-même qu'elle « ne mérit[e] rien de mieux » (p. 241). « Plus ça va, plus je me dis que Jean-William m'a frappée avec violence parce qu'il me méprisait sans mesure soudain... À ses yeux, j'étais déjà une putain, une chienne, un être indigne de respect. Depuis – paradoxalement – je semble me conformer à cette image de moi : mon comportement me fait horreur. Et j'ai honte... » (p. 237). Le fait que les femmes ne se reconnaissent pas dans cette image de leur sexe a peu d'importance quand l'institution littéraire entérine et recycle de telles images négatives. Par exemple, dans un compte rendu du roman paru dans *La Presse,* Réginald Martel insiste sur la vraisemblance de cette image de la femme : « Je ne serais pas étonné que beaucoup de lecteurs refusent de croire à la réalité de ce personnage ; je ne peux que dire que Christine est un personnage possible, que je la connais sous un autre nom dans la vie réelle et que peu importe que cette autre Christine ne soit pas [...] le modèle dont Aquin a pu se servir » (1969 : 24).

Et l'auteur dans tout cela ? Lisant une entrevue qu'il a donnée en 1974, je découvre un écho de ma propre ambivalence et confusion à propos de Christine Forestier : « On m'avait demandé à propos de *L'antiphonaire* (étant donné que Christine était battue) si cela ne manifestait pas le fait que j'étais misogyne », dit-il. « Et alors, justement, je n'ai pas eu à répondre beaucoup parce qu'il y a quelqu'un qui a répondu qu'au contraire cela prouvait que je n'étais pas misogyne : parce que me mettant dans la peau de la femme je me faisais battre, humilier, etc., donc c'est dire que j'épouse, assez intensément dans le cas de *L'antiphonaire,* la position de la femme » (Boucher, 1976 : 140). On imagine le soupir de soulagement qui a dû suivre cette phrase. Ailleurs dans la même entrevue, on le sent extrêmement troublé par la violence sexuelle qui traverse son œuvre : « Les relations amoureuses de *Trou de mémoire* me sont apparues assez terribles [...] ces relations avec les deux sœurs et puis le premier meurtre... mais l'autre obsession m'a vraiment pris et elle est encore présente dans le livre : l'obsession du viol et de l'Autre est vraiment terrible... Les relations de crainte entre les gens (on ne retrouve pas cela dans *Prochain épisode*). On a aussi des relations de violence dans *L'antiphonaire*... Il reste que le viol est une chose horrible et c'est, malgré tout, trop présent dans mes histoires » (Boucher, 1976 : 136).

Comment la critique féministe doit-elle réagir devant toutes ces contradictions ? Dans un premier temps, elle peut et doit nommer cette violence, qui représente la règle et non pas l'exception dans les romans masculins publiés au Québec à l'époque de *L'antiphonaire*. Non pas pour dénoncer la « misogynie » des auteurs, mais pour explorer l'asymétrie et l'interdépendance des imaginaires masculin et féminin, tous deux amputés de leurs pleines possibilités par une culture dualiste qui semble encore effrayée par le corps féminin. Lisant France Théoret, je trouve ceci :

> Le délire créateur est toujours déjà un langage scindé. L'écriture du délire exige qu'on croie en sa propre raison. La raison ordonne le délire, sans quoi il n'y a pas d'écriture possible. Lorsque je lis certaines pages de Gilbert Larocque et de Victor-Lévy Beaulieu, précisément celles qui délirent à propos des femmes, je ne peux m'empêcher de penser que ces contemporains sont des hommes de ma génération. Ils projettent leur morbidité sur le corps des femmes. L'inverse me semble impossible. Je n'en connais pas d'exemple. Une femme n'écrit pas à partir du corps masculin pour y projeter son délire, elle écrit son propre délire. Si j'écrivais un délire parallèle à celui de Gilbert Larocque ou de Victor-Lévy Beaulieu, j'écrirais à partir des discours morbides sur les femmes. Cette position d'écriture est intenable. L'homme est à ce point convaincu d'incarner la raison qu'il projette sur l'autre un délire lui appartenant, un délire auquel il fait face par la médiation... Les femmes, objets de déréliction, affirment la raison de l'autre [...] Longtemps j'ai désiré répondre au délire masculin. La masculinité fondatrice de la loi raye la voie délirante. Cette masculinité toute culturelle n'est pas source de langage, elle est source de raisonnement, donc elle n'est pas source d'écriture (1987 : 36-39).

Reconnaissant cette asymétrie entre les deux imaginaires, on comprend non seulement pourquoi les femmes écrivent si souvent à propos d'autres femmes, mais aussi pourquoi l'écriture féminine (et ici je pense par exemple aux textes de Nicole Brossard, de Louky Bersianik, de France Théoret elle-même) a tendance à se maintenir en deçà du délire, du côté de la sage raison... Revenant à l'œuvre d'Aquin, je note que c'est seulement lorsqu'il emprunte l'identité de Christine Forestier, une femme, qu'il s'expose véritablement devant le lecteur dans toute sa « nudité », lui qui, par l'entremise de ses personnages masculins, se révèle le maître des masques et des mascarades. C'est seulement à travers ses personnages féminins qu'il parvient à habiter le corps troublant, corrompu et méprisé de la culture ; tandis que ses personnages masculins habitent dans la tête, sont blessés dans la tête – que ce soit l'épilepsie de Jean-William Forestier, les blessures au cerveau de Robert Bernatchez ou le geste suicidaire éclatant et hautement symbolique de l'auteur lui-même...

Maintenant que les premières éditions critiques de l'œuvre d'Aquin vont paraître, faisant de lui l'auteur le plus « institutionnalisé » de la littérature québécoise, le moment est peut-être venu de tenter un regard plus distancié sur cette œuvre. Au-delà de la brillance de ses feintes et de ses masques – ou en deçà –, nous parle-t-elle encore ? Et que nous dit-elle ? Il y a trente ans, quand la critique littéraire au Québec en était encore à ses presque débuts, on disait de la littérature québécoise qu'elle était au stade « adolescent » de son développement. Dans un certain sens, l'œuvre d'Aquin me semble un produit de ce stade « adolescent », qui se trouve reflété dans l'impuissance, la rage et l'ambition démesurée de ses personnages et de ses thèmes. Et pourtant, elle me semble inégalée dans la lucidité avec laquelle elle constate l'impasse d'une culture qui déborde de loin les frontières du Québec – la culture patriarcale – et ses processus d'individuation et de représentation, basés sur la rivalité, la maîtrise et la réduction de l'autre à un état d'objet. Prisonnier d'une culture que toute son œuvre aura essayé de faire avancer d'un pas, Aquin aura montré mieux qu'aucun autre auteur moderne les ravages de cette violence destructrice, allant même jusqu'à désigner le cadavre féminin de son roman *Trou de mémoire* comme « le foyer invérifiable d'un récit qui ne fait que se désintégrer autour de sa dépouille » (1968 : 143). Mais en ce qui concerne ses fantasmes – son expérience de l'écriture –, il n'a pu s'empêcher de reproduire cette violence culturelle, au point d'en être dévoré lui-même. Dans un des derniers textes que nous possédions de lui, il a écrit : « Pourquoi ne pas se relâcher et devenir les autres tout simplement ? Ce serait tellement plus simple, plus facile, et, sait-on jamais ?, plus exaltant. On ne dénoncera jamais assez le prix exorbitant de l'individuation » (1977 : 269). Dénoncer ce prix imposé aux femmes et aux hommes par la culture et projeté de mille façons dans leurs textes écrits me semble une définition précise de la tâche de la critique féministe.

BIBLIOGRAPHIE

AQUIN, Hubert (1965), *Prochain épisode,* Montréal, Le Cercle du livre de France.

AQUIN, Hubert (1968), *Trou de mémoire,* Montréal, Le Cercle du livre de France.

AQUIN, Hubert (1969), *L'antiphonaire,* Montréal, Le Cercle du livre de France.

AQUIN, Hubert (1971), *Point de fuite,* Montréal, Le Cercle du livre de France.

AQUIN, Hubert (1974), *Neige noire,* Montréal, La Presse.

AQUIN, Hubert (1977), *Blocs erratiques. Textes (1948-1977),* rassemblés et présentés par René Lapierre, Montréal, Quinze. (Coll. Prose entière.)

AQUIN, Hubert (1981), « Obombre (roman) », *Liberté,* n° 135 (mai), p. 16-21.

AQUIN, Hubert (1991), *L'invention de la mort,* préface de Bernard Beugnot, Montréal, Leméac.

BAYNARD-FROT, Janine (1982), *Un matriarcat en procès. Analyse systématique de romans canadiens-français, 1860-1960,* Montréal, Les Presses de l'Université de Montréal. (Coll. Lignes québécoises.)

BERSIANIK, Louky (1990), *La main tranchante du symbole,* Montréal, Éditions du Remue-ménage.

BONENFANT, Joseph (1975), « Hubert Aquin, *Neige noire* », *Livres et auteurs québécois 1974,* p. 22.

BOUCHER, Yvon (1976), « Aquin par Aquin. Entrevue », *Le Québec littéraire,* n° 2, p. 129-149.

BOURBONNAIS, Nicole (1988), « Gabrielle Roy : la représentation du corps féminin », *Voix et images,* n° 40 (automne), p. 72-89.

BROSSARD, Nicole (1987), *Le désert mauve,* Montréal, Éditions de l'Hexagone.

CLARKSON, Stephen et Christina MCCALL (1990), *Trudeau and Our Times,* t. I : *The Magnificent Obsession,* Toronto, McClelland and Stewart.

DUPRÉ, Louise (1989), *Stratégies du vertige. Trois poètes : Nicole Brossard, Madeleine Gagnon, France Théoret,* Montréal, Éditions du Remue-ménage.

GARNEAU, Hector de Saint-Denys (1949), *Poésies complètes,* Montréal, Fides.

GODARD, Barbara [édit.] (1987), *Gynocritics/La gynocritique : approches féministes à l'écriture des Canadiennes et Québécoises,* Toronto, ECW Press.

GOULD, Karen (1990), *Writing in the Feminine : Feminism and Experimental Writing in Quebec,* Carbondale, Southern Illinois University Press.

IQBAL [MACCABÉE IQBAL], Françoise (1978), *Hubert Aquin, romancier,* Québec, Les Presses de l'Université Laval. (Coll. Vie des lettres québécoises, n° 16. Publication du Centre de recherche en littérature québécoise.)

IQBAL, Françoise (1987), *Desafinado. Otobiographie de Hubert Aquin,* Montréal, VLB éditeur.

LA FONTAINE, Gilles (1978), *Hubert Aquin et le Québec,* Montréal, Parti-Pris.

LAMY, Suzanne (1979), *D'elles,* Montréal, Éditions de l'Hexagone.

LAMY, Suzanne (1984), *Quand je lis je m'invente,* Montréal, Éditions de l'Hexagone.

LAMY, Suzanne et Irène PAGÈS [édit.] (1984), *Féminité, subversion, écriture,* Montréal, Éditions du Remue-ménage.

LAPIERRE, René (1980), *Les masques du récit,* Montréal, Hurtubise HMH. (Cahiers du Québec, coll. Littérature.)

LAPIERRE, René (1981), *Hubert Aquin : l'imaginaire captif,* Montréal, Quinze. (Coll. Prose exacte.)

MARTEL, Réginald (1969), « Un roman qui vous habite », *La Presse,* 13 décembre, p. 24.

MOCQUAIS, Pierre-Yves (1985), *Hubert Aquin ou la quête interrompue,* Montréal, Pierre Tisseyre.

NEUMAN, Shirley et Smaro KAMBOURELI [édit.] (1986), *A Mazing Space : Writing Canadian Women Writing,* Edmonton, Longspoon et NeWest Press.

Le Québec littéraire (1976), n° 2.

SMART, Patricia (1973), *Hubert Aquin agent double,* Montréal, Les Presses de l'Université de Montréal. (Coll. Lignes québécoises.)

SMART, Patricia (1988), *Écrire dans la maison du père : l'émergence du féminin dans la tradition littéraire du Québec,* Montréal, Québec/Amérique.

THÉORET, France (1987), *Entre raison et déraison,* Montréal, Les Herbes rouges.

YANACOPOULO, Andrée et Gordon SHEPPARD (1985), *Signé Hubert Aquin. Enquête sur le suicide d'un écrivain,* Montréal, Boréal Express.

ZAVALLONI, Marisa [édit.] (1987), *L'émergence d'une culture au féminin,* Montréal, Saint-Martin.

L'inscription d'un héritage littéraire québécois dans le roman des années quatre-vingt

Lucie ROBERT
CRELIQ, Université du Québec à Montréal

Critique de la raison historique

L'histoire littéraire a toujours mauvaise réputation. Le renouvellement de ses problématiques, entrepris depuis bientôt vingt ans, n'a pas suffi à assurer sa réhabilitation. Aussi, bien que l'on parle de plus en plus d'une « nouvelle » histoire littéraire, de la même manière que l'on parlait – il y a quelque cinquante ans – d'une « nouvelle » histoire, elle demeure essentiellement un territoire d'expérimentation. Les ouvrages de synthèse qui devaient en résulter, les histoires littéraires proprement dites, commencent seulement à paraître. On peut citer, en ce qui concerne la littérature québécoise, *La vie littéraire au Québec,* dont le premier tome, *La voix française des nouveaux sujets britanniques,* couvrant les années 1764-1805, a paru en 1991, sous la direction de Maurice Lemire.

Si la relecture des œuvres, à la lumière des techniques et méthodes qui permettent les éditions critiques ou qui relèvent de la textologie, va bon train – je pense en particulier aux travaux du *Corpus d'éditions critiques* –, l'histoire littéraire hésite encore à intégrer dans ses lectures les acquis de la réflexion théorique et les nouvelles méthodes d'analyse, comme si la confrontation de la tradition et de la modernité critique allait nécessairement révéler les fondations trop fragiles de la première. L'érudition elle-même, en ce qu'elle représente un autre pilier des recherches historiques, est parfois conçue comme un pointillisme plutôt gênant, comme une accumulation de détails, une forêt dans laquelle l'arbre serait perdu. « Le savoir diachronique est une culture », rappelle Georges Mounin (1984 : f2) dans le numéro spécial que la revue *Degrés* a consacré à ce sujet.

Il faut dire que la critique de l'histoire littéraire, telle qu'elle a été entreprise il y a une vingtaine d'années, a été sévère. Révélant des enjeux politiques importants encore plus que des enjeux littéraires, cette critique a mis au jour le caractère élitiste, bourgeois, sexiste, chauvin et conservateur des manuels d'histoire littéraire, des programmes d'enseignement fondés sur l'étude des « grands auteurs » ou du « génie national » et des conceptions de la recherche qui privilégient « l'homme et l'œuvre » aux dépens du texte et des conditions de sa production. La critique a porté principalement sur trois points : le canon et les processus de canonisation, l'histoire littéraire en tant que totalité, la préséance accordée à l'auteur sur le texte.

Dans sa forme la plus courante, celle du manuel d'enseignement secondaire, l'histoire littéraire apparaît en effet comme une « galerie de portraits » (Kuentz, 1972 : 3) ou un « album de famille » (Beck, 1986 : 125), accompagnés de courtes critiques de l'œuvre. « Toute histoire littéraire nous renvoie ainsi à une séquence de critiques closes : aucune différence entre l'histoire et la critique », observait Roland Barthes (1979 : 138), mettant au jour une conception qui fait de la littérature « un ensemble d'œuvres accumulées au cours des siècles, qu'il s'agirait de classer et de catégoriser selon divers points de vue » ou encore « un corpus d'œuvres, reconnues comme objets de valeur, œuvres de génie, œuvres immortelles, « grandes œuvres », « œuvres au programme » et ainsi de suite » (Moisan, 1990 : 22). Étroitement liée à l'enseignement, qu'elle permet d'organiser selon un ordre chronologique, l'histoire littéraire ne semblait être en réalité que la « rationalisation de ce que diverses instances, didactique, politique, institutionnelle, ont déjà déterminé comme devant faire partie de l'histoire de la littérature » (Moisan, 1990 : 22). On a pu ainsi constater sans grande surprise que le corpus canonique de la littérature française n'était en somme que « les grands auteurs du programme », pour utiliser ici l'expression qui sert de titre à la collection de Lagarde et Michard, programme d'enseignement de la langue d'abord, d'une tradition d'écriture ensuite, programme élaboré par les instances gouvernementales, en fonction d'objectifs pédagogiques parfois fort éloignés des questionnements esthétiques.

Ces critiques sont nées de la rupture du consensus social concernant l'école, rupture à l'origine des grands bouleversements qui ont traversé l'appareil scolaire dans les années soixante et soixante-dix, sous l'effet aussi bien des élèves que des enseignants, et qui n'a jamais été véritablement réparée depuis. La gauche française, les nationalistes québécois, les féministes américaines ont été parmi les groupes de pression les plus virulents dans la remise en question du corpus canonique de leur littérature nationale respective, exigeant le déplacement des normes linguistique et littéraire en fonction de leurs intérêts propres de même qu'une représentation équitable dans les programmes d'enseignement.

Le deuxième point fondamental soulevé par les critiques de l'histoire littéraire va encore plus loin et concerne l'histoire littéraire en tant que totalité, c'est-à-dire en tant que pratique discursive qui prétend rendre compte de l'ensemble du savoir sur un objet donné. La critique de l'histoire littéraire atteint ici le cœur de sa légitimité en tant que discipline alors que, sous l'effet des philosophies déconstructionnistes, sont mis en question les fondements mêmes du regard historique. Trois éléments posent ici problème, en premier lieu le caractère national de toute entreprise historique, puis le passé comme objet privilégié et le récit comme mode d'explication.

Gustave Lanson écrivait : « La littérature française est un aspect de la vie nationale : elle a enregistré, dans son long et riche développement, tout le mouvement d'idées et de sentiments qui se prolongeait dans les faits politiques et sociaux ou se déposait dans les institutions » (Moisan, 1990 : 3). Il n'y a en effet de littérature que nationale. Toutes les conceptions courantes d'une littérature qui se prétend universelle ne font que la superposition de ces histoires nationales autonomes. La langue puis le territoire constituent les éléments premiers de toute caractérisation du corpus littéraire et ils servent de fondements à l'organisation de la plupart des programmes d'enseignement universitaire à tous les cycles. Les programmes d'enseignement de l'Université du Québec à Montréal, programmes d'études littéraires qui acceptent – dans certaines limites toutefois – le travail sur le texte littéraire en traduction, constituent une exception notoire. À un point tel que l'on a perdu bien souvent la capacité de concevoir autrement le corpus des textes de la littérature. Les fortes résistances institutionnelles qu'ont rencontrées les sémioticiens et les féministes, dans l'enseignement et dans la recherche, sont largement dues à leur volonté de traverser les frontières traditionnelles pour constituer – avec des objectifs différents, on le comprend bien ! – des ensembles textuels fondés sur des valeurs formelles ou politiques.

Si l'on n'imagine pas le texte littéraire hors de son contexte national, on n'arrive pas vraiment mieux à envisager des travaux d'histoire littéraire qui porteraient sur le texte contemporain. Dans le sens commun, l'histoire est un regard porté derrière soi, un regard sur le passé. Aussi considère-t-on le plus souvent que les tâches premières du travail historique sont la conservation des documents et l'interprétation du passé. Répertoires, bibliographies, anthologies apparaissent alors comme des instruments importants dans cette opération de conservation avantageusement complétée par la constitution et la gestion d'archives de toute nature, dans le but de mettre au jour non seulement le texte, mais le processus créateur qui est à son origine. Aussi, la première figure de l'historien est celle du chiffonnier qu'a posée Walter Benjamin, chiffonnier qui ramasse tout, accumule les petits et les grands événements, sans distinction de valeur. L'histoire littéraire a trop souvent la réputation de n'être que la rationalisation d'une telle accumulation : l'interprétation historique, c'est-à-dire la mise en contexte, deviendrait nécessaire quand la valeur esthétique du texte ne suffit pas à en justifier la relecture. Le bon, le grand et le beau texte n'aurait pas d'histoire.

La fonction première de toute interprétation est d'établir une relation entre les faits et les événements. Elle analyse et explique les particularismes d'un temps et d'un lieu donnés, retrouve les circonstances. L'histoire est, en quelque sorte, la science de la conjoncture. Loin des lois générales, elle cherche le changement et l'unique. En conséquence, et inévitablement semble-t-il, l'histoire raconte. Clément Moisan précise : « [L'histoire littéraire] recherche les sources, établit la genèse des œuvres et des événements dont elle fait voir les variations et l'aboutissement dans le temps présent. Son objectif premier est de lier les faits afin d'en montrer l'évolution, c'est-à-dire la permanence et les changements » (1990 : 3). Depuis ses origines, l'histoire est ainsi un récit-discours, au point de devenir un « genre littéraire » de premier plan. Dans cette histoire littéraire, « l'homme, l'auteur, tient la place de l'événement dans l'histoire historisante », note encore Roland Barthes (1979 : 143). Évidemment, ce récit possède les mêmes caractéristiques que les autres : l'individualisation d'une situation par la création de personnages anthropomorphes, le logocentrisme de l'explication par l'élimination de faits et d'événements qui feraient digresser du récit principal, la prédominance de la chronologie sur la logique dans la gestion de la preuve et, en conséquence, la valorisation de l'objet du seul fait de l'opération. Ce qui constitue une qualité pour un roman devient, on le conçoit, un des problèmes majeurs d'une recherche qui doit constamment se méfier de la tentation empirique, c'est-à-dire de l'accumulation de faits et du récit de leur enchaînement chronologique hors de toute velléité théorique.

Peut-on véritablement parler de « méthode » à propos d'histoire ? On désigne parfois sous ce nom un certain nombre d'opérations liées à la recherche, la conservation, la présentation et l'exploitation des témoignages. Ces rubriques font référence aussi bien à la numismatique, la sigillographie, la papyrologie, la paléographie, la cryptographie, la diplomatique, l'onomastique et l'héraldique qu'à l'archéologie, la philologie et la critique des sources, auxquelles on ajoute l'archivistique et la bibliologie comme sciences auxiliaires. L'histoire littéraire utilise évidemment ces instruments de travail qui permettent d'identifier et d'authentifier les matériaux. On ne peut toutefois considérer cet ensemble comme une « méthode » si l'on désigne sous ce nom la formulation d'une problématique cohérente et l'élaboration des procédés d'analyse subséquents.

Par ailleurs, l'histoire littéraire traditionnelle avait désigné sous le nom de « méthode » un certain nombre d'opérations. La biographie, la critique d'érudition, l'étude de la fortune d'un auteur ont ainsi longtemps été conçues comme les fondements de l'histoire littéraire, fondements méthodologiques, même si aujourd'hui cette idée laisse parfois perplexe. En effet, dans une approche historique classique, l'interprétation repose sur des faits. Pour l'histoire littéraire classique, le texte et son auteur ne peuvent pas en soi être considérés comme des faits. Ils doivent d'abord être historicisés. C'est à cette fonction que servent les études monographiques. La biographie permet de sélectionner les moments pertinents dans la vie de l'auteur. On y cherche un héritage familial, une formation scolaire, un itinéraire professionnel, un réseau d'acteurs qui permettent de relever les circonstances, les sources, les influences. L'érudition repose sur un « postulat qui commande toute représentation traditionnelle de la littérature : l'œuvre est une imitation, elle a des modèles, et le rapport entre l'œuvre et les modèles ne peut être qu'analogique » (Barthes, 1979 : 153). L'érudition met en place tout un réseau d'opérations visant, d'une part, à mettre en évidence précisément dans le texte la présence de ces modèles, et, d'autre part, à établir une relation entre le texte et son auteur. L'étude de la fortune de l'auteur est un instrument qui permet de mesurer dans le temps l'importance relative de certains faits et personnages. Au centre de cette conception se trouve l'auteur, ce qui correspond assez bien à la conception générale de l'histoire la plus répandue au XIXe siècle, c'est-à-dire que si les grands hommes font l'histoire, on doit comprendre que les grands auteurs font la littérature.

Il n'est toutefois pas entièrement inutile de rappeler avec Georges Mounin que « l'histoire littéraire est née en réaction contre la rhétorique classique » et qu'elle « a été d'abord *un progrès* dans la réflexion sur l'œuvre littéraire, sa nature, ses composantes et son fonctionnement » (1984 : f1). Ce n'est donc pas la nature même de l'histoire littéraire qui fait problème, mais la rigidité dans laquelle elle s'est engoncée depuis cent ans et son incapacité à tenir compte des développements de la critique littéraire. « [À] l'idée – fausse – que l'histoire littéraire aurait eu la prétention d'expliquer *toujours tout* de l'œuvre, [on a opposé] l'idée que l'histoire littéraire n'expliquerait *jamais rien* de cette œuvre », rappelle encore Mounin (1984 : f4). Aussi, le renouvellement de l'histoire littéraire a d'abord eu pour conséquence de relativiser sa capacité d'expliquer le texte en dissociant le discours historique et le discours critique. Il a également entraîné une réflexion sur la pratique de l'histoire et sur les relations qu'entretient l'histoire littéraire avec la discipline mère. Un premier travail a ainsi fait du texte le point nodal de toute l'entreprise. Le déplacement de l'objet d'étude, seul, n'occasionne cependant pas nécessairement un changement profond dans la perspective historique. L'individu-texte remplace l'individu-auteur dans une vision qui demeure totalisante. Les critiques les plus difficiles n'y ont d'ailleurs vu qu'un changement dans les termes : « intertextualité » remplaçant « sources » et « influences », « texte » et « objet stylistique » remplaçant « œuvre ».

Pour élaborer une histoire littéraire nouvelle, il faut en effet une conception de l'histoire et une conception de la littérature, ce qui a manqué cruellement tant aux praticiens qu'aux critiques de cette discipline. Ces conceptions nouvelles de l'histoire littéraire cherchent à prendre en considération les changements apportés dans le sillage de l'École des *Annales*. Selon certaines, les mentalités auraient remplacé la totalité dans la conception de l'histoire. Aussi, une conception qui fait de l'histoire littéraire une partie de l'histoire des mentalités ou de l'histoire sociale est chose neuve. Elle entraîne une nécessaire réflexion sur la place de la littérature dans l'ensemble de la société et interdit de poser au point de départ le postulat de son autonomie institutionnelle qui, en conséquence, doit être étudiée comme le résultat d'un processus historique. L'histoire littéraire est donc partie prenante d'une histoire intellectuelle intégrée à une histoire des mentalités, comprise dans une histoire sociale qui est elle-même partie d'une histoire générale. Elle n'est plus à côté, mais à l'intérieur de l'histoire générale, comme « fragment d'une totalité disparue », selon le mot de Gumbrecht. Le projet global qui résulte de ce changement de perspective ne peut être autre chose qu'une histoire de l'institution ou une histoire du champ littéraire lui-même : « l'histoire de la littérature sera de l'histoire tout court », proposait Roland Barthes (1979 : 146).

L'histoire littéraire comme mode d'appréhension du texte singulier

Qu'en est-il alors des questions de méthode ? Aussi bien le reconnaître d'emblée, l'histoire littéraire, comme l'histoire générale, n'est pas une méthode. C'est un « continent », disait Roland Barthes, souhaitant que ces deux continents que sont le monde et le texte aient des « formes complémentaires », telles que l'on puisse les « emboîter l'une dans l'autre ». Concevoir l'histoire et le texte comme deux ensembles autonomes s'avère une proposition séduisante. Là fut, d'ailleurs, la tentation première des approches structurales du texte littéraire. La réalité est cependant plus complexe.

Si l'histoire littéraire n'est pas une méthode, en propose-t-elle une ? En réalité, la question qui se pose à ce moment-ci est préliminaire à celle-là et peut être formulée de la manière suivante : l'histoire littéraire peut-elle apporter quelque chose de nouveau à la connaissance du texte singulier ? Un rapide réexamen de la méthodologie traditionnelle n'est pas inutile. Les sciences auxiliaires, en particulier la textologie, n'ont rien perdu de leur pertinence, puisque l'établissement du texte demeure un préliminaire essentiel à toute critique. La biographie peut être repensée comme l'étude de trajectoires individuelles. Le développement des études de réception littéraire a donné une nouvelle orientation à ce que l'on appelait « la fortune de l'auteur ». Dans chacun de ces cas, les changements renvoient à une conception qui place le texte, et non plus l'auteur, au cœur de la littérature. Mais encore ? Quel est le statut du texte dans l'histoire ?

Depuis Marx, au moins, l'Histoire, avec un grand H, désigne le monde lui-même, en tant qu'il existe dans le temps. L'histoire, avec un petit h, en tant qu'elle désigne une discipline du savoir, renvoie à la tentative d'appréhender le monde dans le temps. Et quelle est l'importance du temps, sinon de représenter la contrainte au changement ? Aussi l'histoire est-elle avant tout la science de ce changement. En ce sens, elle engage une démarche qui est à l'opposé de la démarche structuraliste. Elle privilégie ce qui est singulier, mouvement et conjoncture, à tout ce qui est loi générale et structure. L'intérêt de toute démarche historique réside ainsi essentiellement dans la déconstruction du présent, de manière à en montrer la fragilité, de manière à mettre en évidence son caractère éphémère. En construisant le passé, l'histoire, du même coup, rend l'avenir concevable.

Aussi l'histoire littéraire considère-t-elle le texte comme une pratique et non comme un ensemble clos. Elle n'a pas pour objet l'étude du texte dans son fonctionnement interne, ni même l'étude du texte dans ses relations aux autres textes, quoiqu'elle utilise les résultats obtenus à partir des autres approches, linguistique, psychanalytique, sociocritique. Elle considère le texte comme une pratique, donc, au même titre que l'édition, la critique, la lecture, pour ne nommer que les plus couramment étudiées. En tant que pratique singulière, le texte n'a de sens que dans sa relation au champ, dans sa relation à l'institution. En quoi le texte est-il littéraire ? C'est-à-dire comment intègre-t-il un certain savoir linguistique, rhétorique et esthétique qu'une société donnée, à une époque donnée, a baptisé « littérature » ? Comment lui résiste-t-il aussi et comment le travaille-t-il ? La question que l'histoire littéraire pose au texte est donc double. D'un côté, le texte littéraire est vu comme une intervention dans ce que Marc Angenot appelle le « discours social ». De l'autre côté, il est vu comme intervenant de manière particulière, de manière « littéraire ». Si l'histoire de l'institution a pour objet d'« enraciner la norme dans l'histoire » (Hébert, 1983 : 431), elle a aussi pour objet d'étudier le texte comme un usage particulier, potentiellement déviant, de cette norme. Comme si la linguistique s'intéressait à la parole plutôt qu'à la langue. On peut ainsi postuler, au fondement du texte, une dialectique entre la norme et la pratique, entre la tradition et le changement, entre le savoir socialisé et l'écriture individuelle, entre la *doxa* et le paradoxe.

L'étude du texte singulier a donc pour objet le repérage de cette dialectique comme figure et comme tension régissant l'écriture même. On postule ainsi que le texte tient son propre discours sur la littérature et qu'il affiche, sous diverses formes, sa filiation et sa résistance à la tradition. Parmi les marques les plus courantes de ce discours, mentionnons l'usage de modèles et formes canoniques, la présence d'une subjectivité, la citation et autres formes d'intertextualité, la figuration, voire la thématisation, de l'institution ou du champ lui-même. Une telle lecture du texte littéraire est encore l'objet d'expérimentation. On aura avantage à considérer cette liste comme un instrument de travail. Ce qui importe, pour l'instant, c'est de démontrer la pertinence d'une conception qui fait du texte une lecture de l'Histoire.

Pierre Gobeil et les voix du *Survenant*

Prenons pour exemple un texte récent, soit *La mort de Marlon Brando* de Pierre Gobeil, dont la parution, en 1989, n'a pas soulevé de vagues. Par ce choix, j'élimine la nécessité de recourir aux méthodologies traditionnelles de l'histoire littéraire. L'établissement du texte ne pose guère de difficulté puisqu'il n'existe qu'une seule édition. La réception critique, pratiquement nulle, peut être temporairement mise de côté, tout comme la biographie de l'auteur qui ne permet guère pour l'instant de reconstituer une trajectoire personnelle vraiment intéressante. L'auteur est en effet très jeune ; la quatrième de couverture nous apprend qu'il est né à Chicoutimi, qu'il vit présentement à Montréal et qu'il en est à son deuxième roman. Une recherche un peu plus fouillée nous indiquerait une formation universitaire avancée, spécialisée en création littéraire. Son premier roman, *Tout l'été dans une cabane à bateau,* publié en 1988, a d'abord été déposé comme mémoire de maîtrise à l'Université du Québec à Montréal. Dans l'ensemble, cependant, rien de bien exceptionnel. Le choix de l'éditeur tendrait à confirmer ce fait. Triptyque, en effet, est à situer dans la périphérie du milieu éditorial. Petite maison d'édition, fondée d'abord à Sherbrooke, Triptyque demeure une maison artisanale qui publie surtout de jeunes auteurs et qui, sans être véritablement « révolutionnaire », autorise une plus grande expérimentation dans l'écriture. Une fois plus connus, les auteurs de Triptyque tendent à « s'exiler » vers les éditeurs mieux établis.

Au cas où l'on aurait quelque doute, la mention « (roman) » apparaît en sous-titre. Il est certain que la dimension référentielle du titre peut poser problème à certains lecteurs inexpérimentés. Peut-on imaginer sérieusement qu'un lecteur ou une lectrice croirait trouver ici le récit de la mort réelle du comédien Marlon Brando ? Peut-être. Le sous-titre cependant est largement indicateur d'une visée institutionnelle. S'il confirme l'aspect fictif du récit qui suit, il confirme, davantage peut-être, le statut générique du texte. En effet, le livre fait 105 pages d'un caractère d'imprimerie plutôt généreux. La tentation de confondre avec une longue nouvelle – ce qui ne serait pas inexact, je dois dire – ou avec un récit, dont le vague peut nuire à la lecture, est grande et la présence du mot « (roman) », même entre parenthèses, apporte une précision non négligeable, tout en entraînant le lectorat sur une piste connue. S'il y a peu à dire du statut générique de *La mort de Marlon Brando,* c'est que le statut littéraire du roman, à l'époque contemporaine, ne fait guère problème. Il en serait tout autrement à une autre époque ou à propos d'un autre genre.

Le titre soulève un second problème intéressant. Le nom de Marlon Brando informe la lecture en lui imposant (« surimposant », dirait le langage de la photographie) la référence au cinéma américain. Au départ même de la lecture se trouvent ainsi liées deux formes institutionnelles, la littérature et le cinéma, et deux références nationales, l'américaine et la québécoise. Cette relation se trouve accentuée par l'épigraphe, tirée du *Birdy* de William Warthon, lequel a lui-même fait l'objet d'un film à succès. Aussi le roman de Pierre Gobeil installe-t-il d'entrée de jeu sa problématique principale. Le nom de Marlon Brando aura une incidence sur la suite du roman. On trouve plusieurs références à un de ses rôles et aux modalités de son inscription dans le texte : « Dans *Apocalypse Now*, un sergent U.S. remonte le fleuve pour tuer le général joué par Marlon Brando. J'en ai fait le monstre de mon histoire » (p. 16)[1].

Le roman présente une écriture réaliste. Il est écrit dans un français langue commune, dans cette forme particulière du français qui sert de base à l'apprentissage de la langue dans les écoles primaires et qu'a longuement décrite Renée Balibar. La phrase est simple et elle repose sur une proposition indépendante, c'est-à-dire sur le syntagme formé de la relation entre un sujet, un verbe et un complément, renonçant, le plus souvent, à l'expressivité créée par l'emploi d'adjectifs et de propositions relatives. Pour les verbes, l'auteur privilégie le passé composé plutôt que le passé simple, plus littéraire, mais en même temps plus distant. L'espace et le temps n'y font guère l'objet de précisions importantes, mais l'usage de la couleur, couleur sociale et couleur locale, dans la représentation de certains personnages, ajoute à l'effet de réalisme en supposant la campagne québécoise : « Par exemple, il dit « couchette », « bacul » et « caltron ». Pour dire « courir », il dit « runner ». Il utilise tout plein de mots en anglais et fait semblant qu'il est bonasse, mais il ne l'est pas vraiment » (p. 12). Un peu plus loin, on apprendra que le personnage dont il est question est originaire du sud de l'Ontario. L'effet de réalisme repose également sur la désignation d'objets concrets. Le roman s'oppose ainsi à un texte qui aurait pour fondement l'expression de sentiments ou d'idées générales. Ainsi, dès l'incipit, on trouve une leçon de choses : « Il a dit : « La jument va avoir son poulain »... et moi j'ai demandé : « Quand ? » Il a dit qu'il ne savait pas réellement » (p. 9). L'événement n'est pas unique et la suite du roman présente plusieurs éléments de la vie quotidienne, pendant l'été, dans une ferme. L'usage du sens propre des mots a toujours préséance sur le sens figuré.

L'ensemble serait banal si Pierre Gobeil ne prenait pas ses distances par rapport à cette écriture réaliste. Tous les procédés d'écriture

---

1. Les pages indiquées entre parenthèses renvoient à Gobeil (1989).

employés y sont mis en abyme. *La mort de Marlon Brando* est d'abord et avant tout l'histoire de la composition qu'un jeune garçon, qui vit à la ferme, doit écrire comme devoir de vacances. La trame même du récit emprunte les lieux communs de ce type d'exercice qui, comme le savent tous ceux et celles qui, un jour, ont eu à s'y soumettre, a l'été lui-même pour objet :

> Tenez-vous bien : c'est la nouvelle maîtresse qui corrige le travail de tout l'été et elle m'a donné une mauvaise note alors que ma voisine de gauche – oui on a des filles dans notre classe – a eu un A, elle qui avait commencé sa composition avec : « Oh ! le joli été que nous avons eu... » Juré que je n'invente rien. Même si c'est tout ce que j'ai pu lire par-dessus son épaule. Son sujet, bien sûr, c'était l'été. C'est toujours ce que le monde rapporte en septembre. Et je gagerais que pour la composition de l'an prochain, si on continue à avoir des maîtresses révolutionnaires, ce sera la même chose encore (p. 102).

Le personnage principal, dont on ignore le prénom, mais que les autres nomment « le Mangeur de gâteaux », a eu une mauvaise note pour avoir tenté de dépasser la leçon de choses, la composition, et avoir voulu faire de la littérature. Pour y arriver, il avait utilisé deux instruments principaux. Le *Petit Larousse illustré* et *Apocalypse Now*. Le premier lui sert à trouver les mots, le second à structurer le récit :

> J'écris une composition belle comme le film que j'aime et j'avance des faits, mais toujours, ils se retrouvent cachés par des bêtes que j'invente aussi fabuleuses que des ornithorynques. Je n'arrive pas à parler on dirait. Plus. Dans ma composition, j'essaie d'expliquer à la manière d'*Apocalypse Now* ce que jusqu'à maintenant j'ai pu observer, mais ça ne marche pas. Je tourne en rond (p. 11).

Nombreuses sont ainsi les références au dictionnaire comme porteur de mots et, à travers ces mots, d'êtres et de réalités fabuleuses, dont l'ornithorynque est ici le modèle le plus cité. La quête du mot, comme porteur d'image et du moyen de fuir la réalité quotidienne, est placée au premier plan du récit de Pierre Gobeil. Ainsi la « jument » de l'incipit est-elle l'objet d'une recherche. Alors que l'homme engagé lui explique d'où viennent les poulains, le jeune garçon reste indifférent (« et puis après, est-ce que tout cela a tellement d'importance ? » (p. 9)) et, plutôt que de s'intéresser à une leçon de choses, il ouvre son *Petit Larousse illustré* : « au mot jument on en montre quatre alors qu'à poulain, on n'en donne qu'un seul... et ce sans autres formes d'explication » (p. 9). On comprend ainsi, dès le début du roman, que pour le jeune garçon, la réalité est non dans la chose mais dans le mot, qui dès lors fait écran. Aussi le roman est-il d'abord la quête de ces mots, que l'on voudrait suffisamment évocateurs pour porter par eux-mêmes les germes d'une histoire, d'une composition que l'on n'aurait qu'à structurer selon des modèles classiques.

Une première observation montre que la composition du jeune garçon s'inscrit dans une démarche absolument inverse de celle de l'écriture du roman. Le réalisme du roman est fondé sur le français simple et il s'appuie sur le sens concret des mots et la leçon de choses alors que l'été, comme sujet, impose la description comme forme dominante. En somme, la narration principale répond parfaitement aux exigences scolaires de la composition comme devoir de vacances. Inversement, le devoir de vacances voudrait plutôt être une œuvre littéraire. En ce sens, le jeune garçon tente de lui imposer des caractéristiques plus complexes : les mots sont porteurs de figures, ils évoquent des images, le processus d'écriture a préséance sur la leçon de choses, l'invention et le récit remplacent la description. En tant que narrateur du récit principal et en tant qu'auteur de cette composition, le jeune garçon est donc deux fois mauvais élève, et il obtiendra une mauvaise note pour n'avoir pas respecté l'ordre des choses et la hiérarchie des styles d'écriture.

Revenons à la structuration du récit. Le jeune garçon, on l'a vu, croit trouver un modèle dans le cinéma, en particulier dans le cinéma américain contemporain, précisément dans le film de guerre : « je travaille à une composition construite comme un film de guerre. C'est comme si, et tout à fait comme si, pour vraiment lutter, il me manquait les mots » (p. 10). Pierre Gobeil et son personnage ne sont certes pas les premiers à soutenir une thèse qui ferait du mot une arme. Mais je voudrais accorder un peu plus d'attention à une autre dimension de cette thèse : l'écriture, c'est la guerre.

Il faut dire d'abord que l'utilisation du scénario d'*Apocalypse Now* s'arrête à la scène suivante, citée à plusieurs reprises : « Dans le film, il y a le sergent U.S. parti en mission pour tuer le général. Washington approuve et les autres sont indifférents. » Le jeune garçon précise le travail que cette scène lui permet de réaliser : « Dans ma composition, ce sont l'Ornithorynque, l'Abandonneur et les Ombres. En ordre. C'est le temps d'une chasse. C'est une jungle et il y a une rivière. Et dans mon histoire l'ornithorynque guette le promeneur » (p. 23-24). Cette scène, il faut bien le dire, pose une difficulté majeure, car il manque un personnage. Ou plutôt il manque un mot. Relisons-la à l'envers : les

Ombres, ce sont les Autres ; l'Abandonneur est Washington, figure d'autorité, qui devrait intervenir et qui ne le fait pas ; l'Ornithorynque est le sergent U.S. Confirmons cette lecture :

> L'Ornithorynque remonte la rivière lui aussi. Mais pas dans un canot. Il est un monstre qui sue, qui sent mauvais et qui se cache. L'odeur du monstre m'indispose. Cependant, sur la rivière, la bête se laisse encore confondre avec une bille de bois. Et l'Abandonneur et les Ombres n'existent toujours pas (p. 16-17).

Dans le récit du jeune garçon, au départ, aucun mot ne désigne le général, rôle joué par Marlon Brando. À défaut de mot, nul personnage n'occupe ce rôle de victime. Peu à peu, au fur et à mesure que le récit se construit (le récit principal entendons-nous, pas la composition du jeune garçon, qui n'arrive pas à l'écrire), ces mots prennent d'autres sens et désignent d'autres personnages :

> C'est un ornithorynque et il est sale. Avec lui, on sait d'avance autour de quoi la conversation va tourner (p. 41).

> Mon père, il a même eu un titre dans mon histoire et c'est quelque chose comme « L'Abandonneur » (p. 59).

> Il disait des candies et les autres, mes frères et mes sœurs, ceux qui allaient être nommés les Ombres, eux riaient (p. 63).

Reprenons alors le récit : « Dans le film, il y a le sergent U.S. parti en mission pour tuer le général. Washington approuve et les autres sont indifférents. » Dans la composition, nous aurions : il y a l'Ornithorynque parti en mission pour tuer on-ne-sait-qui. L'Abandonneur approuve et les Ombres sont indifférentes. Le récit principal offre la trame suivante : il y a l'homme engagé, parti en mission pour tuer on-ne-sait-qui. Le Père approuve, ses frères et sœurs restent indifférents. Pièce par pièce, le puzzle se construit.

On voit ainsi que le récit de Pierre Gobeil tente de placer un jeune garçon dans le rôle du narrateur principal. Plutôt que de le transformer en adulte, par la voix d'un narrateur ordinaire, qui fonde son écriture sur le réalisme, il crée un second narrateur, hiérarchiquement dépendant du premier, mais dont le travail d'écriture est apparent. On constate très rapidement que la composition du jeune garçon, loin d'être une simple fiction, est l'énoncé d'un sentiment de peur envers un personnage énigmatique et de la conviction qu'il a de ne pouvoir compter sur la solidarité de sa famille en cas de danger. L'anecdote repose sur le degré d'avancement de la composition, qui dépend lui-même du développement de ces inquiétudes. Maître de son récit propre, le jeune garçon sait qu'il va se passer quelque chose, qu'il tente d'empêcher avec des mots. Il n'y parviendra pas. L'homme engagé à la ferme, le Monstre, le viole dans une grange, sous la pluie. Le traumatisme ainsi subi se manifestera en premier lieu par un désordre de langage :

> Hier j'ai dit valeur au lieu de voleur, vrai pour plaie ; jeune à la place de juste... lorsque j'ai voulu dire : « C'est pas juste ». Aujourd'hui j'ai dit « une décision » lorsque j'ai voulu dire « une dénonciation »... et tout ça m'inquiète je pense (p. 108).

Le roman se termine en livrant la clé du quatrième personnage du récit filmique et, paradoxalement, en montrant que la littérature n'a pas permis d'intervenir ni de dire la réalité. Au contraire, le récit fait écran :

> Dans ma composition, je n'ai pas écrit : Mon sort est lié à celui du général de mon plan. Je n'ai pas dit que, comme le héros de mon film de guerre, j'étais coincé. Washington et le sergent U.S. d'une part, l'Abandonneur et l'Ornithorynque de l'autre côté. Je suis Marlon Brando et je sais que quelque chose va se passer. Je n'ai pas écrit non plus : Je crois qu'on m'a tué (p. 108).

Revenons à l'Ornithorynque. On a vu que le mot désigne l'homme engagé à la ferme. On l'appelle également « Lui » ou « le Monstre ». Mais à part le jugement de l'institutrice sur le devoir de vacances, à la fin du roman, les paroles de l'Ornithorynque sont pour ainsi dire les seules qui sont rapportées en style direct dans tout le texte. Aussi, en conséquence, est-il le seul personnage à avoir une parole accentuée, ce que constate le jeune garçon :

> De plus je note qu'avec les autres, il ne parle pas. Il est sage ; il fait des fautes de grammaire, on dirait qu'il en a honte, et de ce fait, avec eux, il ne veut plus parler si ce n'est pour dire « oui » ou « carrect », pour dire « O.K. » ou « oui mesieur ». Comme l'engagé modèle qu'il voudrait bien être, mais il ne dupe plus personne. Et cela l'amène à faire des fautes et à bégayer (p. 12).

Au début, l'homme engagé éprouve quelque difficulté à s'exprimer : « Ses mots, son rapport aux mots, il y trébuche, s'y perd » (p. 18). Au fur et à mesure que le roman avance, toutefois, il apprend, s'approprie les mots, commence à inventer des histoires : « Avant il se contentait de mots puis voilà qu'il se met à aller plus fort » (p. 20). Du mot à l'histoire puis à l'action, là est, en fait, la structure générale de l'anecdote, du point de vue de l'homme engagé. À mesure que celui-ci développe sa capacité de prendre en charge le réel et son expression, le jeune garçon s'en trouve vidé. Aussi le roman commence-t-il et se termine-t-il par un « désordre » du langage. Le premier est l'ignorance que l'homme engagé a de la prononciation et du vocabulaire français, le second est cette diglossie dont souffre le jeune garçon. Déjà, une telle équivalence est problématique.

Il y a plus. Le passage des oies sauvages est l'occasion de rappeler un souvenir du jeune garçon :

> À l'école, l'année passée, avant les vacances de juin je veux dire, notre maîtresse nous a lu un roman qui a été écrit par une femme qui vivait au bord du fleuve. En voyant passer des outardes, un homme disait : « C'est la fin ». Lui, dans l'histoire, il est évident qu'il ne disait que « c'est la fin », mais moi, dans ma tête, j'ai enregistré les mots du livre. Si bien que maintenant, lorsque je vois passer des oies sauvages, je dis cette phrase : « C'est la fin, dit-il ». Ce qui montre que les mots ne sont pas de moi, mais de ce bonhomme qui s'appelle Didace. Ce qui montre bien que la phrase est issue d'une histoire qui n'est pas la mienne, mais celle de la femme qui vivait au bord du fleuve (p. 25-26).

On aura reconnu *Le Survenant* de Germaine Guèvremont (1946). À partir de ce moment, le récit superpose un autre modèle fictionnel à celui d'*Apocalypse Now*. De diverses manières, « l'homme engagé de la maison » devient le Survenant. Il est présenté comme énigmatique, disant « venir d'Ottawa, mais nous on savait qu'il venait de plus loin » (p. 49) ; plus instruit qu'il ne prétend l'être, objet de curiosité pour les voisins. De la même manière, le fleuve du Viêt-nam que le sergent U.S. remonte pour tuer le général se superpose au fleuve Saint-Laurent que « le monstre remonte » (p. 53), à partir de Sorel faut-il croire, jusqu'à Montréal. D'une part, la superposition du film américain et du roman québécois, la seule à être assumée par le texte de manière explicite, ne dépasse pas cette juxtaposition des fleuves. D'autre part, la superposition de l'histoire de l'homme engagé et de celle du Survenant, qui transforme complètement l'image du personnage, dans le roman de Gobeil, n'est jamais explicite. On constate toutefois que c'est à partir du moment où le narrateur opère cette seconde juxtaposition que l'homme engagé commence à maîtriser le langage et que le jeune garçon, lui, perd du terrain : « les mots me servent mal on dirait et mon dictionnaire est une pierre tombée au fond de l'eau » (p. 52).

Le jeune garçon est ainsi soumis au langage des autres. À ceux du *Petit Larousse illustré* et d'*Apocalypse Now*, en premier lieu, qui lui permettent d'entreprendre un récit d'aventures, mais, bientôt, à celui du *Survenant* qui accorde la préséance au personnage de l'homme engagé alors qu'il ne s'identifie, lui, qu'aux mots de Didace. On constatera avec intérêt que cette œuvre de la littérature québécoise, classique de l'après-guerre, que l'on considère parfois comme le dernier roman de la terre, permet le déroulement du récit. Le Survenant, pourrait-on dire, gagne la guerre de l'écriture en fournissant à la fois les mots, les personnages et la structuration du récit. Mais en même temps, il faut bien constater que la violence par laquelle ce gain est obtenu, le viol d'un enfant, ce qui n'est pas rien, a de quoi inquiéter. La destruction des compétences linguistiques de l'enfant l'empêche désormais de désigner la réalité. Il restait prisonnier de sa peur, par excès d'imagination, il sera prisonnier de sa mémoire, faute de mots pour en sortir. Cette mort symbolique, celle de Marlon Brando, a lieu dans une fiction enchâssée dans une autre fiction où l'enfant est également mort au langage.

On observe ainsi un personnage, tiré d'une œuvre conservatrice du corpus littéraire québécois, qui tue symboliquement l'écrivain en herbe qui cherchait à faire reposer l'écriture sur l'invention et l'aventure, selon un modèle doublement contre-institutionnel, le cinéma américain. Le même personnage est porteur d'un langage dont les formes populaires l'emportent en conviction sur les mots abstraits que fournit le *Petit Larousse illustré*. Une telle lecture des enjeux de l'écriture au Québec et de la difficulté de concilier des objectifs nationaux à une liberté d'écriture serait assez juste pour certaines périodes de l'histoire littéraire du Québec. Elle est inquiétante si l'on voit là la vision que propose un jeune écrivain du poids des traditions dans les conditions de l'écriture romanesque au présent et au Québec. En outre, *La mort de Marlon Brando* énonce, quant à la littérature, deux thèses complémentaires : la littérature, c'est le dépassement de la composition scolaire, et l'écriture, c'est la guerre, une guerre de codes et d'institutions, dont les mots sont les armes.

Pour être complète, cette lecture du roman de Pierre Gobeil devrait être mise en perspective. Une des caractéristiques du roman québécois des années quatre-vingt est précisément qu'il inscrit une tradition de lecture et qu'il cherche à se situer lui-même dans l'histoire littéraire du Québec. Les écrivains et les écrivaines rendent ainsi un certain hommage à quelques-uns de ceux et de celles qui les ont précédés, en carnavalisent d'autres. Dans les *Chroniques du plateau Mont-Royal* de Michel Tremblay, on trouve par exemple une lecture tout à fait passionnée du *Bonheur d'occasion* de Gabrielle Roy. L'inscription de *Trou de mémoire* d'Hubert Aquin dans la structure même de *La vie en prose* de Yolande Villemaire est également favorable. Ce qui étonne ici est le caractère dysphorique accordé au texte québécois et la violence dans laquelle baigne son inscription. Une telle attitude est-elle unique ou représentative de toute une génération qui n'aurait de la littérature québécoise qu'une lecture conservatrice accentuée par la dissolution des objectifs nationalistes de l'enseignement littéraire traditionnel, en particulier de l'enseignement universitaire ? Trouve-t-on, à d'autres époques ou dans d'autres genres littéraires, le même type de lecture ? En réalité, cette dimension du texte de Pierre Gobeil ne peut véritablement être saisie que par un travail comparatif, qui englobe, au présent, un échantillon plus représentatif, travail qui reste à faire et qui, pour cette raison, m'interdit toute conclusion définitive.

On s'étonnera peut-être du fait que ma proposition de lecture soit si éloignée des préoccupations qui caractérisent habituellement l'histoire littéraire. Je rappellerai cependant que cette proposition ne remplace pas les pratiques de l'histoire littéraire classique. Elle ajoute aux sources et témoignages qui servent habituellement au travail historique une source d'information supplémentaire, le texte, en tant qu'il est porteur d'un projet d'énonciation inscrit dans ses mots eux-mêmes, en tant qu'il constitue une intervention dans l'ensemble des débats sur la littérature et en tant qu'il propose une lecture à la fois théorique et politique de l'histoire littéraire. Ce faisant, j'ai inversé la question de départ. L'histoire littéraire n'est pas une méthode, mais, en intégrant le texte parmi ses sources de témoignages, elle en oblige une lecture spécifique, fondée sur ses propres questionnements institutionnels. C'est cette lecture qui devrait être intégrée aux méthodologies de l'histoire littéraire.

On voit que, plus qu'une question de méthode, le renouvellement de l'histoire littéraire repose sur une rupture épistémologique qui change l'objet et la forme de la recherche. Ce n'est plus la valorisation du génie national ni la fonction didactique qui prime, mais la compréhension d'un objet textuel et de la manière dont il relève d'une forme sociale instituée, c'est-à-dire la littérature. S'il demeure un caractère totalitaire à l'entreprise historique, c'est l'appréhension de l'institution elle-même dans les modalités propres à sa constitution et dans ses rapports aux autres institutions sociales. C'est bien plus par le point de vue qu'elle est la seule approche à imposer, celui du temps, qui est celui du singulier, de la conjoncture, qu'elle a survécu sur des bases nouvelles aux critiques qui lui avaient été apportées. Ainsi, les mots de Fredric Jameson :

To say in short, that synchronic systems cannot deal in any adequate conceptual way with temporal phenomena is not to say that we do not emerge from them with a heightened sense of the mystery of diachrony itself. We have tended to take temporality for granted ; where everything is historical, the idea of history itself has seemed to empty of content. Perhaps that is, indeed, the ultimate propaedeutic value of the linguistic model : to renew our fascination with the seeds of time (1972 : XI).

[Dire, en somme, que les systèmes synchroniques ne peuvent pas expliquer adéquatement les phénomènes temporels ne veut pas dire que nous n'en émergions pas avec un sentiment encore plus fort du caractère mystérieux de la diachronie elle-même. Nous avons eu tendance à prendre la temporalité pour une chose acquise ; là où tout est historique, l'idée même de l'histoire paraît se vider de tout contenu. Peut-être est-ce là, précisément, l'ultime valeur propédeutique du modèle linguistique que de renouveler la fascination que le temps exerce sur nous.]

BIBLIOGRAPHIE

BARTHES, Roland (1979), « Histoire ou littérature ? », dans Roland BARTHES, *Sur Racine,* Paris, Éditions du Seuil, p. 137-157. (Coll. Points, nº 97.)

BECK, Jonathan (1986), « L'écriture poststructuraliste et l'histoire. Notes sur un congrès littéraire », *Littérature,* nº 63 (octobre), p. 120-128.

BÉHAR, Henri et Roger FAYOLLE [édit.] (1990), *L'histoire littéraire aujourd'hui,* Paris, Armand Colin.

GOBEIL, Pierre (1988), *Tout l'été dans une cabane à bateau,* Montréal, Québec/Amérique.

GOBEIL, Pierre (1989), *La mort de Marlon Brando (roman),* Montréal, Triptyque. (Coll. Le Vague à l'âme.)

GUÈVREMONT, Germaine (1946), *Le Survenant,* Paris, Plon.

GUMBRECHT, Hans Ulrich (1985), « History of Literature – Fragment of a Vanished Totality », *New Literary History,* vol. XVI, nº 3 (printemps), p. 467-479.

HÉBERT, Pierre (1983), « Sémiotique, histoire littéraire et philosophie : le cas du Québec », *The French Review,* vol. LVI, nº 3 (février), p. 424-431.

JAMESON, Fredric (1972), *The Prison-House of Language. A Critical Account of Structuralism and Russian Formalism,* Princeton, Princeton University Press.

KUENTZ, Pierre (1972), « L'envers du texte », *Littérature,* nº 7 (octobre), p. 3-26.

MOISAN, Clément (1987), *Qu'est-ce que l'histoire littéraire ?,* Paris, Les Presses universitaires de France. (Coll. Littératures modernes.)

MOISAN, Clément [édit.] (1989), *L'histoire littéraire. Théories, méthodes, pratiques,* Québec, Les Presses de l'Université Laval. (Publication du Centre de recherche en littérature québécoise.)

MOISAN, Clément (1990), *L'histoire littéraire,* Paris, Les Presses universitaires de France. (Coll. Que sais-je ?, nº 2540.)

MOUNIN, Georges (1984), « Place et pertinence de l'histoire littéraire dans une science de la littérature », *Degrés,* nºs 39-40 (automne-hiver), p. f-f15.

SAMARAN, Charles [édit.] (1961), *L'histoire et ses méthodes,* Paris, Gallimard. (Coll. Encyclopédie de La Pléiade.)

TODD, Janet (1988), *Feminist Literary History,* New York, Routledge.

L'espace américain et l'emprisonnement de l'écriture : *Une histoire américaine* de Jacques Godbout

Hilligje VAN'T LAND
Centre d'études canadiennes, Université de Groningue

L'analyse sociosémiotique de l'espace romanesque

L'espace romanesque a inspiré différents types d'approches comme celles de la psychocritique (Bachelard, 1974 ; Matoré, 1962), de la sémiotique (Baak, 1983 ; Greimas, 1976), de la sociocritique (Belleau, 1984 ; Duchet, 1971 ; Kwaterko, 1989 ; Zima, 1985), etc. Selon le point de vue adopté, les uns l'envisagent comme reflet de la vie intime de l'auteur, d'autres préfèrent y lire une structuration idéologique (Pelletier, 1984), ou encore se proposent de définir comment « le texte dit ce qu'il dit », comment donc la structure de l'espace romanesque contribue à l'élaboration de la signification textuelle, et ainsi de suite.

J'envisage ici d'analyser la composante spatiale du texte dans une perspective qui combine la sociocritique et la sémiotique. Mon hypothèse de départ rejoint principalement celle de Weisgerber (1978), et stipule que l'espace romanesque, élément à part entière de la description, est une création authentique, engendrée par des combinaisons de mots. Le système spatial verbal mis en place par l'auteur est donc par définition original et artistique. Agent de transformation, il traduit indirectement le caractère et les émotions de l'observateur (acteur, narrateur ou auteur). Ainsi, tout en tenant compte des formes spécifiques du genre et de celles du langage, l'espace romanesque traduit et transpose l'attitude de l'homme devant son milieu, et entretient ainsi un certain rapport à l'idéologique. L'espace romanesque que je propose d'analyser regroupe plus que les références purement géographiques contenues dans le texte : il est constitué de l'ensemble des attributs, spatiaux et non spatiaux, du lieu. Je prends donc en considération les éléments purement géographiques mais également les éléments qui renvoient à une certaine spatialité, à une certaine géographie.

Mon approche est double. Elle combine en effet une analyse sémiotique et une analyse sociocritique des éléments spatiaux et rejoint ainsi le but final de la sociocritique.

> [Elle] vise avant tout le texte. Elle est même lecture immanente en ce sens qu'elle reprend à son compte cette notion de texte élaboré par la critique formelle et l'avalise comme objet d'étude prioritaire. Mais la finalité est différente puisque l'intention et la stratégie de la sociocritique sont de restituer au texte des formalistes sa teneur sociale (Duchet, 1971 : 3).

Dans un premier temps, il s'agit de dégager un certain modèle sémiotique de l'espace qui se définit en termes de polarités sémantiques, c'est-à-dire en couples de termes oppositionnels (haut/bas, droite/gauche) qui prennent leur sens à l'intérieur d'un cadre paradigmatique (de la sélection) et syntagmatique (de l'organisation en signification) et en fonction d'une spatialisation tridimensionnelle (horizontale, verticale, proxémique). Les polarités sémantiques sont réparties selon les catégories spatiales suivantes : « mesures et proportions » (proche/lointain, etc.), « forme » (cercle/droite, etc.), « mouvement », « communication », « continuité », « groupe », « ensemble » (tout/partie, etc.), « nombre » (unicité/multiplicité), « éclairage » et « objets ». Dans un deuxième temps, la structure que les polarités sémantiques spatiales et relatives au spatial mettent en place, déterminant la directionnalité des personnages et orientant la situation du sujet, met au jour un certain « comportement » spatial qui peut être envisagé comme une transposition littéraire originale d'un certain modèle du monde (Lotman, 1973 : 310 ; Greimas, 1976 : 105), modèle défini individuellement, mais également collectivement. Quand Lotman aborde ce phénomène de transposition, il souligne clairement le rapport étroit que le texte romanesque entretient avec une certaine idéologie en énonçant le pouvoir des structures spatiales du récit à exprimer des relations non spatiales :

> Au niveau supra-textuel, au niveau de la modélisation purement idéologique, le langage des relations spatiales se trouve être un des moyens fondamentaux pour rendre compte du réel. Les concepts [que je nomme des paramètres spatiaux] se trouvent être un matériau pour construire des modèles culturels sans aucun contenu spatial et ils prennent le sens de « valable-non valable », « bon-mauvais », « les siens-les

étrangers », « accessible-inaccessible », « mortel-immortel » (1973 : 311)[1].

C'est justement ce phénomène de la correspondance de sens que je propose de nommer « conversion » ou « transposition » et qui me permet de passer d'une isotopie sémantique à une autre, imbriquée en elle, phénomène que Greimas aborde à un niveau strictement textuel remettant en question systématiquement la logique sémantique et linguistique sous-jacente à l'élaboration de l'espace romanesque. L'analyse que je présente élabore finalement ce point de vue en y ajoutant une dimension sociocritique. Elle étudie ainsi pour un lieu ou un territoire défini les caractéristiques que le roman lui prête en étendue, en volume, en lumière et en emploi. C'est cet aspect du spatial, déterminant le rapport du texte à l'idéologique, et à l'idéologie québécoise en particulier, que j'envisage d'analyser dans *Une histoire américaine* de Jacques Godbout.

Un résumé du roman

Le roman, *Une histoire américaine,* raconte l'histoire du personnage Gregory Francœur, ancien politicien à la retraite et expert en communication, qui « semble avoir perdu le nord, au sens littéral comme au sens figuré » (Mésavage, 1988 : 51). Le « brouillon utopique » québécois (p. 16)[2], proposé à la fin de la révolution « plutôt tranquille » (p. 162), s'est soldé par un « vote schizophrénique[3] » (p. 16) déterminant pour « l'avenir du Québec » qui désormais semble se situer aux « États-Unis ». Totalement désillusionné sur le plan aussi bien politique[4] que personnel, faisant partie « de nombreux

1. Voir également à ce sujet les considérations de Baak (1983 : 55-78, chap. 2.2.3) où il étudie ce phénomène d'attribution de sens, de valeurs et de connotations non spatiales aux concepts topologiques.
2. Les pages indiquées entre parenthèses renvoient à Godbout (1986).
3. Ce vote « schizophrénique » renvoie à la désillusion de l'après-référendum des années quatre-vingt et à l'espoir déçu d'un Québec renouvelé. Voir : Royer (1987 : 215) ; Godbout (1981) ; Klinkenberg (1987).
4. En font foi les lignes suivantes : « Pendant des mois la terre entière s'était passionnée pour l'idée d'indépendance, les caméras électroniques poussaient au coin des rues, au détour des corridors, dans des forêts de micros. Il n'y avait qu'un seul sujet de conversation. Mais on ne peut pas passer sa vie en érection nationaliste, vivre de promesses, de futurs qui n'arrivent jamais [...] Il devint évident que nous ne mettrions jamais l'indépendance au propre [...] La question nationale n'intéressait plus que les vieux partisans qui dansaient, le soir venu,

couples [qui], après ce référendum, se sont aussi séparés parce qu'ils n'avaient plus rien à faire ensemble » (p. 16), Francœur décide, à l'exemple du personnage de *L'aquarium*, de s'exiler (p. 18), de s'expatrier et de couper définitivement les ponts avec son passé. Laissant l'hiver derrière lui, il va tenter sa chance en Californie, où l'attend « un temps radieux, tout en ciel bleu et soleil discret » (p. 23). On lui propose un poste à l'Université de Berkeley ; il y donnera quelques cours et mènera une enquête sur le bonheur. Impliqué par hasard dans un trafic d'immigrés clandestins, et finalement inculpé de viol et d'incendie meurtrier, Gregory Francœur est jeté en prison : « J'étais venu en Californie pour réfléchir au soleil[5]. On m'a mis à l'ombre » (p. 15). Pour sa défense, il doit alors rédiger un long plaidoyer qui, dès la première page, se transforme en un journal intime (p. 39) et qui, finalement, prend l'ampleur d'un véritable « roman » (p. 95). Celui-ci devient en effet le livre que le lecteur tient dans ses mains (Klinkenberg, 1987 : 230).

Une histoire américaine de Jacques Godbout

Le lieu d'énonciation du roman est essentiellement californien ; c'est celui de la prison. Mais grâce aux attributs directement et indirectement spatiaux du lieu, le récit débouche sur des espaces autres : l'extérieur de la prison, la Californie en général, puis l'Éthiopie, le Québec et, dans une moindre mesure, la France[6]. Le modèle spatial mis

---

La Saint-Dilon, La Saint-Jean-Baptiste, la gigue des anciens combattants » (p. 15-17).

5. Le soleil occupe une fonction importante dans l'imaginaire godboutien et dans l'attribution du sens de l'espace romanesque, étant le signe de l'espoir et du renouveau. La Californie prend ici la signification mythique d'un pays de rêve et de soleil et donne à Francœur un air triomphant lorsque « [s]on repas dans une main, un journal dans l'autre, Gregory s'installa au soleil, assis sur un muret, et lut dans le *Bay Guardian* les nouvelles locales » (p. 37). « [L]a baie [...] brillait comme mica au soleil » (p. 67). Le soleil peut aussi éclairer la réussite d'une mission. Ainsi, après la randonnée nocturne pendant laquelle Francœur transporte les immigrés clandestins : « Sur le chemin du retour le soleil éclaboussa au loin une rade calme où dormaient à l'abandon des centaines de navires de guerre [...] Vision pacifique inouïe ! » (p. 91).

6. La France est introduite par l'intermédiaire de la culture représentée par le dictionnaire Larousse (p. 19, 82 et 127) que l'on retrouve également dans *Salut Galarneau !* et par le père de Francœur qui est « un employé modèle d'une maison d'édition française » (p. 160). La

en représentation est donc générateur d'un parallélisme thématique entre des univers spatio-temporels mis en évidence par les marques du passé (réunissant tous les espaces des autres romans godboutiens) et du présent (californien). Pendant la rédaction de son journal, Francœur a conscience non seulement d'avoir exploré surtout l'envers du décor paradisiaque californien, mais également d'avoir fait le point sur nombre de questions laissées en suspens dans son passé. L'espace romanesque se dégagera donc dans son importance structurale, symbolique et politico-géographique de pays, mais aussi dans sa dimension psychanalytique de pouvoir et de possession (Houde, 1980 : 93). Grâce à l'écriture, qui relie le passé et le présent, le réel et l'imaginaire, Francœur fait le point sur sa propre identité culturelle continentalement américaine mais définitivement québécoise.

J'étudie donc de plus près les procédés d'aperception de l'espace californien afin de voir comment celui-ci se transforme graduellement d'un espace paradisiaque en un espace infernal.

Dès l'ouverture du roman, l'espace géographique de l'énonciation propose un premier protocole de lecture (Dubois, 1973 ; Duchet, 1971). L'espace carcéral où est enfermé Francœur (p. 9) est défini tout d'abord par rapport à l'espace extérieur de la prison (une cour « intérieure »), espace qui nous informe sur un événement dont la symbolique semble être le principe organisateur de tout le roman. Le lecteur est en effet invité à suivre le regard du personnage principal à travers l'espace tangent de la fenêtre (Rousset, 1962) vers l'espace du dehors, celui de la cour. Dans cette cour, dès le premier jour de la détention de Francœur, « les travaux publics de l'État de Californie » sont en train de transplanter « un vieux dattier trapu » de la « chaleur profonde de la Death Valley » dans la « cour nue de la prison ». L'arbre qui, dans le désert, « avait produit, toute sa vie durant [...] des fruits juteux, sucrés et doux » se voit ainsi transplanté dans un espace où, à cause de la lumière crue des projecteurs de la prison, il « ne pourrait plus jamais dormir ». Ainsi le dattier, arbre de vie (Chevalier et Gheerbrant, 1982 : 338), devient arbre de mort : déraciné et installé dans la cour de la prison pour « le décor », il refuse de s'adapter et de pousser. De même, Francœur s'est en quelque sorte déraciné et transplanté en terre étrangère où il est jeté en prison et où il dormira

confrontation entre le Québécois Francœur et le traducteur de son plaidoyer, un « cousin de l'hexagone », vient souligner la rivalité qui oppose ces deux pays francophones.

également d'« un sommeil difficile et léger [...] sous les néons verts des veilleuses ». L'espace californien se transforme ainsi dès la première page en un espace emprisonnant et aliénant. S'avérerait-il en définitive que Francœur serait « intransplantable » à l'exemple du vieux dattier « qui refuse de prendre racine en prison » (p. 178) ? L'idée d'un avenir californien et par extension américain serait-elle définitivement utopique pour le Québécois qu'est Gregory Francœur ?

Depuis toujours l'espace du « grand voisin américain » constitue une riche source d'inspiration pour la littérature québécoise[7] ; cette Amérique fabuleuse, ce « mirage » (Rousseau, 1981 : 275), impose plus ou moins son pouvoir de fascination, nourrissant le goût de l'« aventure » (p. 167), du pittoresque, du rêve, du dépaysement au sens propre comme au sens figuré (de l'aventure intérieure).

Se trouvant dans tous les récits de Godbout, cette Amérique constitue le décor principal dans lequel vient s'inscrire le présent récit. Elle ne tarde cependant pas à laisser tomber son masque paradisiaque pour dévoiler son visage infernal.

La Californie : paradis ou enfer

Au début, dit l'auteur, Francœur « ne connaissait de la Californie que ses images mythiques, surf-boys et limousines, vin de Napa et séquoias millénaires » (p. 18), images tirées sans doute des brochures touristiques, évoquant le décor idéal pour des vacances de rêve. Ainsi, il remarque :

> Assis dans le fauteuil à côté du chauffeur, j'avais une vue imprenable (en Technicolor) sur les eaux de la baie, ses canards sauvages, les collines de San Francisco, l'île au trésor, les sculptures de bois trouvé. J'absorbais les paysages comme une cellule photo-électrique se nourrit de lumière. J'en tirais une énergie nouvelle, inconnue à ce jour. Au coin des rues je dévisageais les passants, les dévorant des yeux. Je les avalais comme on prend des vitamines. J'étais enfin bien dans ma peau. Libre (p. 24).

« The American dream » semble être sur le point de se réaliser, le nouvel espace prenant des allures de véritable paradis terrestre.

---

7. Voir les romans de Ringuet, de Gabrielle Roy *(De quoi t'ennuies-tu, Éveline ?)*, de Jacques Poulin *(Volkswagen Blues)*, par exemple. Voir également : Mailhot (1989) ; Rousseau (1981) ; Weiss (1985-1986).

À son arrivée à l'hôtel Durand de San Francisco, pensant « sérieusement en profiter pour s'exiler » (p. 18), « Francœur choisit immédiatement de s'intégrer au décor » (p. 24). Mais vite il se rend compte que le coût de la vie ne lui permettra pas de mener bien longtemps la vie d'hôtel et il entreprend de « [t]rouver un appartement ou même une chambre » (p. 27). Un bon (Sam)aritain, vraisemblablement tout droit tombé du ciel, lui offre alors une maison à louer. Cette nouvelle demeure, qui symbolise spatialement un recommencement dans la vie de Francœur, est définie par des paramètres spatiaux qui la qualifient de prime abord comme peu accueillante, froide, humide, inhabitée, sale et nue. Francœur la baptise le « Château des chats ». Ce prédicat de « château » engendre dès le départ un champ connotatif fort significatif. Lieu du conte et du rêve, des fantômes ou des sorcières, un château est souvent situé sur des hauteurs, dans une clairière ou au fond d'une forêt et est généralement difficile d'accès. Sa situation même l'isole par rapport à l'espace qui l'entoure, enfermant ainsi ses occupants tout en les protégeant. Le « Château » de Francœur semble bien correspondre à cette image :

> [...] une maisonnette en bardeaux sombres somnolait sous les feuillages humides. Elle était isolée des demeures voisines par des massifs épineux. Dans la cour, un ensemble imposant de pins hauts comme un idéal devait cacher le soleil en plein midi. Le tout évoquait, au choix, un repère de sorcières édentées ou une cabane de corbeaux tout droit sortis des contes illustrés de Grimm (p. 28).

La localisation en hauteur de la demeure, sur les buttes de l'hôtel Clairemont qui s'étendaient « jusqu'à la Baie de San Francisco dans laquelle s'avance la jetée de Berkeley » (p. 36)[8], vient renforcer l'idée d'isolement de Francœur et métaphorise spatialement la distance culturelle et sociale qui le sépare de son nouvel entourage américain. Pour se rendre du Château des chats au centre-ville, Francœur devait ainsi descendre « la pente naturelle des trottoirs » (p. 36). Le château sombre, symbole classique de l'inconscient, de la mémoire confuse, du désir indéterminé (Mésavage, 1988 : 53 ; Chevalier et Gheerbrant, 1982 : 216), métaphorise l'état d'âme de Francœur, son insécurité, son trouble

8. Le cadre spatial est ensuite explicité par des précisions géographiques sur Berkeley (p. 51) : un restaurant, des noms de rues, etc., éléments topographiques venant renforcer la vraisemblance de l'espace californien.

à l'égard de l'avenir incertain qui l'attend : dès la première nuit, il y fait un cauchemar (p. 32). Fermement décidé à se créer un avenir californien, Francœur entreprend de réaliser son propre décor (celui de l'intérieur de la maison cette fois-ci)[9]. Il commence par prendre possession de son nouvel espace en parcourant les différentes pièces, en déplaçant des meubles ici et là (p. 35), cet arrangement spatial ayant surtout une fonction psychologique : « Mettre de l'ordre dans ses bagages et dans la maison, c'était aussi ordonner ses idées » (p. 35).

C'est alors que l'espace californien se voit investi par l'espace éthiopien. En effet, Francœur se rappelle le moment où, une vingtaine d'années plus tôt, avec sa femme Suzanne, il avait pareillement réalisé en Afrique son premier « décor intime » (p. 35)[10]. La description que Francœur donne de cet épisode correspond d'ailleurs à la fin de *L'aquarium*, où le personnage principal, désigné par le pronom personnel « je », décide de refaire le décor de son appartement[11]. Ce rapprochement entre le passé éthiopien et le présent californien fait de Francœur le descendant incontestable de toute la lignée des personnages godboutiens, chacun des romans intermédiaires ayant marqué une des étapes de son identité en devenir. L'espace californien est dès ce moment intimement lié à l'espace éthiopien[12].

---

9. Renaud (1979 : 20) identifie cet événement avec le signe d'une véritable renaissance.

10. On retrouve ce passage dans le chapitre XXII de *L'aquarium*, où le personnage principal « je » et Andrée décident à bout d'ennui de « changer le décor », de tout nettoyer et de tout repeindre. « La vie s'est glissée entre nos murs » (Godbout, 1962 : 137).

11. Dans *L'aquarium*, il était cependant question d'un appartement situé dans « la Casa Occidentale » et, ici, il s'agit d'une « case » (p. 34-35). De la case à « la Casa », il n'y a qu'un pas à faire. Voir Lintvelt et Van't Land (1989).

12. Le paradoxe est renforcé par la mise en scène de l'espace éthiopien dans les espaces modernes des fast-foods californiens (p. 22, 23) ; puis une jeune fille « à musique » se promène avec un panneau sur lequel on peut lire : « Live aid for Africa » (p. 31) ; des banderoles politiques affirmant qu'« on ne vaincra jamais la famine » sont accrochées « écologiquement » dans le jardin de l'université (p. 47). Le paradoxe californien se retrouve cependant également en Éthiopie où les animaux royaux étaient très bien nourris et où « les gueux ne rataient jamais ce spectacle de l'abondance » (p. 70).

Ce sont les objets tout d'abord qui, telles des « pierres blanches »[13], mettent en scène l'espace éthiopien et qui font revivre pour Francœur toute une série de souvenirs « enfouis dans l'armoire aux émotions perdues » (p. 34). Les *chammas* (p. 33, 80, 128) ouvrent en premier la porte de l'inconscient et de l'imaginaire. Intrigué par la présence de ces tissus éthiopiens dans cet espace californien, Francœur se met à explorer la maison en quête d'autres objets similaires :

> [...] j'avais passé quelques heures à mettre en scène le décor du Château des chats. J'avais fouillé le garage et le grenier à la recherche d'objets qui pourraient évoquer une Éthiopie familière, une Afrique apprivoisée. Je débusquai des photographies d'animaux sauvages, des poteries peintes, des tissus étincelants, des paniers tressés de rouge et de noir, des machettes gainées, un énorme bouclier en cuir d'hippopotame (p. 83).

Plus loin dans le roman, un autre objet significatif, la Volkswagen, « une coccinelle de douze ans » (p. 100) que s'achète Francœur, fait également revivre le passé :

> Ma première voiture, la première automobile de ma vie, avait été une Volkswagen gris-bleu achetée en Éthiopie dont la lunette arrière était si petite qu'on eût dit le hublot ovale d'un scaphandre (p. 100).

Non seulement cette voiture fait-elle revivre le passé, mais elle est même devenue historiquement éthiopienne, le négus ayant été conduit de son palais à la prison par un officier subalterne dans une coccinelle d'occasion (p. 134-135). Le nom d'« Apocalypse » (p. 105), que Francœur donne à la voiture, anticipe sur l'idée qu'il se fait au fur et à mesure de la Californie. Les « plantes[14] » jouent également un rôle significatif, établissant un rapprochement entre les espaces géographiques de la Californie, du Québec et de l'Éthiopie :

---

13. Mésavage (1988) fait une analyse intéressante de cette « forêt de signes » (p. 114) où s'avance Francœur.

14. On retrouve le vieux dattier trapu (p. 9), les séquoias millénaires (p. 18), les pins rouges (p. 107), les « orchidées sauvages » (p. 156), des « arbres plus vieux que le christianisme » (p. 163). Les eucalyptus (p. 84, 133, 146-147, 179) jouent un rôle particulier, ayant depuis toujours été le « bois fétiche » de Suzanne et de Gregory (p. 48) ; ils mettent ici en scène les plateaux éthiopiens (p. 146). Pour la symbolique de l'arbre, voir Mésavage (1988 : 52).

> [...] un prunier en fleurs annonçait la fin de l'hiver [californien] [...] Le printemps à Montréal est annoncé par les pissenlits [...] en Abyssinie par la *Maskal,* une marguerite jaune dont les filles ornaient leur front (p. 108).

Finalement, dans le bureau que l'on met à sa disposition à l'Université, celui du professeur Allan Hunger, Francœur découvre une *lettre* :

> Sur un amoncellement de paperasses plus poussiéreuses que les autres traînait une enveloppe carrée, couverte de timbres étincelants, déchirée sur l'arête, postée [...] depuis l'Éthiopie ! [...] C'était après les *chammas*, une deuxième pierre blanche ! (p. 44).

Tous les objets renvoient donc à cette Éthiopie, à ce « coin du monde » (p. 45), ce lieu privilégié des propres rêves de Francœur.

Le roman vient ainsi clore d'une certaine façon le cycle romanesque godboutien (Boivin *et al.,* 1980 : 86). *Une histoire américaine* apporte tout d'abord certaines réponses aux nombreuses questions laissées en suspens depuis *L'aquarium*. La fin de ce premier roman, par exemple, la destinée incertaine du bateau qui emporte les protagonistes – « il y aura New York, l'Amérique entière comme un tremplin, ou l'Europe » (Godbout, 1962 : 156) – est ici révélée quand Francœur remarque : « je me permis de lui raconter mon retour d'Afrique, vers l'Europe, et notre arrivée à bord du *Jean Laborde* aux quais de Marseille » (p. 136)[15]. De même en est-il des débuts de la révolution éthiopienne que l'on ne peut que supposer à la fin de *L'aquarium* et qui est ici confirmée : « L'empereur est mort, Dieu ait son âme. La révolution nous a toutes affranchies, princesses ou paysannes » (p. 132).

Cet enchevêtrement des espaces éthiopien et californien sur la scène carcérale met également au jour une autre forme de cyclicité. En

15. Ce départ vers l'Éthiopie tout d'abord, puis à nouveau le départ vers une destination incertaine, c'était selon Godbout « le départ incertain du Canada français : le tiers-monde c'était ici, et nous étions tiraillés entre les idées européennes et la technologie américaine. Le bateau part pour New York, ou peut-être est-ce vers l'Europe ? Encore aujourd'hui, je ne sais plus combien d'années plus tard, après avoir écrit ce roman, je vois que c'est la même question qui se pose encore et qui se posera pendant des siècles et des siècles, ce poids de l'Europe (l'histoire, la culture, les idéologies) d'un côté, ce poids de l'Amérique (la science, la frontière, l'espace, les techniques) de l'autre. Tout ce dont on peut être assuré, c'est qu'il s'agit d'un voyage » (Renaud, 1979 : 20).

effet, Francœur, qui avoue s'être rendu autrefois en Éthiopie « à la recherche d'une nouvelle philosophie, d'un nouveau regard... » (p. 66), répète le même comportement en Californie. La structuration totale du récit permet ainsi de lire d'intéressants parallèles. La fonction idéologique de l'espace de la Casa occidentale éthiopienne de *L'aquarium* ne présente-t-elle pas des correspondances frappantes avec cette prison californienne où est enfermé Francœur (Lintvelt et Van't Land, 1989) ? La lettre boucle définitivement « la boucle » ; c'est également une lettre qui, en 1962, incite le personnage principal à s'engager politiquement et personnellement[16].

C'est donc pris d'une « jalousie violente » à l'égard de son collègue que Francœur décide indiscrètement d'ouvrir la lettre adressée à Hunger, et dont la lecture déterminera son avenir californien. Elle le précipite en effet de mensonge en mensonge dans une action politique dont il lui faut encore trouver le « protocole d'initiation » (p. 68)[17], mais à laquelle il ne peut plus se soustraire : « du fond de son cocon il entendait lui aussi l'univers hurler [...] il voulait sortir de lui-même, se donner, se transformer » (p. 84). Il vient ainsi métaphoriquement « de traverser une sacrée rivière » (p. 67) qui le transporte des rives calmes de l'insouciante Californie paradisiaque vers d'autres rives, celles d'une Californie en déclin (Milot, 1986-1987). Francœur se trouve impliqué dans le transport d'immigrés clandestins (p. 89-91) et découvre petit à petit l'envers du décor californien qui se transforme graduellement en un monde infernal. Cet autre visage du paradis américain n'a aucun rapport avec l'image mythique que Francœur s'en était faite au départ ; il ne reste plus que le vide[18], le superficiel (p. 24) – « Tout ici a la profondeur du celluloïd » (p. 141) –, la solitude – « chacun vivait dans sa bulle » (p. 39) :

---

16. Voir Godbout (1962) ; la lettre est mentionnée pour la première fois à la page 86, puis aux pages 93-99.
17. Voir le voyage initiatique que Galarneau entreprend avec son grand-père, dans Godbout (1967).
18. Francœur en vient à conclure : « Kerouac avait raison [...] On va au bout d'un mythe, on se rend à l'extrême ouest de l'Amérique, on regarde la mer et c'est le vide, ultimement. D'ailleurs, il n'y a pas de peinture, il n'y a pas d'art sur la côte Ouest. Il faut revenir. De toute façon, les gens regardent tous vers l'est. Ils regardent tous vers New York, vers Londres ou Paris. Ils savent bien qu'ils n'ont pas de culture » (Godbout, cité dans Royer, 1987 : 219).

> Comment pouvez-vous ne pas voir qu'il n'y a ici aucune épaisseur humaine ni surtout aucune culture ? De l'agro-business, oui, du show-business, oui, des larmes et des laboratoires, mais aucun sens profond de la continuité, de l'aventure civilisatrice ! On ne recherche en Californie que le plaisir solitaire de la réussite, en affaires comme en relations humaines ! (p. 61).

On y vit dans « l'éphémère », c'est pourquoi « il est nécessaire de laisser ici et là des traces concrètes » (p. 169). La Californie est comparée à un « cirque américain » (p. 170), « *Stranger than Paradise* » (p. 68), puis à un « plateau de tournage » (p. 18) où « les habitants de ce village n'attendaient que le regard d'un producteur pour se glisser devant une caméra dans une histoire américaine » (p. 170). La violence (p. 56-57), le délire, la drogue, l'agressivité (p. 30), le viol et le meurtre, la corruption (p. 150), l'inégalité sociale (p. 104) font partie de la « folie californienne » quotidienne (p. 13, 37, 60).

La mise en scène de la confrontation entre les espaces contradictoires de l'Éthiopie et de la Californie met au jour le côté paradoxal de cette dernière. Et la critique de Francœur se fait de plus en plus violente, l'espace de l'énonciation se transformant en un véritable espace de la dénonciation. La réalisation du rêve s'avère définitivement une « Utopie » (p. 15). L'agressivité exprimée dans la dénonciation du mythe californien peut se lire comme une sorte de vengeance, de revanche à l'égard des États-Unis, due à une frustration ancienne (« Une vieille histoire de conquête » (p. 160)).

La lettre qui fait sortir Francœur de son rêve le met également en contact avec la belle Éthiopienne Terounech qui « venait à sa rencontre depuis le fond des âges » (p. 84) ; ce personnage féminin étranger (éternel compagnon du personnage principal dans les romans de Godbout[19]) constitue le symbole humain de l'investissement éthiopien de l'espace californien, le voyage qu'elle effectue reliant spatialement les deux espaces. Son arrivée (p. 127-131), présentée comme une naissance, donne à nouveau de l'espoir :

> Terounech, encore tout ensommeillée par le long trajet qui l'avait menée d'Éthiopie en Californie, s'était refusée, jusqu'à cet instant, à seulement penser à ce qui l'attendait chez Allan Hunger [...] N'avait-elle pas suffisamment servi la révolution ? Ne pouvait-on la laisser respirer ? [...] Terounech

19. Voir par exemple Andrée de *L'aquarium*, Patricia et Marilyn Monroe du *Couteau sur la table*.

> rêvait de silence et de solitude [...] Elle emprunta avec nervosité le long couloir vide qui s'offrait entre les banquettes [...] décida qu'elle traverserait le boyau reliant l'avion à la salle d'arrivée comme un nouveau-né fait son chemin dans le col de l'utérus. C'est ainsi que Gregory vit naître sous ses yeux [...] une image de force et de détresse tout à la fois : Terounech s'agitait dans une nouvelle vie (p. 130-131).

Tel le Francœur du début du roman, Terounech se croit arrivée dans un paradis ensoleillé où elle rêve de « se fondre dans la foule anonyme comme une enfant » (p. 173). Mais le vide du bonheur californien (p. 21, 28-29) n'échappe pas non plus à la jeune femme qui constate l'échec auquel Francœur et elle doivent faire face :

> Vous n'êtes pas particulièrement l'incarnation du bonheur et je ne suis pas heureuse non plus. Mais il y a pire encore : nous sommes tous deux en exil après avoir aidé une catégorie de citoyens à s'emparer du pouvoir. Nous avons participé à une transformation superficielle. Chez moi un gouvernement fort et cruel a remplacé un gouvernement faible et cruel ! La belle affaire ! (p. 163).

« Déçus » (p. 167) tous les deux, Francœur et Terounech décident d'échapper pour quelques jours au quotidien qui les opprime : « Nous voulions changer de planète. Nous avons décidé de suivre le littoral comme un fil, vers le sud » (p. 156). Ils y découvrent une nature luxuriante, la mer (p. 156-157), l'amour, le rêve. Mais là encore Francœur dénonce l'illusoire :

> Il ne faut pas confondre l'amour et la solidarité naturelle des victimes ! [...] dit-il sentencieux. Ici, sur le sable mouillé, le dos à la falaise, l'océan dans les yeux, j'aimerais croire que nous sommes les premiers êtres humains sur terre. Mais je sais que ce n'est pas vrai (p. 157).

Le voyage dans leur voiture, l'Apocalypse, qui se présente comme une fuite « descendant la côte », « sur une route en lacet » (p. 164) donne à lire l'expression spatiale d'une interrogation sur le sens de la vie. Plus la route se poursuit et plus l'espace prend des allures fantomatiques (p. 165).

La route qui les mène à Los Angeles, véritable labyrinthe de symboles, annonce une nouvelle étape de l'évolution du personnage :

> Le brouillard était si intense qu'on ne voyait plus les ponts suspendus que nous traversions. Méandres, falaises, rochers solides comme le destin nous bouchaient la vue [...] les abords de Los Angeles parurent fantomatiques, dessinés par les artistes de Disneyland, sûrement (p. 165).

L'ensemble des éléments de cette description spatiale marque la période transitoire entre deux phases d'une évolution. Les ponts invisibles indiquent les passages périlleux sur la route initiatique par-dessus l'enfer. Ils symbolisent un danger à surmonter mais aussi la nécessité d'un pas à franchir, mettant l'homme sur une voie étroite, où il rencontre inéluctablement l'obligation de choisir. Et son choix le damne ou le sauve (Mésavage, 1988 : 56). Terounech, fermement décidée malgré tout à « se tailler un morceau d'utopie dans l'album californien » (p. 183), reste dans le Sud alors que Francœur, qui ne peut plus comprendre ce qu'elle peut espérer vraiment dans ce pays, repart seul vers le Nord où il sera jeté en prison.

À la fin du roman, les charges retenues contre Francœur sont annulées ; expulsé de la Californie et interdit de séjour en terre américaine pour les cinq années à venir pour avoir transgressé les lois américaines de l'immigration, Francœur retourne au Québec, confirmant ainsi l'hypothèse de Bélanger qui déclare : « nous sommes d'étonnants nomades immobiles » (1978 : 29). Le rêve d'américanité s'évanouit pour toujours : « Alors ! [...] qu'ils me déportent et tant pis pour le bonheur ! Je n'ai pas besoin d'une enquête pour être heureux » (p. 182).

CONCLUSION

Les fonctions idéologiques du voyage et de l'écriture se rejoignent en ce point. Le genre de voyage qu'entreprend Francœur, cette quête identitaire extraterritoriale (Harel, 1989), cette oscillation entre deux pôles[20], prend souvent en littérature la signification d'une fuite, d'un rêve, d'un refuge, qu'Albert Memmi reconnaît comme une attitude typique du personnage colonisé :

> La première tentative du colonisé est de changer de condition en changeant de peau. Un modèle tentateur et tout proche

---

20. Remarque souvent reprise par la critique. Ainsi : « On voyage beaucoup dans les livres québécois [...] Pour l'écrivain québécois le voyage est l'odyssée d'un pèlerin qui s'efforce inlassablement de relier deux rives, oscillation donc entre deux pôles [...] L'écrivain québécois nous offre l'image d'un navigateur infatigable essayant sans relâche de maintenir la liaison entre deux rives éloignées [...] imaginaires entre lesquelles l'écrivain québécois (et le Québécois tout court) fait sans cesse la navette [...] L'évolution de la littérature québécoise devient une suite d'oscillations portant simultanément les écrivains vers les rives de l'exil et les ramenant vers la terre natale en un flux et reflux typiques de la situation québécoise » (Laroche, 1970 : 160-161).

> s'offre et s'impose à lui : précisément celui du colonisateur. [Le désir est si fort que] pour se libérer, du moins le croit-il, [le colonisé] accepte de se détruire (1973 : 156-158).

Francœur refuse cependant cette destruction finale et repart au Québec. Son évasion se révèle sa façon de préparer un retour en force[21]. Il revendique son appartenance continentale américaine tout en spécifiant une certaine singularité culturelle québécoise, affirmant au sujet de ses compatriotes :

> [...] ils n'ont pas besoin d'imiter bêtement ce qui se passe de l'autre côté de la frontière : ils sont américains comme d'autres ! Mais par un phénomène de compensation, de séduction, et par ignorance, les trois quarts des gens qui se comportent de cette manière sont purement ignorants de ce que c'est que d'être étatsuniens. Ils vont revenir de leur illusion et de leur ignorance. C'est une question d'étape, dans la quête de leur identité (Royer, 1987 : 219).

Réalisée ici dans un espace spatialement délimité, l'écriture traduit donc plus qu'une fuite (Houde, 1980 : 90) ou une évasion (« Écrire en prison, se demande-t-il, est-ce produire une littérature d'évasion ? » (p. 71)). Tout d'abord, la structure et la nature du lieu clos, de « l'île »[22], espace préférentiel de Godbout, est essentielle à la réalisation même de l'écriture. Dès que le personnage-narrateur godboutien entre dans son livre, « il s'isole »[23]. L'enfermement et l'écriture

---

21. Selon Harel, l'expérience californienne « ne peut être que décevante pour les personnages québécois, échec qui amorce un retour vers le Québec natal, analogue à un repli territorial. Le morcellement [spatial] est, en effet, la hantise associée à la dérive californienne, et on peut comprendre dans cette perspective l'importance accordée au thème de la reconnaissance de l'identité. Paradoxalement, la possibilité d'une identité stabilisée, au cœur de cet espace californien, n'est envisageable que pour les seuls personnages définis comme périphériques », telle Terounech (1989 : 193). À la page 199, Harel souligne d'ailleurs l'impossible cosmopolitisme.

22. Voir Royer (1976). L'île dans *L'aquarium,* c'est un appartement dans la Casa ; dans *D'Amour, P.Q.,* c'est une chambre ; dans *Le couteau sur la table,* ce sont plusieurs espaces clos, tels le wagon du train et la maison de Patricia (véritable bastion anglophone à Montréal) ; dans *Salut Galarneau !,* le personnage construit même consciemment un mur pour s'isoler du monde, etc.

23. « J'ai toujours besoin, pour écrire, que le personnage principal soit dans un endroit fermé et que de là il puisse lancer des lignes » (Marcotte, cité dans Royer, 1976 : 200). « C'est drôle : plus je travaille, plus je me retire, moins je suis capable de parler, c'est

deviennent un moyen d'investigation du réel par l'imaginaire, la satire et l'utopie (Houde, 1980 : 91). L'écriture, dont chaque mot et chaque virgule comptent, permet à Francœur de découvrir le sens[24], de faire le point sur son identité.

La configuration géographique choisie a également une autre fonction idéologique « québécoise ». Dans l'œuvre godboutienne, le Québec est souvent représenté spatialement comme un lieu clos, restreint, et ses contours prennent fréquemment la forme d'une prison, ce qui fait directement référence à la position toujours quelque peu « précaire » du Québec francophone dans l'immensité du continent américain anglophone (ces « ennemis » (p. 160)) et exprime un profond désir d'indépendance :

> L'île est un lieu qui se domine, s'habite, se construit. C'est un monde fini, complet. Et mon rêve [il s'agit ici de celui de Godbout lui-même], c'est qu'un jour le Québec puisse s'autosuffire (Royer, 1976 : 203).

La prison (avec ses grilles, ses barreaux aux fenêtres, son gardien) spatialise finalement l'« emprisonnement » de l'identité québécoise dans une pluralité de cultures. C'est cette identité fragmentée que l'on peut lire dans l'éclatement en une structure désorganisée de l'espace mis en représentation (Harel, 1989 : 162), sorte de kaléidoscope où les espaces de l'Éthiopie, de la Californie et du Québec, du Canada anglais et de la France se disputent la place. Dans chacun de ses romans, Godbout a exploité cette multiplicité identitaire, choisissant cependant chaque fois de traiter seulement un des aspects de ce multiculturalisme, réduisant le problème à une confrontation entre deux espaces[25] : le Québec et l'Éthiopie (1972), le Canada français et le Canada anglais (1965,

---

comme si [...] je ne pouvais plus vivre pour vrai » (Godbout, 1967 : 131).

24. Godbout remarque : « La fiction, à mon avis, sert à donner du sens à ce qui n'en a pas [...] La fiction me permet de comprendre en me déplaçant, de prendre mes distances avec la vie et à [*sic*] lui donner justement le côté humain, la réflexion qui me permet de mieux sentir ce qui se passe. Puis d'avoir des balises ensuite, un phare, un système de références. Et de pouvoir rêver à partir de là. » Faire un roman correspond ainsi chez Godbout au « besoin de faire le point » (Godbout, cité dans Royer, 1985 : 108).

25. « Tous mes romans sont binaires, pas bi-dimensionnels. Ils sont binaires parce que j'ai été élevé dans une pensée binaire [...] Ou bien ceci ou bien cela » (Godbout, cité dans Boivin *et al.*, 1980 : 81).

1972 et 1981) ainsi que le Québec et les États-Unis (1967 et 1976). *Une histoire américaine* ouvre enfin la voie à une nouvelle forme de maturité culturelle québécoise reflétée par une structuration multidimensionnelle : le roman prend à son compte l'espace géographique de tous les romans antérieurs[26].

Ainsi, l'espace de l'énonciation, qui de prime abord semble mettre en scène et en discours une situation de face à face entre plusieurs espaces et cultures (le Québec, l'Éthiopie et la Californie) « réfractaires à toute ouverture, à toute percée et à tout envol » (Milot, 1986-1987 : 22), ouvre donc au contraire les portes sur de nouveaux horizons et marque une nouvelle étape dans l'évolution du personnage québécois. L'espace carcéral met en scène – et en texte – une forte réaffirmation et « réappropriation d'un monde et d'une culture » (Godbout, 1962 : préface) continentale américaine et québécoise. Et, comme dans chacun des autres romans, *Une histoire américaine* se termine sur « un scénario de libération » (Houde, 1980 : 94). Le lieu clos éclate et Gregory peut se lancer dans une nouvelle utopie, celle de la « dynastie des planétaristes » (p. 183) avec Bellatchow Francœur qui s'opposera aux fins du monde préparées dans les laboratoires californiens et réalisera « la suppression des frontières » (p. 120).

---

26. Voir le passage où il est brièvement question du « territoire » dans les romans de Godbout (Houde, 1980 : 92-94).

BIBLIOGRAPHIE

BAAK, Joost VAN (1983), *The Place of Space in Narration,* Amsterdam, Rodopi.

BACHELARD, Gaston (1974), *La poétique de l'espace,* 8e éd., Paris, Les Presses universitaires de France.

BÉLANGER, Marcel (1978), « Les hantises d'une littérature », *Livres et auteurs québécois 1977,* p. 11-30.

BELLEAU, André (1984), « Conditions d'une sociocritique », dans André BELLEAU, *Le social et le littéraire,* Sillery, Les Presses de l'Université du Québec, p. 283-289.

BOIVIN, Aurélien *et al.* (1980), « Jacques Godbout ; propos », dans Aurélien BOIVIN *et al., Romanciers du Québec,* Québec, Les Publications Québec français, p. 77-89.

CHEVALIER, Jean et Alain GHEERBRANT (1982), *Dictionnaire des symboles,* Paris, Robert Laffont/Jupiter. (Coll. Bouquins.)

DUBOIS, Jacques (1973), « Surcodage et protocole de lecture dans le roman naturaliste », *Poétique,* n° 16, p. 491-498.

DUCHET, Claude (1971), « Pour une socio-critique ou variations sur un incipit », *Littérature,* n° 1, p. 5-14.

GODBOUT, Jacques (1962), *L'aquarium,* Paris, Éditions du Seuil.

GODBOUT, Jacques (1965), *Le couteau sur la table,* Paris, Éditions du Seuil.

GODBOUT, Jacques (1967), *Salut Galarneau !,* Paris, Éditions du Seuil.

GODBOUT, Jacques (1972), *D'Amour, P.Q.,* Paris et Montréal, Éditions du Seuil et HMH.

GODBOUT, Jacques (1976), *L'isle au dragon,* Paris, Éditions du Seuil.

GODBOUT, Jacques (1981), *Les têtes à Papineau,* Paris, Éditions du Seuil.

GODBOUT, Jacques (1986), *Une histoire américaine,* Paris, Éditions du Seuil.

GREIMAS, Algirdas Julien (1976), *Maupassant. La sémiotique du texte. Exercices pratiques,* Paris, Éditions du Seuil.

GUILLEMETTE, Lucie (1990), « L'espace américain dans *L'été Rebecca* de René Lapierre, *Une histoire américaine* de Jacques Godbout et *Les fous de Bassan* d'Anne Hébert : étude des mécanismes narratologiques », thèse de doctorat, Toronto, Université de Toronto.

HAREL, Simon (1989), « L'Amérique ossuaire », dans Simon HAREL, *Le voleur de parcours. Identité et cosmopolitisme dans la littérature québécoise contemporaine,* Longueuil, Éditions du Préambule, chap. V, p. 159-207. (Coll. L'Univers des discours.)

HODGSON, Richard (1989), « État présent sur l'œuvre romanesque de Jacques Godbout, 1962-1986 », *Œuvres et critiques* (*Le roman québécois contemporain (1960-1986) devant la critique*), vol. XIV, nº 1, p. 29-38.

HOUDE, Christiane (1980), « La problématique de l'écriture dans l'œuvre romanesque de Jacques Godbout », dans Aurélien BOIVIN *et al.*, *Romanciers du Québec*, Québec, Les Publications Québec français, p. 89-98.

KLINKENBERG, Jean-Marie (1987), « Altérité et narcissisme chez Jacques Godbout. À propos de *Une histoire américaine* », dans Carla FRATTA [édit.], *L'altérité dans la littérature québécoise*, Bologne, CLUEB, p. 225-272.

KWATERKO, Józef (1989), *Le roman québécois de 1960 à 1975. Idéologie et représentation littéraire*, Longueuil, Éditions du Préambule. (Coll. L'Univers des discours.)

LAROCHE, Maximilien (1970), *Le miracle et la métamorphose. Essai sur les littératures du Québec et d'Haïti*, Montréal, Le Jour.

LAROCHE, Maximilien (1973), « Sentiment de l'espace et image du temps chez quelques écrivains québécois », *Voix et images du pays*, vol. VIII, p. 167-182.

LAROCHE, Maximilien (1976), « Le colonialisme dans les littératures du Québec et d'Haïti », *Revue de l'Université laurentienne*, vol. IX, nº 1 (novembre), p. 57-71.

LINTVELT, Jaap et Hilligje VAN'T LAND (1989), « Espace et identité culturelle dans *L'aquarium* de Jacques Godbout », dans Árpád VIGH [édit.], *L'identité culturelle dans la littérature française*, Actes du colloque de Pécs (24-28 avril 1989), Paris et Pécs, Agence de coopération culturelle et technique et Les Presses de l'Université de Pécs, p. 281-289.

LOTMAN, Iouri (1973), « Le problème de l'espace artistique », dans Iouri LOTMAN, *La structure du texte artistique*, Paris, Gallimard, p. 309-329.

MAILHOT, Laurent (1989), « *Volkswagen Blues*, de Jacques Poulin, et autres « histoires américaines » du Québec », *Œuvres et critiques (Le roman québécois contemporain (1960-1986) devant la critique)*, vol. XIV, nº 1, p. 19-28.

MATORÉ, Georges (1962), *L'espace humain. L'expression de l'espace dans la vie, la pensée et l'art contemporains*, Paris, La Colombe.

MEMMI, Albert (1973), *Portrait du colonisé*, précédé du *Portrait du colonisateur*, Paris, Payot (Coll. Petite Bibliothèque Payot, nº 212.)

MÉSAVAGE, Ruth M. (1988), « Une descente aux enfers : la dimension mythique d'*Une histoire américaine* de Jacques Godbout », *The American Review of Canadian Studies*, vol. XVIII, nº 1 (printemps), p. 51-59.

MILOT, Louise (1986-1987), « Le second déclin de l'empire américain », *Lettres québécoises*, nº 44 (hiver), p. 22-25.

PELLETIER, Jacques (1984), *Lecture politique du roman québécois contemporain : essais,* Montréal, Université du Québec à Montréal. (Coll. Les Cahiers du Département d'études littéraires, n° 1.)

RENAUD, André (1979), « Jacques Godbout romancier : le voyage, le dragon et l'Amérique », *Voix et images,* vol. V, n° 1, p. 5-32.

ROBERT, Lucie (1988), « Sociocritique et modernité au Québec », *Études françaises,* vol. XXIII, n° 3 (hiver), p. 31-41.

ROUSSEAU, Guildo (1981), *L'image des États-Unis dans la littérature québécoise (1775-1930),* Sherbrooke, Naaman.

ROUSSET, Jean (1962), « Les fenêtres et la vue plongeante », dans Jean ROUSSET, *Forme et signification. Essais sur les structures littéraires de Corneille à Claudel,* Paris, Corti, p. 123-134.

ROYER, Jean (1976), « Jacques Godbout. Donner un sens au pays », dans Jean ROYER, *Pays intimes. Entretiens 1966-1976,* Montréal, Leméac, p. 198-205.

ROYER, Jean (1985), « Le Québécois et son double », dans Jean ROYER, *Écrivains contemporains. Entretiens 3, 1980-1983,* Montréal, Éditions de l'Hexagone, p. 105-110.

ROYER, Jean (1987), « Tenir notre place en Amérique », dans Jean ROYER, *Écrivains contemporains. Entretiens 4, 1981-1986,* Montréal, Éditions de l'Hexagone, p. 214-220.

STEIGER, Arlène (1977), « Le roman québécois : considérations sociologiques », *Possibles,* vol. II, n° 1 (automne), p. 81-102.

TÉTU, Michel (1971), « Jacques Godbout ou l'expression québécoise de l'américanité », *Livres et auteurs québécois 1970,* p. 270-279.

WEISGERBER, Jean (1971), « Notes sur la représentation de l'espace dans le roman contemporain », *Revue de l'Université de Bruxelles,* nos 2-3, p. 149-165.

WEISGERBER, Jean (1978), *L'espace romanesque,* Lausanne, L'Âge d'homme.

WEISS, Jonathan M. (1985-1986), « Une lecture américaine de *Volkswagen Blues* », *Études françaises,* vol. XXI, n° 3, p. 89-97.

ZIMA, Pierre V. (1985), *Manuel de sociocritique,* Paris, Picard.

Le non-dit idéologique :
La commensale de Gérard Bessette

Józef KWATERKO
Université de Varsovie

Depuis une vingtaine d'années, la réflexion sociocritique sur les rapports entre le roman et l'idéologie se concentre autant sur les marques proprement textuelles de l'encodage idéologique (aux niveaux lexical, rhétorique, narratif, thématique) que sur certains signaux métatextuels – tels que le titre, la préface, l'exergue ou l'incipit – par lesquels l'institution littéraire et ses normes situent un texte et l'instituent en fonction d'un système régulateur plus ou moins contraignant. L'inscription dans le roman des éléments signalétiques de sa propre position idéologique de même que les traces d'un discours « préromanesque » dans l'espace fictionnel ont le plus souvent un caractère diffus et dispersé, produit par l'esthétisation de ce qui, dans l'espace socioculturel et dans l'espace mental de l'écrivain, voudrait souvent être cohérent, rationnel ou naturel, relevant d'un savoir ou d'un ordre de valeurs visant à l'objectivité.

Ce caractère indiciel de l'investissement idéologique de l'écriture, les déplacements du sens dans le texte de ce qui est véhiculé comme présupposé dans le texte social posent le problème du déchiffrement des programmes, mais aussi des gommages, des censures ou des distorsions à travers lesquelles un roman raconte l'idéologie et par lesquelles une idéologie se raconte dans un roman. Le concept de non-dit du texte, qui a fécondé la lecture idéologique du roman, possède à cet égard une valeur opératoire confirmée (depuis les travaux de Pierre Macherey, Charles Grivel, Jacques Leenhardt, F. Gaillard, Jacques Dubois, Claude Duchet, Henri Mitterand). Il permet de saisir un « déjà-dit » exhibé ailleurs, par rapport auquel le discours du roman se définit comme forme spécifique de la mise en discours de l'idéologie et révèle, à même ses ruses énonciatives, les conditions de sa production, de sa lisibilité et de sa réception.

Le non-dit idéologique, défini sur fond d'un dit qui signale la présence d'un inconscient social (Dubois, 1978 : 65 ; Duchet, 1979 : 4) à l'intérieur des contenus, des représentations et des mécanismes discursifs, postule l'autofiguration de son propre statut et de son propre fonctionnement au niveau textuel. Cependant, son repérage comme « murmure » idéologique plus ou moins identifiable avec les pratiques idéologiques extratextuelles, historiquement situées, pose une série de problèmes d'ordre méthodologique.

Les interrogations actuelles de la sociocritique concernent d'abord le niveau d'organisation sémiotique qui doit être privilégié dans l'analyse. Plusieurs travaux, notamment ceux de Mitterand, de Duchet et de Dubois, s'accommodent d'une analyse au niveau d'une structure locale pertinente où transparaissent des cohérences ou des discordances marquées par des oppositions culturelles signifiantes auxquelles se heurte le projet romanesque. L'interprétation s'intéresse alors en particulier aux lexiques, aux phraséologies, aux tropes ou aux éléments et événements référentiels, dont l'excès ou le défaut est susceptible de filtrer un programme idéologique assignable à la position de l'auteur dans le champ institutionnel et aux conditions de production romanesque. Certains aspects isolés apparaissent ici comme plus lisibles que d'autres : un « vocabulaire » à forte charge sociolectale, un thème général générateur d'une isotopie thématique, un objet dont la valeur sociale ou éthique métaphorise les relations entre les personnages – tous ces « cas de figure » peuvent devenir analyseurs ou indicateurs de l'idéologique et de la situation d'énonciation du romancier.

D'autres recherches sociocritiques qui récusent ces objectifs limités préfèrent débusquer le vouloir-dire idéologique en se référant à des structures et à des modalités énonciatives globales (narrative, descriptive, argumentative) qui véhiculent les normes, les règles, les valeurs éthiques et les archives d'une société. Ainsi, Philippe Hamon, dans *Texte et idéologie* (1984), préconise une sociopoétique générale du texte narratif ou, plus précisément, une sémiotique qui s'intéresse de façon méthodique et quasi exhaustive à tout ce qui est révélateur du savoir inscrit dans un texte. La lisibilité de ce savoir ouvre à une compétition des compétences normatives et évaluatives entre le narrateur (ou le personnage-narrateur) et le lecteur, interpellé comme narrataire. Partant du postulat que l'absence « est, souvent, un effet comme un autre, un procédé construit tout autant que subi, qu'elle relève d'une maîtrise tout autant que d'une méprise » (1984 : 16), Hamon propose d'étudier non pas l'idéologie (notion trop « massive » ou trop floue selon ses différentes acceptions), mais l'*effet-idéologique* comme « construction et mise en scène stylistique d'*appareils normatifs* textuels incorporés à l'énoncé » (1984 : 20, 105-109). Le personnage, comme « sujet » sémiotique et foyer axiologique (« carrefour normatif »), devient ici le point central d'affleurement ou d'intrusion de l'effet-idéologique dans un texte.

La question de la localisation des normes et celle du degré de saturation idéologique rejoignent les interrogations sur le positionnement du roman par rapport au réseau discursif extralittéraire. Les contraintes qui accompagnent la saisie et les définitions de l'idéologie s'avèrent en l'occurrence incontournables : se rapporte-t-elle aux mythes collectifs, aux croyances, aux visions du monde qui expriment les intérêts d'un groupe particulier, ou plutôt désigne-t-elle une doctrine, l'idée dominante d'une classe (idéologie paysanne, ouvrière) ? Ou encore « la totalité du discours de la société sur elle-même » à une époque donnée[1] ? D'autres hésitations participent de la disparité des textes examinés (même si la préférence est donnée à la production du XIXe siècle), d'autant que l'on cherche à déceler les différentes « solutions » imaginaires aux conflits sociaux réels. Vu dans cette perspective, le roman peut soit produire ou reproduire l'idéologie dont il relève, soit dénoncer, railler ou démystifier un discours « faux » ou « réactionnaire » au nom d'une autre idéologie plus ou moins identifiable avec la position du romancier ; ou encore tel roman peut produire des représentations piégées et contrecarrer le projet idéologique qui le sous-tend. Il arrive également, à force d'interpréter le statut idéologique du roman selon son unique rapport de conformité ou de rupture avec un discours hégémonique, que l'on réduise les ambivalences et la valeur polysémique d'une représentation du social à des effets de sens unidimensionnels et que l'on voie le texte comme simple dépositaire d'une idéologie. Jacques Dubois met en garde contre ce type de réduction méthodologique lorsqu'il observe la complexité des rapports entre l'idéologie et son inscription textuelle :

> Le fonctionnement [idéologique] des textes [...] ne se résorbe pas dans une fonction univoque : [...] en tant qu'elle est un lieu où les luttes idéologiques se cristallisent et prennent forme, la littérature manifeste tout ce qui fait le caractère partiel, mouvant et contradictoire de ces luttes (1978 : 73).

---

1. Voir Angenot (1989 : 98) ; pour la discussion de diverses acceptions de la notion, voir les pages 96-101.

Cet aspect dysfonctionnel, instable et dynamique de la figurabilité idéologique du roman semble remarquable pour une partie de la production romanesque au Québec après 1960 et cela, surtout, durant les années 1960 qui constituent un « arrière texte » et une scène où la crise des valeurs collectives, politiques et socioculturelles se joue sur fond des grands schèmes transformateurs de la Révolution tranquille. À cet égard, deux aspects au moins doivent retenir notre attention lorsqu'on examine les rapports entre le roman et l'idéologie pendant cette période des mutations à l'ordre esthétique du récit narratif au Québec.

Premièrement, on note l'apparition d'un certain écart entre, d'une part, la totalisation du discours institutionnel autour de l'idée d'une littérature québécoise surdéterminée par la problématique de l'affirmation identitaire collective et, d'autre part, un bon nombre de romans qui, par le déplacement de ce discours dans l'ordre fictionnel et par des procédés de distanciation, vont produire, sinon son renversement parodique ou critique, du moins son décentrage et sa fragmentation. La modernisation des techniques et des structures narratives va ainsi inéluctablement entraîner une pluralité discursive, irréductible à la totalisation de la représentation du social (comme on peut l'observer dans les romans d'Aquin, de Ducharme ou de Godbout).

Un deuxième phénomène, corollaire du premier, concerne la situation métadiscursive et autoréférentielle du texte qui modifie le code romanesque par rapport à des formes traditionnelles. On pourra admettre à cet égard que le récit en train de se faire – de s'écrire ou de se raconter – va opérer des clivages entre, d'une part, une relative cohérence telle qu'elle est visée par une représentation hantée par le vraisemblable et par une motivation réaliste et, d'autre part, la représentation du sujet comme figure auctorielle exhibant le montage du récit, sa réalisation textuelle, et signalant de façon symptomale les conditions socio-idéologiques auxquelles le projet romanesque reste objectivement confronté.

Je me propose d'éclairer sommairement certains effets de l'investissement idéologique du texte, qui laissent pointer ces conditions comme préalables à la construction (l'« invention ») du récit, à partir de *La commensale* de Gérard Bessette, roman écrit à l'orée des années 1960 et publié seulement en 1975.

Il nous faut au préalable interroger ce retard d'environ quinze ans que Bessette signale dans un bref avertissement qui précède l'ensemble du récit sans toutefois l'assigner à une cause précise :

> Le roman qu'on va lire n'est pas une œuvre récente. Elle remonte aux débuts de la Révolution tranquille. Quand sonnera pour moi l'heure des mémoires, je tenterai peut-être d'expliquer pourquoi, après avoir poli et repoli *La commensale* avec acharnement, j'ai décidé de la laisser refroidir au moment où (si j'ai bonne souvenance) j'entreprenais la future *Incubation*.
>
> C'est grâce aux bons soins de Réjean Robidoux, qui a eu la patience de scruter le texte et d'en souder les différentes versions, que *La commensale* voit aujourd'hui le jour (1975 : 7).

On conviendra que par leur seul contenu explicite ces informations préliminaires apportent peu de chose : elles situent l'écriture du roman tout en annonçant un ultime éclaircissement quant aux résistances de l'écrivain à publier son roman. On voit cependant curieusement que Bessette exhibe tout en le dissimulant un censurable qui perdure. Car, en affichant les signes d'une insatisfaction personnelle, d'une lassitude presque, son aveu laisse pointer en filigrane l'existence de quelque contrariété ou contrainte sur le plan proprement esthétique (après un travail « acharné » sur le texte, sa mise en forme définitive est confiée à un autre, spécialiste du « littéraire »). On peut ouvrir ici une parenthèse pour noter que dans *Mes romans et moi,* paru en 1979, Bessette va effectivement attribuer sa décision de retarder la publication du roman à des raisons strictement esthétiques, à savoir un trop grand degré de ressemblance avec l'univers de son roman précédent, *Le libraire,* ainsi que l'insertion trop brutale d'un monologue intérieur rétrospectif dans un programme narratif qui se prête mal à l'introspection (1979 : 74-75, 101).

Or, on peut également supposer que ce bref avertissement recèle un autre censurable qui relèverait davantage de la présence dans le roman de certains signes tant idéologiques qu'esthétiques, mais à travers lesquels se manifeste la position de Bessette au regard de l'institution littéraire au moment où il écrit *La commensale.* Car ce qui renvoie ici le lecteur à un « plus tard » énigmatique le rapporte du même coup à un « avant ». Aussi, par cette allusion fugace à la Révolution tranquille comme cadre de référence idéologique de la pratique littéraire, l'aveu préliminaire de l'auteur vient-il implicitement orienter son propre questionnement. En particulier, il invite à la reconstruction dans le texte ou dans le sous-texte du roman de certains interdits qui pouvaient être à l'origine de l'empêchement de Bessette à publier son roman. De surcroît, l'autocensure que s'impose le romancier mérite d'autant plus l'attention qu'elle se manifeste à une période où il reçoit une forte consécration institutionnelle : *Le libraire,* publié en 1960 à Paris et à Montréal, obtient le Prix du Grand Jury des lettres en 1961 et *L'incubation* (1965), qui marque l'arrêt du travail du romancier sur *La commensale,* est couronnée en 1965 par le Prix du Gouverneur général. J'aborderai ici succinctement, à travers quelques aspects limités, la question de la lisibilité idéologique de *La commensale* dans l'hypothèse que certains implicites perceptibles en creux du discours paratextuel peuvent être soumis à un travail et à une figuration proprement textuels.

Une observation préliminaire concernant l'intertexte bessettien aidera à mieux poser le problème. Dans les romans qui précèdent l'écriture de *La commensale,* notamment dans *La bagarre* (1958) et dans *Les pédagogues* (1961), on pouvait voir comment la répartition des niveaux de langues et des sociolectes parmi les personnages construisait un fond dialogique où se manifestaient des tensions entre différents milieux socioprofessionnels, définis par leurs intérêts et par leurs idéologies de groupe particuliers. Dans *Le libraire* également, quoique la perspective narrative change, l'intégration des discours sociaux dans le journal de Jodoin, rédigé en discours rapporté, avait une fonction critique nettement motivée : dénuder, par le recours à la distanciation ironique, le caractère usurpateur, oppressif et rétrograde du discours clérical ainsi que la nature hypocrite d'un certain idéalisme petit-bourgeois.

Dans *La commensale,* la visée est apparemment la même. D'une part, la position idéologique du personnage-narrateur (qui assume la fonction de l'écrivain fictif du récit) à l'égard des personnes et des objets renvoie à une vision du monde fondée sur une critique acerbe et cynique des valeurs sociales et morales. D'autre part, au niveau de la représentation discursive du social, il s'agit de railler, au moyen de l'ironie citationnelle ou non citationnelle, les clichés, les discours figés et les idées reçues (les sociolectes du petit patronat et des employés de banque, la parole cléricale, le joual des policiers, la parlure populaire des ivrognes et des personnages socialement déclassés).

Or, si les moyens et les effets propres au discours rapporté semblent être ici analogues à ceux que l'on rencontre dans *Le libraire,* et s'ils peuvent produire occasionnellement des situations grotesques semblables au niveau de l'anecdote, une différence importante subsiste quant à leur statut et à leur lisibilité dans le texte. Car, dans *La commensale,* cette hétéroglossie de la société textuelle apparaît comme peu consistante et s'affirme du même coup et à tout moment comme fausse et tournée contre tout principe de vraisemblance. Cet effet de lecture, qui produit un effet de sens idéologiquement chargé, semble essentiellement reposer sur une conception du langage à travers laquelle cette société est saisie et figurée. Il s'agit d'une présence pléthorique et ostentatoire dans le texte des lexies et des phraséologies propres aux divers registres du français métropolitain : argotique, dialectal, familier, populaire. Le réseau lexical et idiomatique du roman en est submergé au point que certains de ces mots et de ces locutions s'accumulent dans l'espace d'une même page comme synonymes. Quelques exemples qui apparaissent de façon récurrente marquent bien cette contamination : gosses, lippe, trogne, flic, flicard, frocard, bernique, gnole, grigou, gringalet, zigue, zigotos, se marrer, se dépiauter, poireauter, se la boucher, être rond comme un boudin, foutre le camp, foutre un gnon sur le museau.

Ajoutons aussitôt que ce champ verbal n'est pas réservé au narrateur. Il ne sert donc pas à créer un écart entre un narrateur-acteur cherchant par l'intonation d'une invective ou d'un ressentiment social à se démarquer stylistiquement des personnages qu'il observe, sur lesquels il glose ou auxquels il doit souvent directement faire face. Pour le faire, Jérôme Chayer use plutôt des tournures recherchées et des termes savants ou pseudo-scientifiques – en somme de tout son « déjà-lu » lexicologique, « Littré, Larousse, Dauzat et compagnie » (p. 77)[2] – qu'il transcrit dans son « cahier de vocabulaire » depuis « trente-deux ans et quatre moi » (p. 33), comme il le dit. Si déviance il y a, elle touche plusieurs locuteurs du récit qui sont tous des Canadiens français, situés dans un cadre spatio-temporel référentiel concret : à Montréal avec sa rue Saint-Denis, avec l'observatoire du Dominion, avec ses « commissions des liqueurs » de l'époque de Duplessis. Partant, à cause de ces multiples déplacements des signes de la langue parlée dans le récit de leur signifié social, les personnages et le narrateur de *La commensale,* tout en étant marqués par cette singularité expressive, semblent demeurer en constant déphasage avec leur environnement sociolinguistique (le milieu québécois francophone de Montréal des années 1950). Ce conflit de codes au niveau lexical et, au sens large, au niveau culturel est doublé parfois d'une stylisation assez factice qui installe les personnages dans une hybridation artificielle et bouffonne :

> – Sarpent, Jérôme ! [...] Quand je t'ai vu jaspiner avec la vache, je me suis dit : « Ça y est, c'est la tôle ! ». D'autant que la vache, elle, avait le pétard dans la pince. Comment tu t'en es tiré, sarpent ? (p. 115).

2. Les pages indiquées entre parenthèses renvoient à Bessette (1975).

De surcroît, il est très rare qu'un personnage-parleur du récit utilise le joual ou les anglicismes pouvant l'authentifier dans la fiction. Dans ce cas encore, les mots anglais restent marqués par des guillemets et de l'italique ou bien tel personnage, socialement typé (le policier, l'ivrogne), se voit défiguré par une diglossie peu consistante à cause des clivages phonétiques pour le moins problématiques : « eh ben, j'ai vot' numéro, *watch out*[3]. On va se revoère » (p. 115), suivi de « Je vous ai dit que j'avais votre numéro. Voyons voir » (p. 141). Par ailleurs, un examen du répertoire lexical et des registres stylistiques du texte permettrait de constater que leur distribution parmi les personnages ne connote aucune socialité particulière. Tout se passe effectivement comme si ce brassage de l'argot français, du français parlé (populaire, trivial, familier) et de rares effets de parler propre au contexte linguistique québécois tendait à réduire les locuteurs du roman à une équivalence qui perturbe les distinctions, les polarisations ou les oppositions socioculturelles que le récit s'efforce pourtant de signaler sur le plan diégétique. Il en ressort que toutes ces incongruités lexicales et phraséologiques dues au brouillage des codes de médiation acquièrent un statut textuel ambigu et peuvent se donner, à même leur caractère récurrentiel, réversible et alternatif, pour des signifiants strictement textuels. Or, il est important de relever que l'irruption fréquente dans l'énoncé des personnages de tous ces éléments « impurs » et fantaisistes reste constamment cautionnée par des générateurs de la vraisemblance de l'énonciation (« sincérité », « spontanéité » du ton de l'aveu imprimé aux « mémoires » de Chayer qu'il est en train d'écrire) ainsi que par des catégories indispensables à l'illusion romanesque (personnages, lieu, action).

À cet égard, l'incipit de *La commensale* opère une conquête de force et instaure un pacte de lecture délibérément truqué où les incompatibilités entre les codes lexicaux et stylistiques se verront d'emblée légitimées et cautionnées par un effet de réel d'ouverture :

> Paolo m'a dit :
>
> – Je fiche le camp. Nous sortions du bureau comme d'ordinaire à cinq heures, et il m'a dit comme ça : « Je fiche le camp ». Il avait l'œil venimeux, la lèvre amère. Tout d'abord, je n'ai pas compris. Ça ne m'a pas dérangé. Il a l'habitude de parler par énigmes [...] Il a la voix traînante, le masque léthargique. Quand il parle, c'est beaucoup plus par besoin d'exercer ses cordes vocales que d'exprimer des pensées. Paolo peut avoir

---

3. En italique dans le texte.

> ses défauts – qui n'en a pas ? – mais ce n'est pas un penseur. Nous nous entendons très bien [...] Il a ajouté tout de suite :
>
> – J'en ai assez de cette boîte.
>
> La boîte, c'était le bureau, naturellement. J'ai compris qu'il s'en allait. En un sens, ça m'emmerdait. Je me suis dit qu'il me faudrait trouver un autre commensal pour le déjeuner (p. 9).

Ainsi, lorsque Paolo, l'employé de la Plumbing Supply Company, dit dès son apparition « Je fiche le camp » et ajoute « J'en ai assez de cette boîte », dans l'intervalle entre les deux phrases le narrateur évalue ironiquement le langage de son compagnon de travail comme incohérent du point de vue strictement sémantique : vidé de la pensée, hors contexte, elliptique et compromis par le corps qui le parle. Et l'on conçoit bien qu'en tant que stratégie citationnelle l'ironie a ici pour cible l'infériorité expressive et intellectuelle de Paolo. Elle ne parvient donc pas à accentuer l'altérité culturelle et linguistique entre les deux contextes locutifs (le français métropolitain par rapport au parler québécois). D'abord, parce que les deux phrases rapportées relèvent du même registre que le discours rapportant du narrateur (« En un sens, ça m'emmerdait »). Ensuite, parce qu'on retrouvera à maintes reprises dans la bouche de ce dernier le même lexique dont il se servira comme du sien propre dans son discours indirect (par exemple le mot « la boîte ») et dans des situations qui n'impliquent pas l'usage de l'ironie. En sorte que, dès l'incipit, les éléments du français populaire, en tant que manifestation d'un code inadéquat au contexte langagier québécois et plaqué habilement sur l'écriture, verront limiter leur signifiance au rôle qu'ils jouent dans la fiction. Mis en représentation, dès la première page, ils peuvent ruser avec le vocabulaire par lequel le personnage est cité à comparaître dans la mesure où la figuration du corps grotesque et la distanciation ironique restent nécessaires à la démarche mimétique ; il y va de la construction d'un personnage engagé par sa parole dans une fiction en tant que sujet linguistique et sujet textuel. Autrement dit, Paolo apparaît d'emblée comme un individu grotesque et ambivalent non pas tant parce qu'il s'exprime plutôt comme un Français que comme un Canadien français du milieu populaire montréalais, mais parce qu'il s'exprime de façon confuse.

Or, aussitôt que l'on passe de l'incipit à l'ensemble textuel, ce même personnage réapparaîtra singularisé par le vêtement et le corps comme signes de sa condition modeste – « bonnet de poil », « paletot élimé », « longues incisives cariées » (p. 29) – et par les marques du parler québécois – « viens t'en donc avec moi ! » (p. 12), « À cette heure, parlons de choses sérieuses » (p. 31), « Coute donc », « peut-être ben » (p. 119). En même temps, il est frappant de voir que cette parole, employée en discours direct pour authentifier le personnage, sera systématiquement faussée et stylistiquement « retouchée » par sa reconstruction en discours indirect : « Paolo en a de nouveau convenu de bonne grâce, puis il a déclaré que notre discussion lui avait rendu le gosier sec comme un rond de poêle. Avais-je point de gnole dans ma piaule ? » (p. 117).

Dès lors, on peut affirmer que cette rupture de codes comme effet d'un processus d'esthétisation « en excès » souffre d'une ambiguïté fondamentale quant à la lisibilité de l'idéologie de *La commensale*. En effet, la présence constante de cette ambivalence linguistique par laquelle le social est médiatisé peut conduire à une double perception du travail de l'idéologie dans le texte.

À un premier niveau de lecture, ce type de « jeu » esthétique avec les deux codes semblerait participer d'un projet mentalement défini et programmé en quelque sorte par Bessette, fidèle à son image de romancier réaliste et critique. Ainsi, si l'on tient compte de la motivation réaliste et de la structure discursive qui la sous-tend, c'est-à-dire le discours indirect et la distanciation ironique du narrateur *dans* et *de* la parole des personnages, l'intention d'amalgamer les registres relevant des aires culturelles différentes dans une sorte de polyphonie axiologique ne peut que renvoyer le social à quelque marginalité, à une représentation dénaturée. Dès lors, les personnages de Canadiens français, dépourvus de leur subjectivité sociolinguistique et « littérarisés » par la citation directe ou indirecte, apparaîtront comme caricaturés, comiques et grotesques. En sorte que, par cette tendance visible au nivellement des réalités linguistiques relativement hétérogènes et par la théâtralisation des rôles qu'elle postule, l'ouvrage *La commensale* semble être traversé de l'amont en aval par une négativité intentionnelle, lisible comme critique amusée ou cynique d'une société figée dans un langage désordonné et fantasque. La causticité désabusée de Jérôme Chayer, narrateur-écrivain, mais aussi spécialiste des mots et connaisseur des usages corrects de la langue, traduit cette visée on ne peut plus clairement : « car nous avons, nous du Québec, le précieux avantage de bafouiller presque aussi inintelligiblement à jeun qu'en goguette » (p. 146).

Or, une autre lecture est possible. Elle serait autorisée davantage au niveau du métatexte évaluatif qui prend la forme d'un métadiscours, si l'on perçoit l'absence du réalisme stylistique comme participant d'un non-dit idéologique ou plutôt d'une *idée* de l'auteur qui régit et

« surlittéralise » la structure énonciative du roman. Celle notamment qui met au premier plan un « je » narratif jouant sa différence sur fond d'une indifférenciation stylistique accusée à dessein à l'intérieur du tissu romanesque. Il s'agit bien là d'un métadiscours qui influe par son excès et sa prolifération sur le discours direct des personnages et le discours indirect du narrateur, le registre de la langue parlée et le registre de la langue littéraire. Ainsi, à cause de cette manipulation avec les segments du code lexical et stylistique franco-métropolitain, les personnages de *La commensale* sont placés d'emblée dans un espace du non-être : dans une anomie collective où ils apparaissent comme « déréalisés », en perte de tout principe d'identité, assimilables non pas à une réalité sociolinguistique identifiable (même dégradée), mais au produit de l'auteur, un texte. En dernier ressort, ce métadiscours, qui finit par homogénéiser les disparités socioculturelles réellement existantes, se mue en signifiant d'un signifié, déplace le sens et laisse voir, en creux de son montage, un effet idéologique ressortissant à la nature réactionnaire du phénomène d'esthétisation.

Cet effet réversible, aussi transparent qu'opaque, a partie liée avec la subjectivité auctoriale telle qu'elle se manifeste à travers la pratique d'écriture. À cet égard, Jean Fisette parle de la pratique fantasmatique observable au niveau descriptif du roman et due à un narcissisme fondé sur l'arithmomanie. Selon cette interprétation, une telle tendance à figer le réel par sa représentation chiffrée transforme le roman de Bessette en un « flux textuel » autonome et indépendant de l'activité scripturale du sujet (Fisette, 1976 : 333). Par voie d'analogie, on pourrait mettre en rapport ce retour idéologique qui transparaît de façon assez perverse derrière ce que l'on pourra nommer « pratique de l'excès » (la disparate lexicale et stylistique) avec certaines implications ou certains interdits d'ordre esthétique et culturel observables au niveau du hors-texte. Cela nous ramène à l'espace des rapports ambigus qui se trament entre le texte et le champ littéraire québécois de la Révolution tranquille dans lequel Bessette cherche à se trouver un créneau en vertu de son travail sur la langue d'écriture et de son propre capital symbolique.

Il faut ici tenir compte de la situation d'énonciation de l'écrivain au moment où il écrit son roman et dont il parle de façon biaisée dans son avertissement au lecteur. Il s'agit précisément des années 1960-1965, celles mêmes qui séparent la parution du *Libraire* et de *L'incubation*, mais qui correspondent à la période charnière dans l'évolution formelle des romans de Bessette, où la recherche de nouveaux modèles romanesques tend à transgresser la convention réaliste qui définissait jusque-là son écriture. En effet, pour donner à *La commensale* un meilleur statut esthétique, Bessette va emprunter au nouveau roman français, en particulier à *La jalousie* de Robbe-Grillet (Robidoux, 1987 : 159), certains procédés dont les marques textuelles sont par trop visibles : la reproduction d'un sociolecte scientifique, le recours au vocabulaire de la géométrie analytique pour le cadrage du corps humain, l'irruption d'un monologue intérieur à l'intérieur d'une narration gouvernée par l'enchaînement logique et chronologique des faits. Greffée sur le fond vériste et réaliste d'un récit en somme traditionnel, cette esthétique de l'emprunt libre peut permettre de mieux comprendre la fonction instrumentale de plusieurs « exercices de style » à effet idéologique.

On peut affirmer que ces procédés d'imitation stylistique répondent à une attitude analogue, celle d'un déconstructeur normatif, et que l'incorporation d'un matériau « étrange » à un matériau familier traduise une idée-programme esthétique qui ignore ses présupposés idéologiques. Dans cette perspective, il est important d'examiner à quel point la conscience créatrice de Bessette est travaillée à l'époque par une perception critique de la situation du roman québécois. Interrogé sur cette question en 1963, Bessette va donner clairement à entendre que la contrainte majeure pour l'écrivain canadien-français se situe au niveau linguistique à cause de la restriction territoriale de l'usage du français comme langue d'écriture. Or, il nous paraît bien significatif que, pour y remédier, il proposera un subterfuge qui semble à l'origine de l'effet-idéologique que nous voyons surgir dans *La commensale* :

> La forme de notre roman, tout comme son fond, retarde sur celle du roman français [...] Jouirons-nous jamais, nous romanciers canadiens-français, de la même indépendance, du même sentiment de force linguistiques ? Il me semble que non. Que nous faudrait-il en effet ? – Rien de moins qu'une population, qu'une influence politique, culturelle et militaire comparables à celles de la France [...] Jusque-là, nous ne pouvons pas (nous ne pouvons pas même souhaiter) laisser évoluer notre langue « naturellement ». Car ce serait vouloir remplacer une langue « universelle » par un dialecte.
>
> Qu'est-ce à dire ? Devons-nous, pessimistes et résignés, nous croiser les bras et « laisser faire » ? – Que non. Il nous faut essayer d'orienter vers la technique et vers la structure l'originalité qui nous est interdite – ou à peu près : à l'exception du dialogue et du discours indirect – dans le domaine de la langue.
>
> Il est compréhensible toutefois que, « en attendant », nous souffrions d'un complexe, d'une fixation linguistique et

> stylistique. Les règles d'usage que la France nous « impose » – sans y penser, bien sûr – nous incitent, nous sollicitent à considérer la chose linguistique, au moins partiellement, comme une collection d'interdits, de tabous souvent judicieux mais quelquefois aussi « injustes ». Il n'est pas facile de « faire du shopping » au lieu de *magasiner*, de troquer un *vivoir* contre un « living room », de « faire de l'auto-stop » plutôt que de *voyager sur le pouce*. Ni même, si on sacre à la canadienne, d'*être en maudit* sans, *nolens volens*, se montrer impertinent à l'égard des Quarante Immortels (Bessette, 1977 : 375-376)[4].

Il semble en effet que *La commensale* corresponde en tant que réalisation textuelle à cette entreprise d'émancipation à l'égard de la désaffection déplorée ici. On peut certes reconnaître que, dans ce récit programmatique, la réappropriation cathartique du lexique et des idiomes de l'*autre* soit justiciable d'une volonté de doter les personnages d'un effet de parler plus souple, porteur de quelques motifs agressifs ou fantasmatiques (du répertoire érotique, en particulier). Mais en retour, les personnages en tant que supports de l'illusion référentielle et de la mimésis de la représentation s'abolissent derrière la démarche mimique de l'écriture dont l'arbitraire reste déguisé en nécessité esthétique. En sorte que la négativité idéologique qui résulte de ce programme esthétique détruit systématiquement la négativité effective de la fiction : celle qui est fondée sur une critique acerbe du social et marquée par des conflits qui opposent l'individu à son milieu socioprofessionnel concret. En ce sens également, ces rapports de forces qui s'articulent à travers l'énonciation personnalisée et socialement typée des personnages de petits employés canadiens-français se donnent à lire comme des conflits de façade qui font craquer le vraisemblable romanesque.

Il n'en reste pas moins qu'en revendiquant une plus grande liberté expressive pour l'écrivain canadien-français, Bessette semble vouloir, par un tour de force, s'inscrire dans cette grande entreprise littéraire, institutionnellement sanctionnée pendant les années de la Révolution tranquille, qu'il est convenu d'appeler la « prise de la parole ». S'il y parvient avec *La commensale* en choisissant la provocation par ce geste musclé du non-conformisme langagier, il reste obligé de pratiquer la ruse. Or, de cette mystification habile, l'idéologisation du roman ne peut que tirer la transparence de ses effets.

---

4. En italique dans le texte.

BIBLIOGRAPHIE

AMPRIMOZ, Alexandre (1976), « Quelques notes sur le roman québécois contemporain », *Présence francophone*, nº 13 (automne), p. 73-81.

ANGENOT, Marc (1989), *1989 : Un état de discours social*, Longueuil, Éditions du Préambule. (Coll. L'Univers des discours.)

BESSETTE, Gérard (1958), *La bagarre*, Montréal, Le Cercle du livre de France.

BESSETTE, Gérard (1960), *Le libraire*, Montréal, Le Cercle du livre de France.

BESSETTE, Gérard (1961), *Les pédagogues*, Montréal, Le Cercle du livre de France.

BESSETTE, Gérard (1965), *L'incubation*, Montréal, Librairie Déom.

BESSETTE, Gérard (1975), *La commensale*, Montréal, Stanké et Quinze.

BESSETTE, Gérard (1977 [1964]), « Gérard Bessette », dans Paul WYCZYNSKI, Julien BERNARD, Jean MÉNARD et Réjean ROBIDOUX [édit.], *Le roman canadien-français*, Montréal, Fides, p. 374-376. (Coll. Archives des lettres canadiennes-françaises, t. III.)

BESSETTE, Gérard (1979), *Mes romans et moi*, Montréal, Hurtubise HMH.

BROCHU, André (1976), « Gérard Bessette. *La commensale* », *Livres et auteurs québécois 1975*, p. 26-28.

DUBOIS, Jacques (1978), *L'institution de la littérature. Introduction à une sociologie*, Bruxelles, Nathan et Labor.

DUCHET, Claude [édit.] (1979), *Sociocritique*, Paris, Nathan.

FISETTE, Jean (1976), « L'écriture comme pratique fantasmatique : *La commensale* de Gérard Bessette », *Voix et images*, vol. I, nº 3 (avril), p. 329-337.

GALLAYS, François (1988), « *La commensale*, roman de Gérard Bessette », dans *Dictionnaire des œuvres littéraires du Québec*, t. V, Montréal, Fides, p. 166-168.

GRIVEL, Charles (1973), *Production de l'intérêt romanesque*, La Haye et Paris, Mouton.

HAMON, Philippe (1984), *Texte et idéologie. Valeurs, hiérarchies et évaluations dans l'œuvre littéraire*, Paris, Les Presses universitaires de France.

IQBAL, Françoise (1976), « Précieux et préciosité chez Bessette : demi-mesure et démesure », *Voix et images*, vol. I, nº 3 (avril), p. 361-363.

LEENHARDT, Jacques (1973), *Lecture politique du roman* : La jalousie *d'Alain Robbe-Grillet*, Paris, Éditions de Minuit.

MACHEREY, Pierre (1980 [1966]), *Pour une théorie de la production littéraire,* Paris, Maspero.

MITTERAND, Henri (1980), *Le discours du roman,* Paris, Les Presses universitaires de France.

MITTERAND, Henri et Graham FALCONER [édit.] (1975), *La lecture sociocritique du texte romanesque,* Toronto, Samuel Stevens, Hakkert and Company.

RICARD, François (1975), « Littérature du Québec. *La commensale* de Gérard Bessette ou le double visage de Jérôme Chayer », *Liberté,* n° 102 (novembre-décembre), p. 95-107.

ROBIDOUX, Réjean (1987), *La création de Gérard Bessette,* Montréal, Québec/Amérique.

ZIMA, Pierre V. (1985), *Manuel de sociocritique,* Paris, Picard.

La bibliométrie : le cas des best-sellers au Québec

Denis SAINT-JACQUES
CRELIQ, Université Laval

Je voudrais présenter ici une des démarches les plus choquantes au moyen desquelles on puisse rendre compte d'œuvres littéraires, la bibliométrie. Une analyse étymologique rapide permet aisément de comprendre de quoi il retourne : de mesurer, de compter des livres. C'est là une approche méthodologique encore aujourd'hui assez peu usitée pour l'étude de la littérature et plusieurs le penseront à bon droit. La littérature est d'abord affaire de texte, de structure linguistique et discursive, d'imaginaire et d'esthétique, toutes valeurs peu quantifiables à l'évidence. Le quantitatif, pourrait-on croire, n'a rien à voir avec le littéraire.

Je chercherai à faire la démonstration du contraire en exploitant les données quantifiées que peuvent fournir des listes de best-sellers publiées au Québec pour le marché francophone. On trouvera des renseignements de base sur la démarche bibliométrique à la rubrique « Littérature. La bibliométrie », rédigée par Guy Rosa, dans *Universalia 90,* complément annuel de l'*Encyclopædia Universalis*. Pour les lecteurs qui ne sont pas familiarisés avec ce domaine de recherche, disons simplement que les travaux les mieux connus qui en résultent jusqu'à présent ont assuré des développements décisifs en recherche sur l'imprimé, que la si utile *Histoire de l'édition française* dirigée par Henri-Jean Martin et Roger Chartier (1982-1986) illustre bien. Pour donner un exemple en rapport avec le domaine que je traite ici moi-même, je signale la contribution de Martyn Lyons (1985). Utilisant la *Bibliographie de la France* afin d'établir le nombre d'éditions par titre et les déclarations des imprimeurs afin de préciser les tirages, Lyons arrive à constituer une série de palmarès par tranche de cinq ans pour les ouvrages qui ont alors connu les plus forts tirages. Les résultats sont étonnants et valent le détour. Je vous laisse aller y voir, mais non sans avoir relu quelque histoire littéraire sur la période si vous voulez vraiment sentir l'originalité de la contribution de Lyons. Si on vous a bien enseigné au secondaire ou à l'université, vous y chercherez le moment climatérique du mouvement romantique ; mieux avisés encore, vous prévoirez l'inévitable montée de la littérature industrielle. Que non ! Ni l'un ni l'autre. Je vous laisse le plaisir de la découverte, s'agissant d'un domaine étranger au roman québécois qui nous retient ici.

Or, si l'on voulait prendre de ces résultats ce qu'ils apportent d'éclairage sur la littérature de l'époque, force serait de reconnaître qu'ils indiquent le terrain consensuel de la culture lettrée hégémonique du début du XIXe siècle français. Ils fournissent les références à partir desquelles se construit le socle discursif (Robin, 1986) du discours lettré, l'ensemble complexe qui structure les voies possibles de la pratique littéraire à ce moment. Dans un sens bakhtinien, disons qu'ils fournissent les énoncés avec lesquels dialoguent les productions nouvelles. Si la littérature entre ces années-là, avec le romantisme, dans une esthétique de la création originale, il va de soi que cette distinction, l'originalité, ne saurait être appréciée justement sans que le fond dont elle se détache soit mis en évidence. La recherche de Lyons nous permet de percevoir le relief le plus accusé de ce fond.

Ainsi, la préoccupation quantitative qui oriente la bibliométrie se trouve à mettre en jeu une dimension historiquement incontournable de la littérature, son accessibilité à un nombre suffisant de consommateurs. Il n'y a pas d'œuvre littéraire sinon rendue publique, et l'étude quantitative sert justement à vérifier la publicité réelle des œuvres, leur lien effectif à une collectivité. Dans son acception ancienne, le public, c'est l'État, la collectivité civile. Cette acception a valu pour un temps de l'histoire où la collectivité en cause ne regroupait qu'une élite « éclairée », celle qui avait le droit moral de former l'opinion et qui était de fait aussi le public au sens moderne restreint, les gens qui lisent.

Aujourd'hui, le public même potentiel de la littérature n'est certes plus la collectivité d'après laquelle se définit l'État, l'ensemble des personnes habilitées à former la démocratie ; l'étude quantitative la plus sommaire des enquêtes par sondage sur les pratiques culturelles le démontre aisément. Au Québec, 53 % de la population lit des livres de façon habituelle d'après *Les comportements des Québécois en matière d'activités culturelles de loisir. 1989* de Gilles Pronovost (1990). Or, on peut considérer que ces consommateurs de livres ne sont pas tous littéraires, même si l'enquête ne nous renseigne pas de façon claire sur le sujet. Une information pourra cependant permettre une estimation raisonnable : 28 % de ces lecteurs, c'est-à-dire 15 % de l'ensemble de la population, « lisent, du moins de temps à autre, des classiques (de la littérature classique) ». Il est assez probable que ces 15 % représentent le public littéraire même, fraction congrue du public lecteur et partie encore moindre de l'ensemble des membres de la société.

Or, dans cette existence publique si modeste quant au nombre des acteurs intéressés, la littérature doit jouer une fonction quelconque, fût-ce celle d'un « aboli bibelot d'inanité sonore » destiné à la consommation de luxe des *happy few*. Le qualificatif *canadien-français* que les étrangers donnent au roman qui fait l'objet de nos préoccupations, celui que la plupart des Canadiens français en cause préfèrent lui donner, *québécois,* celui, *francophone,* ou dans un autre découpage *féminin* ou *féministe,* qu'il trouvera dans divers lieux d'échanges, révèlent clairement la fonction de socialisation identitaire dévolue non pas à ce que l'on appelle les textes littéraires, mais bien aux pratiques d'appropriation sociale qui, en définitive, créent les œuvres. Pour ceux qui en douteraient encore, la lecture de *Qu'est-ce que la littérature ?* de Sartre leur rappellera que l'œuvre n'existe que lue. En clair, cela veut dire que la réception n'est pas une condition externe du littéraire, comme on le lit souvent ; elle en est la nature même, si tant est qu'une convention puisse avoir une nature. La polysémie de l'œuvre qui avait retenu l'attention des sémioticiens des années soixante est affaire de lectures variées et non d'immanence textuelle. On peut donc retenir que la publicité est une détermination intrinsèque de la littérature, la condition de socialisation qui lui assure une existence concrète.

La fonction identitaire qui en découle met en cause le nationalisme problématique et polémique des francophones du Canada : les œuvres en donnent parfois une idée saisissante, par exemple *La Québécoite* de Régine Robin ou *Prochain épisode* d'Hubert Aquin. Comment alors éviter de vérifier l'étendue de l'appropriation sociale concrète du roman que l'on dit « canadien-français » ou « québécois » ? L'est-il, qu'est-ce que cela signifie et comment en décider ? Ce genre de problème appelle la démarche bibliométrique qui aura le mérite de fournir des éléments quantifiables pour évaluer l'étendue sociale réelle du public littéraire.

Cependant, avant de compter quoi que ce soit, il faut savoir comment classer ; la bibliométrie ne peut traiter que ce que l'on a d'abord trié dans un ordre quelconque. Or, en littérature, les classements font souvent problème, résultant de conventions conjoncturelles et conflictuelles. Les genres sont poreux et les esthétiques d'écoles, marginalement floues. Ainsi, Madeleine Frédéric évoque ici le « recul des genres » à propos de poésie-roman, Agnès Whitfield étudie des textes autobiographiques dans un collectif qui n'y est pas consacré, Janet M. Paterson déconstruit le postmoderne ; cela n'étonne guère. J'aurai tantôt une classe encore moins assurée à proposer, celle du littéraire. Que trouver donc en littérature d'un peu solide et défini dont le traitement quantitatif puisse donner des résultats fiables et surtout utiles ?

Les listes de best-sellers, par exemple, sont ordonnées à partir de titres qui servent à reconnaître les livres. Au Québec, il s'en trouve dans des quotidiens comme *La Presse* ou *Le Soleil* et un magazine comme *L'Actualité*. Ces listes sont construites pour marquer la distribution par rang des livres en fonction du nombre décroissant d'exemplaires vendus au cours d'une période donnée. Je ne discuterai pas ici la fiabilité des calculs en cause, je l'ai déjà fait ailleurs (Saint-Jacques, 1992). En plus du succès de vente, d'autres variables caractérisent habituellement les produits ainsi répertoriés : l'auteur, l'éditeur, le nombre de semaines de présence en liste, le genre et, fréquemment au Québec, la provenance géographique. Je passe en revue ces variables.

Le nombre de semaines de présence en liste n'est qu'un indicateur de succès supplémentaire, celui qui révèle la transformation du best-seller en « super-seller » et enregistre les records de longévité. Le *Kamouraska* d'Anne Hébert avait connu 62 parutions à la liste de *La Presse* durant les années soixante-dix. Les années quatre-vingt ont vu mieux encore, accueillant 80 fois *Les filles de Caleb* d'Arlette Cousture au palmarès ; la série télévisée a poussé la réussite de cet ouvrage à 90 présences en liste au début de 1991. C'est là le record absolu à ce jour. Voici les autres titres les plus performants : *Ces femmes qui aiment trop* de Robin Norwood, 60 présences ; *Jonathan Livingston le goéland* de Richard Bach, 50 présences ; *Le petit manuel d'histoire du Québec* de Léandre Bergeron, 48 présences. Parmi les 34 titres qui ont été affichés au palmarès plus de 20 fois, on ne trouve que 3 romans québécois : *Juliette Pomerleau* d'Yves Beauchemin, *La grosse femme d'à côté est enceinte* de Michel Tremblay et *La Sagouine* d'Antonine Maillet, si l'on accepte de classer ainsi ce recueil de monologues d'abord entendus à la radio, puis portés à la scène et publiés alors sous l'étiquette « roman ». Les réussites exceptionnelles d'Anne Hébert et surtout d'Arlette Cousture ne sauraient donner le change ; à côté des 5 romans que je viens d'évoquer, 15 autres d'origine étrangère réussissent à passer le cap des 20 présences en liste. Faut-il déduire des deux trajectoires culminantes l'enracinement national profond des pratiques de lecture de loisir du public québécois ou au contraire constater que les super-sellers nationaux ne forment que 25 % des titres en lice ? Le calcul de nouvelles variables offrira des aperçus complémentaires sur cette question.

La maison d'édition n'a pour les lecteurs moyens pratiquement aucune importance ; les enquêtes ne montrent pas que les consommateurs en tiennent grand compte, malgré les efforts de publicité consacrés à faire mousser l'image de la maison. Le nom de l'éditeur figure sur les listes principalement comme moyen de repérer le produit avec sûreté et pour satisfaire le sens de la propriété juridique du producteur industriel. Il révèle toutefois au chercheur qui y prête attention l'origine immédiate du livre en question. D'après une compilation des meilleurs succès du quotidien *Le Soleil* de janvier à mars 1991 (voir l'annexe), on peut établir sommairement la répartition suivante : les deux tiers proviennent d'entreprises françaises et le tiers restant, d'entreprises québécoises. Ce résultat conforte ceux des travaux antérieurs de notre équipe (Bonnassieux, 1990 ; Mathieu, 1989) et ceux de Jean-Paul Baillargeon (1991) dans *Communication* où il en vient aux mêmes proportions (un tiers québécois, deux tiers français) pour l'ensemble des ouvrages de littérature générale vendus au Québec. Ce simple calcul ouvre déjà une perspective inquiétante sur une production voulue nationale et pourtant minoritaire dans le créneau francophone même où elle devrait s'affirmer. Un nouveau résultat se dégage ainsi : la France, et non le Québec, tient la position hégémonique sur le marché francophone québécois du livre de littérature générale. Dans l'histoire, tout conduit à affirmer qu'il n'en a jamais été autrement depuis la conclusion de la Seconde Guerre mondiale.

Cependant, le mode de répartition en fonction de l'origine nationale, quand il est spécifié, dans les listes actuelles de *La Presse* ou de *L'Actualité*, n'oppose pas à la production québécoise une production désignée comme « française », mais plutôt comme « étrangère ». Cela dépend du statut ambigu d'une bonne part des produits en cause. Parmi les titres que regroupe la liste en annexe, *Caraïbes* de James Michener, *La part des ténèbres* de Stephen King ou *L'amour et le pouvoir* de Colleen McCullough ont tous les trois été publiés par un éditeur américain qui a mis en marché la version originale avant l'éditeur français responsable du livre traduit qui a connu un succès de vente effectif sur le marché québécois. En ce sens, ces ouvrages ne sont français que partiellement, et les lecteurs les reconnaissent généralement plutôt comme américains. Dans l'ensemble, une proportion de 30 % de ces romans traduits de l'américain reste relativement constante dans les listes et permet de comprendre la désignation de ces livres mis en marché par les éditeurs français comme « étrangers ». Cette appellation présente cependant un aspect un peu trop imprécis : classés par éditeurs d'origine, les romans figurant sur les listes sont québécois, français ou américains à parts sensiblement égales. La spécificité québécoise a ainsi de bons atouts dans une lutte culturelle qui se joue à trois partenaires de force relativement comparable.

Le lien à l'auteur d'une œuvre donnée reste le critère le plus sûr dans le tri pratique qui oriente la lecture. Les lecteurs du circuit restreint des intellectuels, comme ceux du circuit élargi de grande diffusion, reconnaissent avant tout le nom de l'auteur comme label de qualité. Ainsi met-on en avant dans les titres mêmes des articles du présent ouvrage les noms d'Anne Hébert, de Marie José Thériault, de Jacques Godbout, de Jacques Brault, de Régine Robin, de Gabrielle Roy, de Nicole Brossard, d'Hubert Aquin, de Gérard Bessette, soit les auteurs, classe dont ne savent plus quoi faire aujourd'hui les analystes du texte qui ne connaissent que sujets de l'énonciation, narrateurs et autres créations théoriques qui permettent d'oublier cet épouvantail moderne des études littéraires, « l'homme et l'œuvre ». Voyez pourtant les pages de couverture : le premier élément distinctif au haut est le nom de l'auteur, véritable marque de commerce du livre. Le nom de l'éditeur se trouve au bas où les non-spécialistes l'oublient. Première classe en pratique donc, l'auteur.

Mais le recours au nom propre comme signe distinctif limite les possibilités de l'analyse, étant donné la faible valeur connotative d'un tel marqueur de référence. Constatons au moins la grande variété des personnes visées. Un auteur figure rarement pour plus d'une œuvre par année et peut attendre plusieurs années avant de reparaître au palmarès ; le cas de Réjean Ducharme resurgissant après une éclipse de quinze ans en donne une illustration saisissante. D'un autre point de vue, sur une liste donnée, se trouvent beaucoup plus de réapparitions que de nouveaux venus. Dans la liste en annexe, il y a sept habitués pour trois novices. Si l'on tient compte du fait que deux de ces derniers se sont distingués par l'obtention de prix prestigieux, force est de constater la grande prévisibilité des réussites de vente. Arlette Cousture, initialement peu connue, largement ignorée par la critique au moment du lancement de son roman, se distingue encore davantage dans cette perspective. Sa présence reste toutefois un cas d'exception ; les auteurs de best-sellers établis sont relativement nombreux et ils ont tendance à occuper la place disponible. Le facteur décisif sur ce marché comme ailleurs réside dans la réputation de la marque, et la marque du livre, c'est le nom de l'auteur.

Examinons enfin un dernier critère explicite : le genre. Ici nous sommes servis. Le genre principal que toutes les listes isolent et placent en tête, et que les enquêtes reconnaissent aussi comme le plus pratiqué par les lecteurs, est celui du « roman » ou de la « fiction ». Car on trouve indifféremment l'un ou l'autre intitulé pour les mêmes produits ; en tant que best-sellers, les textes narratifs courts n'existent pratiquement pas. Le genre « fiction » se réduit dans les faits au romanesque. On lui oppose la catégorie soit d'« essais », soit d'« ouvrages généraux » où, par exemple, pour les deux premiers mois de l'année 1991 les listes du *Soleil* dégagent les prévisibles : *La guerre du golfe* de Pierre Salinger, 7 présences ; *Mossad* de Claire Roy et Victor Ostrovsky, 7 présences ; et *Saddam Hussein* d'un collectif, 5 présences. Mais la poésie, le théâtre ou l'essai littéraire ne nécessitent aucune place particulière dans le créneau des ouvrages à succès. Pour ce qui est de la littérature, ce terrain de la grande consommation demeure acquis au seul roman. En ce sens, celui de l'extension du public, le roman est donc apte à jouer de façon crédible sa fonction sociale identitaire. En fait d'appropriation collective, le roman canadien-français ou québécois se révèle davantage national que tout autre genre littéraire actuellement lu au Québec.

Mais ces variables explicites dont nous venons d'apprécier la pertinence sont loin d'épuiser les critères de classement possibles. Il en est un que certains articles de ce collectif autorisent à emprunter, celui du genre, au sens sexuel du terme. Ainsi, on peut voir que les listes restent dominées par des auteurs masculins, alors que les lectrices forment les deux tiers du public au Québec. Si l'on sait que les protagonistes des romans écrits par les hommes sont le plus souvent masculins et que la réciproque est vraie pour les romans écrits par des femmes, on comprendra que le déséquilibre du rapport entre les sexes se reproduit là de façon classique. Il n'est pas de bon ton d'évoquer ces choses en compagnie littéraire. Flaubert a signé *Madame Bovary,* Marguerite Yourcenar *Les mémoires d'Hadrien,* et tout le monde sait que les littéraires sont au-dessus de ces contraintes, sauf les féministes qui ne cessent justement de rappeler la difficulté qu'elles ont à se faire comprendre à ce sujet. La vraie littérature n'a pas de sexe. Mais si on a l'inconvenance de faire le décompte des auteurs et de leurs protagonistes, il devient assez aisé de redonner leur sexe aux anges littéraires. C'est exactement le même que chez ceux qui prétendent en avoir.

Une autre perspective s'ouvre si l'on cherche à tenir compte de la nationalité des auteurs plutôt que de celle des éditeurs. Sur la liste témoin, on constate la faible place faite aux écrivains d'origine autre que québécoise, française ou américaine ; ne réussissent à percer qu'un Marocain et une Australienne. Cette proportion d'étrangers aux trois nationalités dominantes varie habituellement de un à deux titres pour dix. En lecture, les Québécois se montrent peu curieux de ce qui se passe hors de leurs trois cultures de référence ; on notera en particulier qu'ils ne lisent pas de Canadiens anglais. Robertson Davies, écrivain renommé dans tout le monde anglophone et candidat légitime au prix Nobel, Mordecai Richler, pourtant Montréalais, Margaret Atwood ou Margaret Laurence n'intéressent pas largement et paient le prix de la résistance québécoise à la culture canadienne-anglaise. Quand ils ne sont pas ignorés, ils sont dépréciés. Ce comportement doit aussi être mis en rapport avec le fait que les éditeurs québécois n'introduisent pas sur le marché les étrangers qui nous préoccupent ici. Colleen McCullough a été lancée par les Américains et Tahar Ben Jelloun par les Français : les éditeurs québécois ne jouent pas un grand rôle dans la découverte des auteurs étrangers à succès. À vrai dire, ils n'en ont tout simplement pas les moyens. La question relève moins de la xénophobie que de la force économique des intervenants en cause, car les éditeurs parisiens peuvent se réserver les droits de traduction française des auteurs étrangers à succès et imposer ou non les Colleen McCullough, Umberto Eco, Gabriel García Márquez et autres best-sellers venus d'ailleurs.

Je voudrais terminer en m'attardant à une classe extrêmement problématique, mais difficile à éviter pour les spécialistes que nous sommes : celle de la littérarité. Les actes du colloque sur ce thème qui ont été publiés sous la direction de Louise Milot et Fernand Roy (1991) mettent une fois de plus en évidence les difficultés que l'on peut rencontrer à tenter de définir pareille notion. Or, il semblerait que la liste de best-sellers présente un lieu inopportun pour éprouver la valeur littéraire. En effet, la valorisation des succès de vente marque un processus de légitimation spécifique au circuit de grande consommation dont l'axiologie devrait être conflictuelle avec celle du circuit restreint propre à la littérature au sens strict. Est-il nécessaire de renvoyer aux travaux de Bourdieu ou de Dubois sur ce sujet de la partition des champs culturels ? Une application sommaire de la théorie qu'ils ont élaborée conduirait à renvoyer tout ce qui se trouve sur les listes au champ de grande production hors de la sphère littéraire. Les choses ne sont pas si simples.

La liste de best-sellers appartient au circuit de grande production dans la mesure où elle met en relief les pratiques de consommation du public large, mais rien n'interdit qu'un livre donné soit l'objet d'une réception valorisée à la fois par le grand public et par les intellectuels littéraires. C'est même la prétention de ceux qui parlent de littérature universelle ou nationale que les œuvres qu'ils qualifient ainsi soient lues par le plus grand nombre. Il arrive donc que des auteurs légitimes figurent aux palmarès du grand public. À en juger par la liste témoin, ils y sont aussi nombreux et plus haut placés que les auteurs paralittéraires dont c'est pourtant le domaine prioritaire.

Mais comment régler ce classement des écrivains en fonction de leurs sphères de rattachement ? Une façon simple d'opérer consiste à distribuer les uns et les autres en fonction soit d'une valorisation fondée principalement sur l'estime de la critique pour les littéraires, soit sur le succès de vente pour les paralittéraires. Si le nom d'Anne Hébert apparaît sur les listes québécoises pour n'importe lequel des romans qu'elle publie aujourd'hui, sa valeur ne dépend pas d'abord de ce facteur : c'est une littéraire. Si Arlette Cousture a fini par obtenir l'assentiment de Jean Éthier-Blais dans sa prestigieuse chronique du *Devoir,* la réussite de son roman était néanmoins déjà acquise sur le marché : c'est une paralittéraire. C'est en me fondant sur ce principe opératoire que j'ai classé les écrivains de la liste témoin, nominalement à égalité mais avec la supériorité aux littéraires si l'on tient compte des positions.

Faut-il croire alors que le découpage des champs culturels n'est qu'une vue de l'esprit et que les succès de vente en prouvent l'unification de fait ? On peut raisonnablement en douter. Mieux vaut tenir compte des habitudes de lecture intensive qui caractérisent la pratique des lettrés en rapport avec les activités culturelles plus diversifiées et moins intellectuelles des consommateurs du public élargi. Non seulement les littéraires lisent-ils plus, mais il est probable qu'ils sont plus touchés par les effets de mode. En effet, alors que les non-littéraires se fient principalement au bouche à oreille dans la sélection des ouvrages qu'ils lisent et qu'ils sont généralement peu sensibles au statut de best-sellers des produits qu'ils achètent, les littéraires subissent plus fortement l'influence de la critique dont la sanction légitimante arrive aisément à leur imposer des lectures nécessaires. *Dévadé* de Réjean Ducharme et *Vautour* de Christian Mistral, il faut les lire et pouvoir en parler si vous êtes un intellectuel québécois, et cela même si vous n'appréciez pas. *Les filles de Caleb,* sans doute l'événement paralittéraire québécois depuis 1960, n'ont attiré des lecteurs que pour l'intérêt d'un livre qu'ils ont fait acheter autour d'eux jusqu'à ce que les médias s'en avisent. Le prochain Anne Hébert, nous devrons en prendre connaissance ; mais on lira le prochain San Antonio si cela plaît.

Notons aussi sur la liste témoin que les littéraires s'illustrent dans les domaines québécois et français, mais que les Américains fournissent des œuvres paralittéraires. Les Québécois connaissent mal les auteurs légitimes du circuit américain. Je n'insiste pas ; on verra là trop facilement la dichotomie classique entre la culture populaire urbaine québécoise américanisée et sa culture savante francisée. Dichotomie qui n'expliquera en rien la faiblesse de la contribution nationale dans le créneau propre au grand public.

Quoi qu'il en soit, on peut voir la liste des best-sellers comme le lieu d'une confrontation entre les sphères culturelles à propos du seul genre littéraire qui reste accessible aujourd'hui à un large public lecteur ou, inversement, à propos du genre populaire le plus proche des préoccupations de la culture savante, le roman. Le roman est une forme frontière, le moins littéraire des genres, mais le plus public.

Au moment de conclure, on remarquera que je n'ai pas abordé ici la question même des calculs, de l'utilisation de base de données informatisées et du recours aux études statistiques. Ce sont là questions de cuisine que les manipulations simples auxquelles j'ai procédé visaient à reléguer au second plan[1]. J'ai voulu plutôt éclairer les principes qui guident ces opérations et la problématique en cause. Au fondement de cette approche s'articule une interrogation sur le degré d'insertion sociale du phénomène littéraire, sur son rapport au champ social général. Ce questionnement mène à une réévaluation de la publicité constitutive de la littérarité à toutes les époques. En ce sens, la prudence des chercheurs littéraires devant cette approche a de quoi intriguer : on sent là une résistance, un tabou. La fascination pour les narrataires, lecteurs virtuels et autres entités abstraites pourrait n'être après tout que l'envers de la méconnaissance des lecteurs réels. Les lecteurs idéaux ne permettront jamais de décider dans quelle mesure le roman québécois mérite ce label national, mais la bibliométrie peut y contribuer.

---

1. Les intéressés trouveront matière à satisfaction dans Bonnassieux (1990) et Mathieu (1989).

ANNEXE

LISTE DES SUPER-SELLERS DU SOLEIL
DU 14 JANVIER 1991 AU 11 MARS 1991 (NEUF LISTES)

Fiction

1. *Vautour,* Christian Mistral, 9 présences (11 en comptant l'année 1990). Québécois, littéraire, plus d'un titre, deuxième roman d'un auteur de la nouvelle génération bien médiatisé.
2. *Dévadé,* Réjean Ducharme, 8 présences (16). Québécois, littéraire, plus d'un titre, auteur consacré du circuit, premier roman depuis 15 ans.
3. *Les champs d'honneur,* Jean Rouaud, 8 présences (16). Français, littéraire, premier titre, Prix Goncourt.
4. *Le mari de Léon,* San Antonio, 8 présences (11). Français, paralittéraire, plus d'un titre, auteur consacré du circuit.
5. *Les filles de Caleb,* Arlette Cousture, 7 présences (20). Québécoise, paralittéraire, premier titre, super-seller en reprise sur le marché au moment de la diffusion de la série télévisée.
6. *Caraïbes,* J. A. Michener, 7 présences (13). Américain, paralittéraire, plus d'un titre, auteur consacré du circuit.
7. *La part des ténèbres,* Stephen King, 6 présences (15). Américain, paralittéraire, plus d'un titre, auteur consacré du circuit.
8. *Nous sommes éternels,* Pierrette Fleutiaux, 5 présences (5). Française, littéraire, premier titre, Prix Fémina.
9. *Les yeux baissés*, Tahar Ben Jelloun, 5 présences (5). Français/Marocain, littéraire, plus d'un titre, ex-Prix Goncourt.
10. *L'amour et le pouvoir,* Colleen McCullough, 3 présences (4). Américaine/Australienne, paralittéraire, plus d'un titre, auteure consacrée du circuit.

BIBLIOGRAPHIE

BAILLARGEON, Jean-Paul (1991), « Les livres québécois en langue française au Québec face aux livres de France », *Communication,* vol. 12, n° 2 (automne), p. 191-218.

BONNASSIEUX, Marie-Pierre (1990), « Les best-sellers au Québec et l'internationalisation du marché du livre », mémoire de maîtrise en communication, Montréal, Université de Montréal.

LAMONDE, Yvan (1991), « La bibliothèque de l'Institut canadien de Montréal (1852-1876) : pour une analyse multidimensionnelle », dans Yvan LAMONDE, *Territoires de la culture québécoise,* Sainte-Foy, Les Presses de l'Université Laval, p. 117-147.

LAMONDE, Yvan (1991), « L'association culturelle au Québec au XIXe siècle : méthode d'enquête et premiers résultats », dans Yvan LAMONDE, *Territoires de la culture québécoise,* Sainte-Foy, Les Presses de l'Université Laval, p. 149-179.

LYONS, Martyn (1985), « Les best-sellers en France de 1815 à 1850 », dans Henri-Jean MARTIN et Roger CHARTIER [édit.], en collaboration avec Jean-Pierre VIVET, *Histoire de l'édition française,* t. III : *Le temps des éditeurs. Du Romantisme à la Belle Époque,* Paris, Promodis, p. 369-397.

MARTIN, Henri-Jean et Roger CHARTIER [édit.] (1982-1986), en collaboration avec Jean-Pierre VIVET, *Histoire de l'édition française,* Paris, Promodis, 4 vol.

MATHIEU, Lyne-Andrée (1989), « Analyse des listes de best-sellers publiés dans *La Presse* de 1970 à 1982 », mémoire de maîtrise en littérature, Québec, Université Laval.

MILOT, Louise et Fernand ROY [édit.] (1991), *La littérarité,* Sainte-Foy, Les Presses de l'Université Laval. (Publication du Centre de recherche en littérature québécoise.)

PRONOVOST, Gilles (1990), *Les comportements des Québécois en matière d'activités culturelles de loisir. 1989,* Québec, Les Publications du Québec.

ROBIN, Régine (1986), *Le réalisme socialiste. Une esthétique impossible,* Paris, Payot.

ROSA, Guy (1990), « Littérature. La bibliométrie », dans « Culture et œuvres 5 », *Universalia 90,* complément annuel de l'*Encyclopædia Universalis,* p. 441-443.

SAINT-JACQUES, Denis (1992), « Évolution du marché des best-sellers au Québec durant les années 80 », dans Pierre LANTHIER et Guildo ROUSSEAU [édit.], *Les stratégies culturelles au Québec*, Québec, IQRC, p. 267-279.

L'édition du roman québécois, 1961-1974 Les Éditions du Jour et le Cercle du livre de France

Jacques MICHON
Université de Sherbrooke

Les études sur le livre et l'édition se multiplient depuis quelques années et viennent éclairer d'un jour nouveau les processus de la production et de la diffusion de la littérature. Plusieurs sciences touchent aux multiples aspects de cette question. Nous pouvons retenir à titre d'exemple, de la plus générale à la plus particulière, la bibliologie et la bibliographie matérielle. La première, qui constituait à son origine la partie théorique de la bibliographie, désigne aujourd'hui l'étude des conditions de production et de diffusion du livre, et depuis peu la science de la communication écrite[1]. Prise dans son acception la plus récente, elle consiste en une science globalisante qui cherche à donner une vision schématique du phénomène de l'écrit. La bibliométrie, fondée sur une approche quantitative, est sans doute parmi les sciences bibliologiques celle qui a donné jusqu'ici les travaux les plus nombreux.

La bibliographie matérielle, à l'autre extrémité de la chaîne d'observation, prend en considération la matérialité du texte en tenant compte des contingences et des particularités concrètes du message. Pour elle, il n'y a de message que singulier (Laufer *et al.*, 1983 : 8). Cette discipline peut être envisagée comme une partie de la textologie qui, à l'examen de l'imprimé, ajoute celui des manuscrits et de leur genèse, étant elle-même considérée comme une science auxiliaire de la critique textuelle. Récemment, l'intervention de Gérard Genette qui s'est fait interprète du paratexte, c'est-à-dire des composantes périphériques du livre – titre, préface, dédicace, épigraphe, note, prière d'insérer, couverture –, a amené plusieurs critiques et poéticiens à s'ouvrir aux marges de

1. Concernant l'évolution récente de la bibliologie comme science du livre et de la communication écrite, voir Estivals (1987).

l'œuvre[2] et à observer dans ses propres limites certains aspects historiques et sociaux de l'imprimé. Sans franchir le seuil de la textualité éditoriale (péritexte) et de son prolongement critique (épitexte), cette approche est une porte ouverte sur une pragmatique du texte littéraire. L'ouverture de la poétique aux aspects sociaux ou historiques du livre a le mérite de réduire l'écart qui opposait traditionnellement les approches internes et externes. On sait que les effets de sens produits par le dialogue entre le texte littéraire et son discours d'accompagnement, qui intéresse au premier chef le poéticien du paratexte, ne peuvent être détachés de ses conditions matérielles de production et de diffusion comme l'attestent d'ailleurs les nombreuses références à l'histoire du livre et de l'édition contenues dans *Seuils* (Genette, 1987).

Si les méthodes d'analyse de la poétique et de l'histoire littéraire diffèrent, elles devraient ainsi pouvoir se compléter et se corriger mutuellement. C'est ce que nous voulions montrer pour notre part dans une recherche collective déjà ancienne consacrée à la sémiotique textuelle et à l'histoire littéraire au Québec (Michon, 1981). Nous nous arrêtions, dans une perspective narratologique, à l'étude du changement des formes romanesques de 1940 à 1975. La combinaison d'une double approche diachronique et synchronique nous permettait de constater une rupture de ces formes au cours des années soixante et de poser l'hypothèse d'une explication historique et sociologique du phénomène. Nous tracions alors le programme de la recherche qui devait suivre[3]. En fait,

---

2. Dans le domaine québécois, voir entre autres Gervais et Haghebaert (1989) et Vidal (1989).

3. « Le roman québécois ne s'est pas transformé seulement de l'intérieur, selon une logique immanente aux textes, mais il s'est modifié en conjonction avec des transformations externes (idéologiques et culturelles). Le remplacement d'une série par une autre n'a pas été le fruit du hasard ou d'une usure des formes, mais a été lié à des changements dans le champ symbolique et dans le champ social. Ainsi il faudrait montrer comment les séries sont en concurrence les unes avec les autres pour la conquête du marché, et comment cette rivalité repose sur la concurrence et les alliances stratégiques de fractions de classe et de producteurs. On pourrait évoquer par exemple la rivalité du roman du cas de conscience et du roman social durant les années cinquante qui s'est résolue à la faveur du premier, parce qu'il bénéficiait d'un appui des élites intellectuelles. Ce sont tous ces aspects relatifs à la structure du champ littéraire et l'horizon d'attente des séries qu'il faudra aborder ultérieurement. C'est à cette condition et dans cette perspective générale que la démarche descriptive que nous avons adoptée dans la présente étude devrait trouver tout son sens » (Michon, 1981 : 74).

l'ouverture sur une approche sociologique du phénomène nous a amené depuis à considérer l'édition comme un objet privilégié pour observer les déterminations sociales du littéraire.

La fonction éditoriale

L'éditeur n'est pas seulement un acteur passif réduit à la sélection des textes ou à la fabrication matérielle du livre, il participe également à la mise en forme finale de l'œuvre et à la création de la valeur littéraire. Les éditions critiques permettent souvent de mesurer les degrés de cette intervention qui est devenue d'autant plus importante au cours des années que le pouvoir de l'éditeur s'est accru. De simple agent de publication au début du XIXe siècle, celui-ci s'est transformé en découvreur et en entrepreneur influent. On a vu émerger au XXe siècle un nouveau type d'éditeurs plus conscients de leur influence amplifiée par la rumeur médiatique de la grande presse et des moyens de communication modernes. La puissance de l'éditeur a grandi à la mesure d'un public en expansion. Bernard Grasset et Gaston Gallimard, en France, de même qu'Albert Lévesque, Bernard Valiquette, Robert Charbonneau, Claude Hurtubise, Pierre Tisseyre, Paul Michaud et Jacques Hébert, au Québec, ont été les principaux représentants de cette nouvelle conscience éditoriale.

Nous savons aujourd'hui que l'éditeur joue un rôle important dans la fabrication de l'image qui permet à l'écrivain d'atteindre son public, qu'il intervient souvent sur la place publique pour défendre une idée, un courant de pensée, une conception de la littérature. Ses manifestations prennent la forme d'écrits et d'imprimés divers : prière d'insérer, catalogues, placards publicitaires, entrevues dans les médias. Outre qu'il appose sa signature sur la couverture de tous les livres qu'il publie, l'éditeur signe avant-propos, préfaces et manifestes. À défaut d'avoir accès aux archives de l'éditeur qui apportent des renseignements utiles sur ses interventions dans la composition et l'écriture des textes littéraires ou sur les détails de la production matérielle, les tirages et les ventes[4], on peut s'arrêter à des éléments connus comme le catalogue, les auteurs, le réseau de correspondants et les stratégies littéraires et commerciales de

4. Dans ce genre d'enquête, les sources nécessaires manquent au chercheur. Souvent les archives des éditeurs ont été détruites ou dispersées quand elles ne sont pas jalousement tenues à l'écart des regards indiscrets. On ne soulignera jamais assez l'importance de ce patrimoine déjà fort écorné pour la reconstitution de l'histoire et de la genèse des œuvres.

la maison. C'est ce que nous voulons faire en examinant les publications du roman québécois aux Éditions du Jour et au Cercle du livre de France (CLF) de 1961 à 1974. Nous désirons aussi relever les différents facteurs qui permettent de situer les éditeurs dans le champ de production. Les caractéristiques sociales des auteurs publiés (groupe d'âge, formation scolaire, trajectoire socioprofessionnelle), la nature des titres figurant au catalogue ainsi que l'étendue du réseau de collaborateurs et de lecteurs liés à des institutions et à des périodiques seront autant de facteurs qui contribueront à déterminer l'image de marque de l'entreprise et à façonner la réception des œuvres publiées.

Comme l'a montré Pierre Bourdieu (1977), l'éditeur est celui qui participe au plus près à la production de la valeur littéraire en engageant son prestige, en mettant sa conviction au service de ses auteurs et de leurs œuvres et en offrant en garantie tout le capital symbolique qu'il a accumulé et qu'il risque de perdre s'il ne fait pas les bons choix. Banquier symbolique de l'auteur, il fait aussi entrer le texte dans le cycle de la légitimation. Si les prix littéraires et la critique récompensent et célèbrent les talents, l'éditeur peut prétendre à leur découverte. Même s'il n'est pas lui-même le premier découvreur et que son catalogue reflète le plus souvent les positions d'une époque, d'un groupe, d'un mouvement ou d'une école, il peut revendiquer l'antériorité dans la révélation des nouveaux auteurs.

C'est le rôle qu'a pu jouer au Québec un éditeur comme Jacques Hébert, propriétaire des Éditions du Jour de 1961 à 1974, et qui s'est imposé comme le promoteur du jeune roman québécois des années soixante. Suivre l'évolution de cette maison nous permettra de comprendre, entre autres, comment certains faits sociaux propres au système éditorial, comme la cooptation des auteurs, le cumul des fonctions dans le champ de la production intellectuelle, le regroupement autour d'une direction littéraire à l'écoute des nouvelles générations d'écrivains, fondée sur une vision à long terme, ont pu contribuer à créer le pouvoir de l'éditeur et à l'imposer comme le représentant le plus légitime d'un genre littéraire.

Les facteurs sociopolitiques

Cette évolution demeure elle-même tributaire d'autres facteurs comme les événements politiques et sociaux qui ont constitué jusqu'à un certain point les conditions de cette émergence. De par sa situation particulière dans un marché occupé à plus de 70 % par l'édition parisienne, l'éditeur québécois est toujours aux prises avec la question de l'avenir de sa littérature nationale. Avant 1945, les tentatives pour sortir l'édition canadienne-française du ghetto régionaliste ont été nombreuses mais de courte durée. Faute d'appuis politiques appropriés, plusieurs générations d'éditeurs ont été sacrifiées aux intérêts du clergé qui avait l'autorité exclusive sur les institutions de la lecture et de l'enseignement. Après 1945, éditeurs et intellectuels progressistes ont fait des pressions pour que l'État assure à l'éditeur une marge de manœuvre nécessaire à la libre circulation des idées. Cette revendication a été entendue lorsque l'État fédéral canadien, qui s'était découvert, à l'issue de la Seconde Guerre mondiale, une nouvelle personnalité internationale, a senti le besoin de se donner une image culturelle nationale exportable. C'est ainsi que le gouvernement d'Ottawa est intervenu directement dans un champ de compétence traditionnellement réservé aux provinces en créant le Conseil des arts en 1957.

L'édition a fait partie de ce nouveau plan d'expansion et d'encouragement à l'émergence d'une culture nationale. Il n'est pas étonnant dans ces circonstances de voir apparaître, presque en même temps que la création du Conseil des arts, de nouvelles maisons d'édition (le Jour, HMH) dirigées par des hommes dont les affinités avec les politiques gouvernementales étaient connues. Ce nationalisme canadien s'est exprimé au moment de la Révolution tranquille qui a vu, entre autres, l'émergence d'un néo-nationalisme québécois étroitement associé aux nouvelles tendances littéraires et à des positions esthétiques non conventionnelles. La querelle du joual a été l'un des combats de la jeune génération pour la reconnaissance d'une littérature et d'une culture authentiquement québécoises. Ainsi, le programme de canadianisation des instances fédérales se trouva bientôt détourné au profit d'une littérature devenue québécoise. L'histoire de ce détournement ne pouvait que se terminer par une rupture entre les éditeurs affiliés aux politiques fédérales et les écrivains en majorité souverainistes. Après une quinzaine d'années de cohabitation et sous la pression des événements politiques, la rupture devint inévitable au milieu des années soixante-dix.

Les Éditions du Jour ont joué un rôle déterminant dans cette évolution du fait de l'ouverture de leur directeur aux nouvelles tendances de la littérature qui était encore « canadienne » au milieu des années soixante. Les jeunes écrivains, émigrés des petites revues et de l'édition d'avant-garde, ont investi le domaine et infléchi le cours de la production romanesque de la maison[5].

Les Éditions du Jour et le CLF

Dépourvu de tout capital symbolique, l'éditeur débutant qui n'est pas soutenu par un groupe d'écrivains prestigieux doit découvrir de jeunes talents et les associer à son entreprise. C'est ce que devait faire Jacques Hébert durant les années de la Révolution tranquille. Dans le domaine du roman, le Jour se positionne dès sa fondation comme un concurrent des éditeurs en place tels que Beauchemin et le CLF qui, en 1961, dominent le marché avec 50 % de tous les romans publiés annuellement (voir le tableau 1). De 1961 à 1966, le Jour publie de trois à quatre titres par année qui représentent environ 10 % de la production annuelle. Après l'attribution du prix Médicis à Marie-Claire Blais pour *Une saison dans la vie d'Emmanuel,* l'éditeur triple la cadence avec une quinzaine de nouveautés par an[6]. De sorte que, à la fin des années soixante, il est nez à nez avec son principal concurrent, le CLF, maison fondée en 1947 par Pierre Tisseyre. Au terme de ses activités en 1974, le Jour aura dominé le marché à parts égales avec le CLF, tous deux totalisant plus de 42 % de toutes les nouveautés parues sur une période de quatorze ans (voir le tableau 1)[7].

---

5. Rien au départ ne prédisposait Jacques Hébert (né en 1923) à devenir un éditeur de l'avant-garde littéraire. Diplômé de l'École des hautes études commerciales (HEC), globe-trotter, auteur de récits de voyage, journaliste, il s'était illustré au cours des années cinquante dans le journalisme de combat en dirigeant un périodique de politique municipale, *Vrai* (1954-1959), associé à l'ascension politique de Jean Drapeau. Un pamphlet percutant contre une erreur judiciaire devenue célèbre grâce à lui, *Coffin était innocent* (1958), fut à l'origine de sa première maison d'édition, les Éditions de l'Homme, consacrée à la production de livres à bon marché touchant les problèmes brûlants de l'heure : réforme de l'enseignement, débats constitutionnels, laïcisation de la société, scandales judiciaires et sociaux. En 1960, Hébert quittait les Éditions de l'Homme pour créer les Éditions du Jour.
6. « La maison étant plus connue, les manuscrits affluent en plus grand nombre sur le bureau du directeur », écrit Janelle (1983 : 29).
7. Durant la période, certaines maisons disparaissent de la scène romanesque (Déom et Beauchemin) et d'autres apparaissent (Parti-Pris, Leméac), mais aucune n'atteint l'ampleur et la notoriété du Jour et du CLF. Sur le chapitre des prix remportés par les deux maisons, le score est presque égal (voir le tableau 2).

TABLEAU 1
PRODUCTION ROMANESQUE, 1961-1974

Année	Le Jour	CLF	Beauchemin	Autres éditeurs	Total	CLF + Le Jour (%)	Le Jour (%)
1961	3	7	8	12	30	33	10
1962	4	3	8	11	26	27	15
1963	3	8	5	15	31	35	10
1964	3	6	1	18	28	32	11
1965	3	9	–	14	26	46	12
1966	4	8	3	15	30	40	13
1967	6	13	1	14	34	56	18
1968	11	11	–	16	38	58	29
1969	18	8	–	18	44	59	41
1970	15	12	2	26	55	49	27
1971	8	15	1	27	51	45	16
1972	11	10	2	36	59	36	19
1973	12	9	3	28	52	40	23
1974	13	10	–	54	77	30	17
Total	114	129	34	304	581	42	20

L'ascension rapide du Jour et ses choix l'imposent comme l'éditeur de la jeune génération qui ne se reconnaît plus dans le CLF. Il publie les premiers romans d'écrivains nés dans les années quarante et recrute dans le groupe d'âge des romanciers de 20 et 30 ans qui constituent 63 % de son effectif, alors que le CLF publie des écrivains plus âgés qui se situent dans la catégorie supérieure des 30 et 40 ans à 56 % (voir le tableau 3)[8]. Le CLF, créé à la suite du vide laissé par la disparition des éditeurs de la guerre, publie des écrivains qui ont commencé leur carrière dans les années cinquante, comme Gérard Bessette, Eugène Cloutier, Jean Filiatrault, André Langevin, Claire Martin et Bertrand Vac ; les Éditions du Jour recrutent parmi les nouveaux arrivés qui en sont à leurs premières œuvres, comme Jacques Benoit, Marie-Claire Blais, Victor-Lévy Beaulieu, Nicole Brossard, André Major, Jacques Poulin, Jean-Marie Poupart, Michel Tremblay et Pierre Turgeon[9].

La trajectoire du Jour illustre le phénomène du groupe d'écrivains qui, à l'occasion de circonstances historiques particulières, prend la parole, occupe la scène littéraire et monopolise l'attention du public et des médias, manifestant entre autres une plus grande productivité (voir le tableau 4). Comme le constate Jacques Dubois (1978 : 92), on voit souvent des maisons d'édition émerger en même temps que ces groupes

8. L'âge moyen du romancier du Jour est de 35 ans, celui du CLF, de 40 ans. L'âge moyen est calculé d'après l'âge du romancier au moment de la publication. La base de calcul est l'unité auteur-titre. La période couverte par l'enquête (1961-1974) a permis de recenser 243 auteurs-titres dont 114 au Jour et 129 au CLF.

9. Plusieurs romanciers du Jour tiennent la chronique littéraire du *Devoir* et participent activement aux revues d'avant-garde, comme *Parti pris* et *La Barre du jour,* ce qui leur assure une bonne couverture médiatique, alors que les romanciers du CLF sont des écrivains en fin de parcours qui demeurent à l'écart des circuits médiatiques. Dans ce contexte, des écrivains comme Hubert Aquin (né en 1929) et Gérard Bessette (né en 1920) occupent une position intermédiaire. Plus âgés que les nouveaux romanciers, auteurs du CLF appartenant au même groupe d'âge que les auteurs de cette maison, ils sont associés cependant à l'avant-garde littéraire du milieu des années soixante. Bessette rejoindra l'équipe du Jour en 1968. Aquin restera fidèle au CLF dont il partagera toujours l'aversion pour le joual en littérature. Voir les prises de position divergentes d'Hubert Aquin et de Victor-Lévy Beaulieu sur cette question dans la revue *Maintenant*, nº 134 (mars 1974), p. 15-21.

TABLEAU 2
PRIX LITTÉRAIRES, 1965-1974

Éditeur	1965-1969	1970-1974	Total
Beauchemin	2	0	2
CLF	5	3	8
Déom	4	0	4
HMH	0	1	1
Le Jour	4	3	7
Leméac	0	2	2
Total	15	9	24

Note : Cinq prix ont été retenus pour ce tableau, soit le Prix du Gouverneur général, le Prix du Québec, le Grand Prix de la ville de Montréal, le Prix France-Québec et le Prix France-Canada.

TABLEAU 3
GROUPE D'ÂGE DES ROMANCIERS ET ROMANCIÈRES, 1961-1974

Groupe d'âge	Le Jour		CLF	
20-29 ans	42 (37 %)	63 %	17 (13 %)	
30-39 ans	30 (26 %)		38 (29 %)	56 %
40-49 ans	19 (17 %)		35 (27 %)	
50 ans et plus	12 (10 %)		16 (12 %)	
Inconnu	11 (10 %)		23 (18 %)	
Total	114 (100 %)		129 (100 %)	

dont elles assurent la montée. En s'attachant la plupart des auteurs d'une nouvelle génération, l'éditeur peut s'attendre à ce que ceux-ci cooptent des écrivains du même âge ou de même mentalité, qu'ils prennent des responsabilités dans les instances de sélection et qu'ils défendent le renom de la maison dans les concours littéraires. L'éditeur donne à la cooptation un caractère systématique tant à l'intérieur qu'à l'extérieur de

TABLEAU 4
INDICE DE PRODUCTIVITÉ, 1961-1974

Éditeur	Romanciers et romancières	Titres publiés	Titres par auteur
CLF	71	129	1,8
Le Jour	48	114	2,4
Total	119	243	2,0

l'entreprise. Dans les années cinquante, Pierre Tisseyre avait bien établi ce système en créant un prix littéraire où les auteurs primés étaient invités à participer à la sélection de l'année suivante. En recrutant les membres du jury parmi les journalistes de grands quotidiens et les critiques en vue, il assurait une couverture médiatique au prix et à ses lauréats.

L'éditeur recherche souvent des auteurs qui sont des critiques influents et qui bénéficient de tribunes de prestige. Jean Éthier-Blais, auteur du CLF[10], était également chroniqueur régulier du *Devoir* ; Jean Basile, directeur des pages littéraires au même journal, était l'auteur de quatre livres publiés aux Éditions du Jour durant ses états de service (1964-1971). Lorsqu'on fait le décompte, on constate sur ce point que le Jour a bénéficié d'un léger avantage sur son concurrent dans la mesure où bon nombre de ses auteurs étaient non seulement critiques au *Devoir* mais aussi collaborateurs réguliers de plusieurs revues littéraires. André Major et Victor-Lévy Beaulieu, qui ont travaillé successivement au Jour, le premier en tant que secrétaire de Jacques Hébert (1962-1970) et le second comme directeur littéraire (1969-1973), ont occupé simultanément diverses tribunes. À la fois romanciers et chroniqueurs, ils ont entretenu des liens étroits avec la petite édition (Parti-Pris, Atys, Estérel) et les revues d'avant-garde, comme *La Barre du jour, Parti pris, Quoi* et *Chroniques*[11].

10. Jean Éthier-Blais a publié quatre ouvrages au CLF de 1967 à 1969.

11. Les auteurs du CLF, plus âgés, mieux établis, qui occupent des postes à temps complet dans la fonction publique (Pierre de Grandpré), à Radio-Canada (Gilles Archambault, André Langevin, Wilfrid Lemoyne, Roger Fournier, Diane Giguère, Minou Petrowski), à l'Office national du film (Hubert Aquin), ou à l'université (André Berthiaume, Gérard Bessette, Jean Éthier-Blais, Adrien Thério), sont

On sait que les stratégies des éditeurs reposent essentiellement sur le cumul des fonctions pour ultimement adapter la réception à la production. Dans ce parcours obligé de la réussite éditoriale, on voit se constituer des réseaux d'écrivains et de critiques relativement homogènes, que l'on pourrait qualifier à l'instar de Stanley Fish (1980 : 171) de « communautés d'interprétation » distinctes.

Les séries littéraires

Les facteurs objectifs que nous avons mis en évidence comme le groupe d'âge, le cumul des fonctions et la cooptation des auteurs font partie de ces choix qui doivent être mis en relation avec le texte. Les traits généraux des groupes ainsi cooptés vont nécessairement se répercuter dans le choix des œuvres, dans leur style et leur écriture. Au CLF, on affiche une préférence certaine pour le roman psychologique, la tranche de vie, la biographie intérieure et le nouveau roman. Au Jour, le roman picaresque, la parodie, la dérision, le discours carnavalesque dominent, ce qu'André Belleau (1980) appelait « le roman de l'écriture », par opposition au « roman de la parole » et du « code ». À la langue littéraire et hexagonale du bien nommé Cercle du livre de France, les auteurs du Jour opposent l'impureté de la langue parlée, les jeux de mots, la déconstruction du langage et du discours légitimé. Jean Éthier-Blais (1967 : 233), dans son célèbre compte rendu du premier roman d'Hubert Aquin, marquait le clivage qui devait séparer les romanciers du CLF des jeunes romanciers voués selon lui à « l'inculture ». L'auteur de *Mater Europa* faisait d'Hubert Aquin le témoin à charge de la littérature joualisante. Jean Basile, auteur du Jour, montrait au contraire dans le même journal comment l'intrusion de la langue parlée dans le discours du récit avait transformé le roman et modifié le rapport de l'écrivain canadien-français à la littérature. Tout en déplorant l'impasse dans laquelle s'étaient engagés les romanciers de la langue verte, il soulignait la pertinence de cette remise en question de la littérature traditionnelle :

> Voilà la nouveauté et d'importance. C'est la seule que peut faire un écrivain digne de ce nom. Si maladroits soient-ils, les écrivains « joualisant » ont peut-être plus que les autres aidé à la prise de conscience des écrivains par eux-mêmes (sans quoi il ne peut y avoir de littérature) et, partant, procéder [*sic*] à une refonte des cadres littéraires canadiens-français, refonte

---

moins présents dans les journaux et absents des nouvelles revues littéraires.

> dont le résultat va se faire indubitablement sentir d'ici quelques années ou moins (Basile, 1965).

La différence de points de vue qui oppose ici les deux critiques maison est aussi sensible dans la formulation des titres publiés par leur éditeur respectif. On sait que le titre tombe sous la responsabilité partagée de l'auteur et de l'éditeur, qu'il constitue avec le nom de l'auteur l'indice signalétique le plus important du livre, qu'il a son propre code partagé entre la désignation du contenu et sa fonction d'indice générique ou sériel. Si on compare sur ce plan les deux maisons qui nous intéressent, on constate au CLF une préférence pour les titres référentiels, les noms propres de lieux, de personnes, caractéristiques du roman réaliste *(Alexandre Peuchat, Anna, Placide Beauparlant, révolutionnaire tranquille, Guillaume D, Simone en déroute, Beautricourt, La dynastie des Lanthier, Les Pierrefendre, Un homme, rue Beaubien, Rue Sherbrooke Ouest),* les rôles sociaux et les métiers *(Les pédagogues, Le libraire, Le funambule, Le témoin),* et les noms et lieux exotiques *(L'or des Indes, Onaga, Amadou, Les oranges d'Israël, Ilse ou Salmacis avortée, Mater Europa).* Quelques titres mettent l'accent sur le temps et la mémoire : *Enfances lointaines, Un soir d'hiver, L'été de la cigale, Le temps des jeux, Trou de mémoire.* D'autres titres, dans la postérité de *La modification* de Butor[12], vont désigner un parcours, une évolution, une transformation : *L'itinéraire, Le passage, Croisière, Le grand tournant, À travers la mer, Le voyage en rond, Le voyage à l'imparfait.* La crise intérieure et l'angoisse existentielle font partie d'autres séries courantes riches en métaphores signalant le désordre : *Le mal de terre, Le poisson pêché, Le royaume détraqué, La saison de l'inconfort*[13].

Aux Éditions du Jour, tout se passe comme si on s'employait à contester la « titrologie » du CLF en mettant l'accent sur la mixité linguistique et l'hybridation culturelle. Ainsi, sur le chapitre des noms propres, beaucoup de noms anglophones ou anglo-français *(Sylvie Stone, Jos Carbone, David Sterne, Johnny Bungalow, Jimmy)* et des titres bilingues *(La guerre, yes sir !, Angoisse Play, Sold-out,*

---

12. Pour son club du livre, le CLF a réédité, entre autres, *La modification* (1958) de Michel Butor et *La maison de rendez-vous* (1966) d'Alain Robbe-Grillet.

13. Signalons aussi plusieurs titres binaires qui rappellent le roman populaire, comme *Maintenant et toujours, Peur et amour, Inutile et adorable, Le képi et la cravache, Le pour et le contre, Paroles et musiques, La favorite et le conquérant.* Pierre Tisseyre était aussi directeur d'une

étreinte/illustration). Les jeux de mots, les néologismes souvent tirés de la langue orale ou d'expressions populaires constituent une autre caractéristique des titres du Jour, *La nuitte de Malcomm Hudd* (malcommode), *L'ogre de Barbarie*, *Un joualonais sa joualonie*. Michel Tremblay y publie un récit joualisant en 1973, *C't'à ton tour, Laura Cadieux*. La stratégie d'hétérodoxie apparaît dans les titres allongés et volontairement provocateurs de Jean-Marie Poupart, *Ma tite vache a mal aux pattes*, *Chère Touffe, c'est plein plein de fautes dans ta lettre d'amour* et *C'est pas donné à tout le monde d'avoir une belle mort*. L'auteur publie, comme on pouvait s'y attendre, en 1969, un récit intitulé *Que le diable emporte le titre*[14].

L'éditeur se distingue autant par ses choix que par ses refus. Jacques Hébert laissait une grande latitude à ses directeurs littéraires (André Major, Victor-Lévy Beaulieu, Jean-Marie Poupart) issus de la petite édition. Ceux-ci ont fait entrer au Jour toute l'avant-garde des années soixante. Le CLF, lui, marqué par son nom, sa clientèle de club du livre et son catalogue constitué de 70 à 80 % de réimpressions de nouveautés parisiennes, incarnait plutôt la sujétion au code littéraire hexagonal représenté au Québec par des auteurs prestigieux comme André Langevin, Claire Martin et Hubert Aquin. Pierre Tisseyre exerçait également une surveillance étroite sur le contenu des œuvres qu'il publiait[15]. Son refus d'éditer les romans de Marie-Claire Blais *(Le jour est noir)* et de Réjean Ducharme *(L'avalée des avalés)*, et son intransigeance à l'égard du roman joual devaient l'éloigner définitivement des romanciers de la jeune génération[16]. Ainsi, les nouveaux arrivés sur la scène littéraire qui se rangeaient du côté de l'avenir avaient tout intérêt à

---

collection de littérature sentimentale, le Cercle du livre romanesque, qui rééditait le fonds Tallandier (Delly, Magali, Berthe Bernage).

14. Jean-Éthier Blais devait exprimer son dégoût devant tant de désinvolture. À propos de *C'est pas donné* [...], il écrivait : « Voulez-vous avoir honte d'être Québécois ? Lisez ce livre », *Le Devoir*, 6 juillet 1974, p. 10.

15. À ce propos, lire les entretiens de l'éditeur recueillis et présentés par Jean-Pierre Guay (1983).

16. Si le CLF a réussi à constituer un îlot de jeunes écrivains en éditant à la fin des années soixante des auteurs comme Louis Gauthier, Alain Gagnon, Daniel Gagnon et Jean-Pierre Guay, ceux-ci ne faisaient pas équipe et étaient trop peu nombreux. Un écrivain comme Aquin, qui aurait pu prendre la direction de cette génération, était déjà trop éloigné par l'âge des jeunes recrues du roman d'avant-garde.

s'écarter du CLF, afin de signaler leur originalité et de bénéficier du soutien d'un éditeur plus ouvert à l'avant-garde.

Le lien entre auteur et éditeur qui tend à devenir de plus en plus un rapport exclusif, du fait de l'importance symbolique acquise au cours des années, a eu tendance à accentuer ce clivage entre les deux principaux promoteurs du roman au Québec. Il ne sera pas étonnant dès lors de voir le Jour incarner le nouveau concept du roman québécois, alors que le CLF restera attaché à la notion de « roman canadien[17] ». Si les propriétaires des deux entreprises étaient étroitement associés aux positions fédéralistes du gouvernement canadien, comme nous l'avons signalé plus haut, leur conception de la direction éditoriale était très différente. L'autonomie de la direction littéraire à l'égard des positions politiques du propriétaire donnait aux auteurs du Jour la marge de manœuvre nécessaire à l'exercice de leur contestation[18]. Mais cette cohabitation, qui a tenu pendant plus de quinze ans, ne devait pas résister à l'évolution des événements politiques du début des années soixante-dix. La crise d'Octobre et la deuxième défaite du Parti québécois aux élections provinciales de 1973 allaient mettre fin à ce mariage entre l'avant-garde littéraire et Jacques Hébert, dont on n'avait pas oublié l'appui aux politiques de Pierre Elliott Trudeau, alors premier ministre du Canada. Le climat politique de plus en plus polarisé et radicalisé de l'époque rendait le divorce inévitable aux yeux des jeunes écrivains. Dans ce contexte, la démission en 1973 de Victor-Lévy Beaulieu, directeur littéraire, eut un effet décisif sur les écrivains du Jour et entraîna le départ des forces vives de la maison qui ne survécut pas à cette hémorragie. L'événement permet de mesurer les limites de l'autonomie littéraire. C'est d'ailleurs un des grands thèmes des romans des années soixante d'Hubert Aquin, de Jacques Godbout et de Victor-Lévy Beaulieu, où le projet politique intervient sans cesse dans l'histoire et dans la narration pour transformer le rapport du sujet au monde et du narrateur à son propre récit. Il était

---

17. L'appellation « roman québécois » pour désigner les publications du Québec va se généraliser progressivement dans la presse, les revues et chez certains éditeurs après 1967. Tandis que le CLF crée le « Livre de poche canadien » en 1968, le Jour réédite ses classiques dans une collection intitulée « Bibliothèque québécoise » à partir de 1972.

18. Jacques Hébert déclarait en 1971 : « J'ai créé il y a dix ans un comité de lecture, jeune, plein de vitalité et dont le jugement ne concorde pas forcément avec le mien. Je me suis efforcé de faire une large place aux auteurs inconnus et de prendre des risques. » Propos rapportés par Alice Parizeau, « L'éditeur du Québec nouveau, Jacques Hébert », *Châtelaine,* janvier 1971, p. 41.

logique que ce télescopage fasse un retour dans le réel, et en particulier dans le lieu même de la production du livre[19].

CONCLUSION

Au terme de cette aventure, même si l'une des deux maisons a survécu à l'autre, on constate que la notoriété des écrivains du Jour en tant que groupe l'a emporté sur ceux qui ont été édités au CLF durant la période observée. Une vérification rapide au *Dictionnaire des auteurs de langue française en Amérique du Nord* (Hamel, Hare et Wyczynski, 1989) nous montre à vingt ans de distance que les premiers se taillent toujours une meilleure place avec moins d'oubliés au palmarès (10 %) que les seconds (18 %)[20]. La présence dominante des romanciers du Jour au catalogue des collections de poche des années quatre-vingt-dix vient encore confirmer cette observation[21]. Le cadre limité de la présente étude ne nous permet pas d'aller plus loin dans l'analyse de la réception. On reconnaîtra cependant que la réédition ou la réimpression en poche n'est pas seulement une activité commerciale ou une réponse passive à une demande, mais qu'elle constitue aussi un moment important dans la mise en valeur des œuvres.

Nous avons vu comment un éditeur, en s'associant à la montée d'une génération, s'est positionné dans le champ éditorial et a réussi à s'imposer comme une force nouvelle par rapport à des rivaux sur le déclin. Nous avons tenté de montrer comment des facteurs objectifs comme le groupe d'âge des auteurs, la production en titres, le cumul des fonctions dans le système de diffusion, de réception et de légitimation, certains choix idéologiques et politiques ont pu déterminer cette trajectoire. Ces facteurs sont inséparables des changements qui influent sur le champ littéraire dans son ensemble, lequel ne repose pas seulement sur une logique de la distinction mais aussi sur des positions politiques. En

---

19. Cette intervention du politique va contribuer à restructurer complètement le champ éditorial en provoquant la mise en place de nouveaux clivages au cours des années soixante-dix entre l'édition commerciale et l'avant-garde littéraire.

20. Voir l'avant-dernière ligne du tableau 3 où l'on trouve les oubliés du *Dictionnaire des auteurs de langue française en Amérique du Nord.*

21. Dans la collection « 10/10 » des Éditions Stanké, dirigée successivement par d'anciens auteurs du Jour, Roch Carrier et maintenant Victor-Lévy Beaulieu, les titres du Jour constituent 40 % du catalogue et ceux du CLF, 2 % (d'après le catalogue de l'éditeur publié en 1986).

effet, les positions sur la valeur littéraire sont étroitement associées à une vision sur le devenir de la société et d'où découlent nécessairement des partis pris et des décisions de nature politique. La littérature offre cette particularité de pouvoir réactiver ces questions. Le rapport imaginaire au réel qu'elle instaure permet d'inscrire cette aventure dans une totalité qui peut servir de cadre ou de motivation à une action, comme chez les jeunes romanciers québécois engagés à différents niveaux dans la production, la promotion et la diffusion des œuvres. L'édition fut, pour plusieurs d'entre eux, un champ d'expérimentation où ils ont pu confronter leurs projets et leurs théories avec les réalités politiques, économiques et sociales et en tirer les conclusions qui s'imposaient.

BIBLIOGRAPHIE

BASILE, Jean (1965), « Tout du côté de la plume », *Le Devoir,* 30 octobre, p. 13.

BELLEAU, André (1980), *Le romancier fictif. Essai sur la représentation de l'écrivain dans le roman québécois,* Montréal, Les Presses de l'Université du Québec.

BOSCHETTI, Anna (1986), « Légitimité littéraire et stratégies éditoriales », dans Henri-Jean MARTIN et Roger CHARTIER [édit.], en collaboration avec Jean-Pierre VIVET, *Histoire de l'édition française,* t. IV : *Le livre concurrencé 1900-1950,* Paris, Promodis, p. 481-527.

BOURDIEU, Pierre (1977), « La production de la croyance, contribution à une économie des biens symboliques », *Actes de la recherche en sciences sociales,* n° 13 (février), p. 3-43.

BOURDIEU, Pierre (1979), *La distinction. Critique sociale du jugement,* Paris, Éditions de Minuit.

BRETON, Jacques (1988), *Le livre français contemporain. Manuel de bibliologie,* Malakoff, Solin, 2 vol.

CAU, Ignace (1981), *L'édition au Québec de 1960 à 1977,* Québec, Ministère des Affaires culturelles. (Coll. Civilisation du Québec, n° 30.)

DUBOIS, Jacques (1978), *L'institution de la littérature. Introduction à une sociologie,* Bruxelles, Nathan et Labor.

ESCARPIT, Robert (1978), *Sociologie de la littérature,* 6e édition, Paris, Les Presses universitaires de France. (Coll. Que sais-je ?, n° 777.)

ESCARPIT, Robert *et al.* (1970), *Le littéraire et le social. Éléments pour une sociologie de la littérature,* Paris, Flammarion. (Coll. Sciences de l'homme.)

ESTIVALS, Robert (1987), *La bibliologie,* Paris, Les Presses universitaires de France. (Coll. Que sais-je ?, n° 2374.)

ÉTHIER-BLAIS, Jean (1967), *Signets II,* Montréal, Le Cercle du livre de France.

FISH, Stanley (1980), « Interpreting the Variorum », dans Stanley FISH, *Is there a Text in this Class ? The Authority of Interpretive Communities,* Cambridge et Londres, Harvard University Press, p. 147-173.

GENETTE, Gérard (1987), *Seuils,* Paris, Éditions du Seuil. (Coll. Poétique.)

GEROLS, Jacqueline (1984), *Le roman québécois en France,* Montréal, Hurtubise HMH. (Cahiers du Québec, coll. Littérature, n° 9.)

GERVAIS, André et Élisabeth HAGHEBAERT (1989), « Liminaire », *Urgences (Lisières du livre),* n° 23 (avril), p. 5-6.

GUAY, Jean-Pierre (1983), *Lorsque notre littérature était jeune. Entretiens avec Pierre Tisseyre,* Montréal, Pierre Tisseyre.

HAMEL, Réginald, John HARE et Paul WYCZYNSKI (1989), *Dictionnaire des auteurs de langue française en Amérique du Nord,* Montréal, Fides.

JANELLE, Claude (1983), *Les Éditions du Jour, une génération d'écrivains,* préface d'André Major, Montréal, Hurtubise HMH. (Cahiers du Québec, coll. Littérature, n° 73.)

LAUFER, Roger *et al.* (1983), *La bibliographie matérielle,* table ronde organisée par Jacques Petit, Paris, CNRS.

LEMIRE, Maurice et Michel LORD [édit.] (1986), *L'institution littéraire,* Québec, CRELIQ et IQRC.

MACLAREN, I. S., Claudine POTVIN *et al.* (1989), *Questions of Funding, Publishing and Distribution / Questions d'édition et de diffusion,* Edmonton, Research Institute for Comparative Literature, University of Alberta.

MICHON, Jacques (1981), « Fonctions et historicité des formes romanesques », *Études littéraires,* vol. 14, n° 1 (avril), p. 61-79.

MICHON, Jacques (1985), « Édition littéraire et autonomie culturelle, le cas du Québec », *Présence francophone,* n° 26, p. 57-66.

MICHON, Jacques (1987), « Croissance et crise de l'édition littéraire au Québec », *Littérature,* n° 66 (mai), p. 115-126.

MICHON, Jacques *et al.* (1988), *L'édition du livre populaire,* Sherbrooke, Ex Libris. (Coll. Études sur l'édition.)

MICHON, Jacques *et al.* (1989), « L'édition littéraire au Québec », *Voix et images,* n° 41 (hiver), p. 165-247.

MICHON, Jacques *et al.* (1991), *Éditeurs transatlantiques,* Sherbrooke et Montréal, Ex Libris et Triptyque. (Coll. Études sur l'édition.)

MICHON, Jacques et Richard GIGUÈRE (1990), « An Approach to the History of Publishing : Twentieth-Century Quebec », *Book Research Quarterly,* vol. VI, n° 1 (printemps), p. 55-64.

VIDAL, Jean-Pierre (1989), « Corps défendant, à couvert, soi », *Urgences (Lisières du livre),* n° 23 (avril), p. 12-21.

Table des matières